Raslas bach a mawr!

HUNANGOFIANT

Wynford Ellis Owen

Argraffiad cyntaf – 2004

ISBN 1 84323 362 2

Dymuna'r cyhoeddwyr gydnabod cymorth
Cyngor Llyfrau Cymru.

Argraffwyd yng Nghymru gan
Wasg Gomer, Llandysul, Ceredigion

Cyflwynaf y gyfrol hon
i'r ddwy fach sy'n fy ngalw'n 'TAID' –
Efa Grug a Begw Non.

DIOLCHIADAU

Carwn ddiolch i'r canlynol am gael defnyddio'u lluniau: Mick O'Connell, Gerallt Llywelyn, Dewi Glyn Jones, Martyn Griffiths, Barry Davies, Dylan Rowlands, Keith Morris, Malcolm Griffiths, Geraint Thomas, Llyfrgell Genedlaethol Cymru, *Y Cymro*, BBC Cymru a HTV Cymru. Diolch arbennig i Dewi Glyn Jones am luniau'r clawr, ac i Gary Evans am y cynllun. Diolchaf hefyd i Wasg Gomer am waith destlus a chaboledig yn ôl eu harfer; i Bethan Mair am ofyn imi gofnodi'r daith hunllefus i wynfyd; ac i Bryan James am olygu'r cyfan, ac am chwarae rhan mor allweddol yn y broses o gario'r neges.

Hoffwn gydnabod cyfraniad Meira, fy ngwraig, hefyd, ac rwy'n diolch iddi am fod mor ddewr yn darllen cynnyrch pob dydd dros fisoedd oer y gaeaf. Gwn na fu ail-fyw'r gorffennol yn brofiad hawdd iddi.

WYNFORD ELLIS OWEN
(Medi, 2004)

CYNNWYS

PROLOG

Mae'n rhyfedd. Dydw i ddim yn berson i oedi cyn gwneud pethau fel rheol. Ac eto, ers wythnosau, rydw i wedi bod yn taflu cyllyll at y cloc, fel petai. Unrhyw beth i ladd amser, debyg! Ac mi wn i'n iawn beth sy'n gyfrifol am yr oedi 'ma, hefyd: yr hen ysfa 'ma sydd gen i i fod yn 'berffaith' ym mhopeth dwi'n 'neud – yn gymysg ag ofn. Yr hen elynion cyfarwydd.

Pan ofynnwyd i mi sgwennu fy hanes, cynhesais yn syth at y syniad. Yn wir, mae wedi bod yn batrwm o 'mywyd i ers deuddeg mlynedd, bellach, i ddeud wrth bobol am fy mhrofiadau tra oeddwn i'n yfed, yn y gobaith y gwnaiff un person, efallai, uniaethu â mi, a thrwy hynny, arbed gorfod dioddef yr uffern fu'n gymaint rhan o'm bodolaeth i hyd 1992. Ond am ryw reswm, mae'r profiad yma o drosglwyddo'r cyfan i ddu a gwyn, fel hyn, wedi bod yn wahanol – ac yn anoddach o lawer.

Yn fy meddwl alcoholaidd (tydw i ddim yn yfed heddiw, ond mae'r meddwl alcoholaidd gen i, ar adegau, o hyd) roedd yn rhaid i mi ddisgrifio 'y diwrnod perffeithia'n bod' heb sylweddoli bod pob un diwrnod, erbyn hyn, yn berffaith.

A'r ofn! Roedd hwnnw'n arfer fy mharlysu i 'stalwm fel na fedrwn i weithredu o gwbl – ofn bod rhywbeth ofnadwy a dychrynllyd ar fin digwydd i mi. Erbyn hyn dwi'n gwbod yn iawn sut mae delio hefo'r cena' hwnnw ond cododd ei ben eto wrth i mi feddwl am ysgrifennu'r hunangofiant hwn, a'm rhwystro. Ond beth sydd gen i i'w guddio p'run bynnag? Dim ond yr hyn sydd gan fy ffug-falchder i'w gelu. Hynny, a'r ffaith y bydd yn rhaid i mi fod yn ofalus o deimladau pobl eraill – ac o deimladau 'nheulu agosa'n fwy na neb. Daw'r cyfan yn eglur, gobeithio, yng nghwrs yr adrodd.

Mae'n beth amheuthun i'r alcoholig, pan mae'n sobri, i gael cymorth alcoholig arall sydd wedi bod yn sobr am gryn amser, ac sydd wedi arfer delio â phroblemau bywyd-bob-dydd heb 'help' alcohol. Gelwir y gŵr hwnnw neu'r ferch honno yn 'noddwr' – a Bryn oedd fy noddwr i. Arferai adrodd fel yr ymwelodd â 33 o wahanol wledydd mewn chwe blynedd pan oedd yn yfed, er mwyn dianc rhag ei broblemau. Wnaeth o ddim sylweddoli hyd nes iddo sobri, sut bynnag, mai fo'i hun *oedd* y broblem! Bu farw Bryn o gancr yr ysgyfaint yn 2001 yn 60 oed. Ond yn ystod ei 25 mlynedd o sobrwydd bu'n un o hoelion wyth y mudiad gwellhad byd-eang. Arbedodd fywydau cannoedd o ddioddefwyr, ac roedd ei ddoethineb yn ddiarhebol. Ef gyfoethogodd fy mlynyddoedd caled cyntaf gyda'i gynghorion a'i 'awgrymiadau' gwerthfawr. Bu'n ail dad i mi, yn frawd mawr arall i mi, ac fe'm carodd i'n ddiamod hyd at y diwedd un.

Mae'n arferiad gen i wrth fyfyrio i fynd i ardd baradwysaidd yn fy nychymyg. Yno mae Bryn, fy noddwr, erbyn hyn, gyda Jane – mam ifanc i blentyn tair blwydd oed a gyflawnodd hunanladdiad drwy daflu ei hun i farwolaeth o ben pont sy'n croesi'r M4 ger ysbyty'r Waun yma yng Nghaerdydd; Julie – a yfodd ei hun i'w bedd mewn mynwent oer yn Elái; Rob, hefyd, – ffrwydrodd ei iau fin nos yn ystod ei feddwad olaf; a Martyn – Martyn annwyl na allai frifo neb ond fo'i hun, ac a drengodd yn yr unigrwydd ingol hwnnw na ŵyr ond yr alcoholig amdano – yn ddiymgeledd hypothermig, heb obaith, heb ddim. Mae eraill yno hefyd nad oedden nhw'n alcoholigion: Miss World, Mr a Mrs Evans Ceris, Hywel mab y plismon, Mrs Roberts yr Hafan, Mr Jones y saer, Yncl Dic, Anti Mag o Assam yn yr India bell, Bonso, Megan Mair, Yncl John, a lliaws o'm gorffennol pell ac agos. Graham Laker, y cyfarwyddwr theatr galluog, hefyd – mae yntau yno. Pan fu Graham farw yn Rhagfyr 2001, gofynnwyd i mi dalu teyrnged fer iddo yn yr amlosgfa yn Aberystwyth. Ac ymhlith y pethau eraill, dywedais mai ef oedd y gŵr ddywedodd yr union eiriau cywir, yn yr union drefn gywir, ar yr union adeg gywir yn fy hanes a arweiniodd ata i'n cymryd y cam pwysig cyntaf i groesi'r bont honno i fywyd sobr newydd, drwy ofyn am help. Mae arna i ddyled bywyd i

Graham am ei ymyrraeth bryd hynny, ac am ei fynych gymwynasau eraill i mi ar hyd y blynyddoedd. Diolch amdano.

Yno, hefyd, mae fy rhieni. Ac yn yr ardd honno y cefais ganiatâd fy mam, a'i bendith, i sôn yn onest ac yn agored, fel dwi wedi gwneud, amdani hi a 'nhad. Bu hynny'n gymorth i mi goncro'r ofn, a mentro sgrifennu.

LLANSANNAN
(1948–1955)

Habacac! Dyna o'dd dad 'di bwriadu 'ngalw fi. Wel, dyna ddudodd o wrth Anti Dil, hen fodryb i mi o'dd yn byw ym Machynlleth 'stalwm. *'Wi'f had a syn born . . . on the twenti second of Janiwari, âi, neintîn fforti êt – and wi intend naming him Habacac.'* To'dd Saesneg Dad ddim yn rhyw sbesh iawn.

Ond mor lŵpi o'dd fy modryb fel y gnath hi atab yn deud, *'Congratulations! Habacac is a very unusual name, Bob – but I like it.'*

Mi o'dd 'yn teulu ni yn anonest o'r dechra cychwyn, felly, 'dach chi'n gweld – wel, carfan ohono. Dad yn deud celwydd, achos mai jôc o'dd y bwriad i 'ngalw fi'n Habacac (ro'dd petha fel'na'n ticlo Dad); ac Anti Dil yn deud celwydd 'i bod hi'n licio'r enw. Achos fasa neb yn 'i iawn bwyll yn cymeradwyo enwi babi yn Habacac, 'na fasan? Ac eto mi nathan nhw'n enwi fi'n Wynford, hefyd. Ac ma' hwnnw jest cyn waethed!

Dad a Mam, gyda llaw, o'dd Bob a Beti, neu'r Parchedig Robert Owen B.A. (Trebor ffor' rong) ac Elizabeth Georgina Ellis, fel o'dd hi cyn priodi. Ro'dd Dad o Dolwyddelan, ac mi gollodd o 'i fam (fy nain i) yn ffliw epidemic 1918 – pan o'dd o'n ddeg oed, yr hyna o bump o blant (mae cofeb tu allan i gapel Moriah, Dolwyddelan, yn coffáu tri ohonynt). Taid, William Owen – o'dd yn chwarelwr ac yn flaenor, ac yn ddyn da – fagodd y pump. A'th Yncl John, brawd Dad, i'r weinidogaeth, ac mi a'th Anti Mag yn genhades i'r India bell, Anti Jane yn Sister i un o ysbytai Lerpwl, ac Anti Lyn? Wel, mi bwdodd honno am rwbath ac aros adra, a jest bod yn ddraenan yn ystlys pawb am weddill 'i hoes. Rhyfadd fel 'dach chi'n troi allan, weithia, i fod yn debyg i'r person 'dach chi'n licio leia, tydi? Ar un adag yn 'y mywyd ro'n i'n debyg iawn i Anti Lyn!

15

Mi o'dd Mam, ar y llaw arall, o Aberystwyth ac yn un o bedwar: dwy chwaer a dau frawd. Mair Millichamp o'dd 'i chwaer (Dwi 'di enwi un o gymeriadau *Porc Peis Bach* ar 'i hôl hi. Ddyla enw fel'na byth farw!), ac Yncl Dic, gŵr yr Anti Dil lŵpi o'dd y llall, hefo Yncl Ed, y fenga, yn debycach i Clarke Gable neu Lawrence of Arabia. Ro'dd y merched i gyd yn 'i ffansïo fo – o'dd ganddo fo frêns, ac mi o'dd o'n ffwtboler heb 'i ail. Ma' pobol Aberystwyth yn dal i sôn am Yncl Ed a'i gampau ar y cae chwara; ef o'dd warden cynta Pantycelyn, a fo sgwennodd y llyfr sy'n croniclo hanas canrif gynta datblygiad Prifysgol Cymru, Aberystwyth . . . Ond wei, wei, wei! Fel basa Syr Wynff Ap Concord, y Bòs, yn 'i ddeud, nid llyfr amdano fo ydy hwn. Lle o'n i, dudwch? O ia, Mam – Elizabeth Georgina. Wel, be fedra i ddeud amdani hi, 'dwch? 'Dach chi'n nabod Shirley Bassey, 'de? Wel, rhowch honno hefo Ruby Wax, a rhowch ddôs go egar o Gillian Elisa ar 'i gwaetha, Ginger Rogers ar 'i mwya eligant a'r mymryn lleia o Vivien Leigh yn *Gone with the Wind*, ac ma' gynnoch chi syniad go dda o be o'dd Mam. *'Once seen never forgotten!'* Mi o'dd Mam yn löyn byw o drysor prin, ac mi o'dd hi newydd golli'i mam hitha, o gancr y bowal, 'run fath â Kathleen Ferrier a Gracie Fields, druain – 'i hoff gantoresa hi o hynny mlaen, a 'Jesu Joy of Man's Desiring' a'r erchyll gân, 'Annie, Annie . . . pride of our alley . . .' o'dd y ffefrynna. Fydda hi'n crio bob tro y byddai'n clywad y rheiny. Mi o'dd 'na hen fodryb arall, hefyd. Anti Georgie, o'dd yn byw yn Roxbrough, Elm Tree Avenue, Aberystwyth – teyrn os bu 'na un erioed. Mi o'dd ganddi hithau ryw fath o ŵr, hefyd. Yncl Wil – o'dd yn Dori digyfaddawd ac yn fêsyn mwy. Welis i mono fo'n gneud diwrnod o waith 'rioed. Anti Georgie o'dd chwaer Gran ar ochor Mam. Ac ro'dd gan Mam 'i hofn hi, am ryw reswm. Fyddan ni'n gorfod mynd yno bob ha' dros wylia'r ysgol pan o'n ni'n blant – ac mi fydda'r car Ford, rhif BF 46, yn torri lawr bob tro ar y ffordd. Saesneg fydda pawb yn siarad yn Roxbrough, a fydda Dad yn casáu bod yno – wel, to'dd 'i Saesneg o ddim rhyw sbesh, fel dudis i.

A to'dd gan Dad ddim byd yn gyffredin hefo teulu Mam,

chwaith. Deud y gwir, fyddach chi byth wedi dychmygu y bydda Dad a Mam yn medru byw'n hapus hefo'i gilydd. Roeddan nhw mor wahanol, ac o gefndiroedd mor anghymarus. Ond dyna fo: *opposites attract*!

Mi o'dd Dad yn drwm 'i glyw – canlyniad gweld 'i ffrind gora'n syrthio i'w farwolaeth yn chwaral yr Oakley, Blaena Ffestiniog, a fynta ond yn ddwy ar bymtheg oed. Mi drodd 'i wallt o'n wyn dros nos, hefo'r sioc. Oddi yno, mi a'th i Goleg Harlech, i Goleg y Presbyteriaid yn Rhyl, Coleg y Bala, Coleg Bangor, gan orffan yn Aberystwyth – lle g'nath o gyfarfod Mam. Mi o'dd Dad yn ddyn tal, myfyrgar, tawal – ag eithrio pan o'dd o'n chwara pêl-droed. (Mae'n debyg i dîm o'r Coleg Diwinyddol ga'l 'u banio o'r cae, unwaith, am chwara'n fudr!)

Cadw tŷ lojin o'dd Mam, Llwyn Haf, hefo Nain yn Aberystwyth, cyn iddi farw – ac mi o'dd 'na lawar o stiwdants yn aros hefo nhw. Un ohonyn nhw o'dd William Mars Jones, o Lansannan, y barnwr ddaeth yn enwog, nes ymlaen, fel yr erlynydd yn achos y Moors Murders hefo Ian Brady a Myra Hindley yn y 60au. Ta waeth, mi briododd Mam a Dad, a mynd i fyw i Lansannan yn y man.

Weithia, wrth edrych yn ôl, mi fydda i'n meddwl bod Mam wedi hiraethu'n arw am Aberystwyth, ei theulu a'i ffrindia, bryd hynny, ac yn colli hwyl dawnsfeydd y Kings Hall ar nos Fercher a nos Sadwrn, a'r awyrglch o gymdeithasu iach o'dd mewn tre golegol, brysur, glan môr 'radag honno. Ro'dd Mam yn ddynas llawn hwyl ac asbri hefo meddwl agorad, ac fe dorrai allan i ddawnsio'r Charleston ar ganol llawr y gegin ar yr esgus lleia, g'neud striptîs, neu ganu, *'We're a couple of swells, we dine at the best hotels'* a.y.y.b. – hefo'r symudiada i gyd. Roedd dod i'r *back of beyonds* chwedl hitha, i bentra di-nod Llansannan, yn newid byd mawr arni, ac yn sioc i'r system. Oherwydd, o hynny 'mlaen, a hithau'n wraig i weinidog, mi fu rhaid iddi dawelu'r rhan allblyg honno o'i chymeriad a'i guddio dan lestr 'disgwyliada pobl erill'. Gwaetha'r modd, roedd gan bentrefwyr Llansannan, a phob pentra arall am wn i, syniada go bendant o beth ddyla gwraig i weinidog fod! Gafodd Mam 'i mygu o

17

ganlyniad, dwi'n siŵr (er na chwynodd hi 'rioed), ac mi ddechreuodd gymryd tabledi cryfion i'w helpu i gysgu, a charthlynnau (*laxatives*) – rhywbeth o'n i'n casáu ei gweld yn g'neud.

Mi o'dd gen i chwaer a brawd hŷn, hefyd – Rowenna ac Arwel. Ro'dd Rowenna wyth mlynadd yn hŷn na mi, a 'mrawd bum mlynadd, ac roeddan ni'n byw yn y mans, yn Heulfryn, Llansannan, yn yr hen sir Ddinbych.

Dylwn i ddeud rhwbath am Saesneg Mam, yn fa'ma. Ma' 'na lot o bobol Cymuned 'di beirniadu iaith Dilys yn y rhaglen *Porc Peis Bach* – 'i bod hi'n siarad gormod o Saesneg. '*Ye gods! My goodness gracious me! Caruthers! Rachmaninoff!*' ac yn y blaen. Ond fel'na o'dd Mam go iawn – yn siarad Saesneg Aberystwyth rownd y rîl, a heb ddim Cymraeg o gwbwl pan briododd hi Dad. Dysgu wedyn 'nath hi, ylwch, wrth i ni'r plant dyfu – ond mi o'dd 'i threigliada hi'n para i fod yn broblam iddi reit i fyny at 'i marwolath, ac fel 'Glacier Mints' ieithyddol i'r glust, weithia, yn gongla i gyd. 'Nath hi ddim cweit llwyddo i gracio'r côd, rywsut – er fod dysgu siarad Cymraeg yn hanfodol ar y pryd: do'dd neb yn siopa Llansannan yn dallt Saesneg, ac mi fasan ni 'di llwgu fel arall.

Ma' raid 'mod i 'di bod yn hapus adag hynny. Achos dwi'n cofio crwydro'r priffyrdd a'r caea yn chwibanu – a tydi rhywun ddim yn chwibanu heb 'i fod o'n hapus, yn nac'di? Ac ro'dd gen i bob rheswm dros fod yn hapus, hefyd: heb sylwi ar 'nhrwyn mawr i eto, doedd gen i ddim pryder yn y byd, ac ro'n i'n ca'l chwara yn yr ardd ffrynt gyferbyn hefo 'nghariad i, Helen Preswylfa, tra bo Mam yn siarad hefo Mrs Elen Vaughan Wynne, fy athrawes ddosbarth i yn y babanod, o'dd yn byw dros y ffordd. Doedd neb tebyg i Mam a Mrs Wynne am hel clecs. Fasan ni 'di medru chwythu'r byd i fyny'n racs jibadêrs a fasa'r ddwy ddim callach! A lle fydda Dad? Yn pysgota neu hefo'r gwenyn, neu'n gweithio ar 'i bregath yn y stydi. Ro'dd o'n fardd ac yn llenor hefyd, ac ro'dd hynny'n esgusodi popeth, mae'n debyg. Ro'dd gynno fo hawl i fod ar 'i ben 'i hun hefo'i feddylia.

Ges i ddechra yn yr ysgol gynradd yn dair oed. Y rheswm am

hynny o'dd 'mod i 'di dechra crwydro i fyny ochra'r afon ar 'y mhen fy hun. Dengid o Heulfryn fyddwn i bob gafal am ryw reswm, ac er rhoi cloeon ar y giât a weiren bigog o gwmpas y terfyna, mi lwyddais i ddianc yn hwdinaidd bob tro. Ges i row gen 'nhad, tua'r un amsar. Wedi bod hefo'r hogia mawr yn y cae chwara o'n i. Ro'dd hi'n ddiwrnod mabolgampa'r pentra, ac ro'dd Dad wedi ennill yr 'egg and spoon race' yn erbyn y tada erill ddechra'r p'nawn, ac wedi mynd i 'sgota neu i sgwennu pregath neu beth bynnag fydda fo'n 'neud ar 'i ben 'i hun, wedyn. Esgob! Mi ro'n i mor browd ohono fo am ennill! Ta waeth, ddoth hi'n amsar swpar, 'do? Ac mi ddoth yn ôl i'r cae i chwilio amdana i. 'Tyd rŵan, Jac-y-Do!' medda fo. Dyna fydda fo'n fy ngalw i bob tro bydda fo mewn hwylia da. 'Tyd rŵan, Jac-y-Do!' medda fo eto. 'Mae'n amsar swpar, yli.'

'Ffyc off!' meddwn i wrtho fo fel'na, heb wbod be o'n i'n 'i ddeud yn iawn. 'Di bod yn gwrando ar yr hogia mawr o'n i, ac mi o'dd rheini 'di bod yn deud y gair newydd 'ma drw'r p'nawn. Ac mi o'dd o'n swnio'n ffasiwn air gwerth 'i ddeud, hefyd.

'Be ddudist ti, hogyn?!' medda Dad hefo'i lygid yn melltennu. A chyda hynny, ges i'n llusgo gerfydd fy ngwar drw'r pentra, hefo fi'n sgrechian a gwichian fel mochyn blwydd i'r lladdfa, yr holl ffordd adra. Dwi'm yn cofio a ges i row gen Mam, ai peidio. Ond ges i 'nhaflu i 'ngwely heb damad o swpar, hefo geiria ola 'nhad yn atseinio'n flin yn 'y mhen i. 'Diwadd annwl dad! Tydi mab i weinidog ddim i fod i ddeud geiria hyll fel'na, hogyn! Go drapia chdi! Rŵan dysga hynny'r cena' drwg iti, neu chei di'm brecwast bora fory, chwaith!'

'Ond pa air hyll, Dad?' o'n i'n beichio crio erbyn hyn. 'Be ddud-is i?' Ond ches i ddim atab ganddo fo. Yn 'i dempar, mi o'dd Dad 'di cau drws y stafall wely'n glep, derfynol arna i.

Wel rŵan, bai raits, dyna ddyla fod diwadd ar y matar. Ond bora wedyn, iff iw plîs, ro'dd Dad yn dal i gorddi. Erbyn hynny ro'n i 'di anghofio be ddudis i. Ond toedd Dad ddim. 'Ar f'encoes i! Chei di ddim rhegi yn y tŷ yma, hogyn!'

'*Ye gods!*' medda Mam, '*what on earth are you going to do now, Bob? My giddy aunt.* Nago'dd Hyacinth yn trio rhegi w!'

19

'To'dd o ddim yn trio peidio, chwaith, ddynas!'

Gyda llaw, dyna fydda Mam yn 'y ngalw fi – Hyacinth! Do's ryfadd 'mod i 'di troi allan fel y gwnes i 'nagoes?

'Dwi'n mynd i ddysgu gwers iddo fo, Beti – unwaith ac am byth, yli di!' So, off â ni i'r ysgol, ac at Mr Teddy Vaughan, y prifathro. Ac o flaen yr ysgol gyfan, dwi'n cofio Dad a Mr Vaughan yn taranu am 'pa mor bwysig o'dd ca'l tafod lân', achos ei bod hi'n amhosib i 'ddim byd ysbrydol dyfu mewn ceg front'. A to'dd gen i ddim obedeia o syniad am beth oddan nhw'n mwydro. Yr unig beth dwi'n gofio wedyn o'dd bod y plant erill yn chwerthin ar 'y mhen i ac yn gwawdio, 'mod i'n fab i weinidog, ac y dylswn i wbod yn well. Dwi'n meddwl mai tua'r adag yma y dechreuis i stopio chwibanu wrth grwydro'r priffyrdd a'r caea; ro'dd 'na fwy i fod yn fab i weinidog, mae'n amlwg, nag o'n i wedi'i ddychmygu'n wreiddiol.

Sylwis i nad o'n i'n ca'l cysgu yn y seiat, chwaith, fel plant pobol erill. Bob un wythnos, ar nos Iau, mi fyddan ni'r plant yn gorfod mynd i'r seiat yn festri'r capal i wrando ar Dad. A bob un nos Iau mi fydda Glyn Gwynfa, mab Llew Jones a'i wraig, yn ca'l rhoi ei ben ar ysgwydd ei fam yn braf a mynd i gysgu. Fyddwn i'n dyheu am ga'l gneud 'run fath – ro'dd y seiat yn ddiflas i hogyn bach bryd hynny – ond mi fydda Mam yn fy rhwystro i bob tro. '*Struth! What have you got to be tired about?*' a byddai'n gwthio 'mhen i oddi ar y llwynog o'dd yn amgylchynu'i gwddw.

Drwy 'mhlentyndod a thu hwnt, chefais i ddim cysgu yn ystod y dydd; na chael cwyno 'mod i'n flinedig, chwaith. Am ryw reswm roedd blinder yn anathema i Mam – yn rhyw arwydd o wendid cymeriad. Rhaid gwthio'r corff i'r eithaf drwy'r amser. A hyd heddiw gorffwyso yw'r peth olaf ar fy meddwl.

Mi ges i ac Arwel, fy mrawd, gythral o row gen ein chwaer un noson hefyd. Un o'r ychydig adega i Arwel a fi 'neud rhwbath hefo'n gilydd. Mi o'dd Rowenna 'di ca'l pâr o neilons crand, newydd yn bresant gen rywun. Mi o'dd Mam 'di mynd allan i ryw bractis neu'i gilydd. Ma' siŵr bod Dad 'di mynd i weld trysorydd yr eglwys. Fydda fo'n gorfod cerddad yr holl ffordd i'r Ddôl tua'r adag yma bob mis i swnian am 'i gyflog. Ta waeth, y noson honno, mi o'dd Rowenna 'di mynd i gysgu o flaen y tân – ac mi o'dd 'na siswrn reit egar yr olwg yn crogi ar y wal islaw'r peth dal llythyra – fydda wastad yn byljo hefo bilia yn barod i'w talu. A mwya sydyn dyma'r ysfa ryfedd 'ma'n dod dros Arwel a fi 'run pryd. A heb ddeud gair, dyma ni'n cymryd ein tro'n ofalus i dorri'r sana neilons yn dipia mân. Fedra i ddim disgrifio'r wefr ges i wrth wylio'r *ladders* yn igamogamu i fyny ac i lawr 'i choesa hi fel tracia dwsina o drena bach yr Wyddfa allan o reolaeth, ac yn ffurfio'r patryma rhyfedda. Y peth o'dd, roeddan ni'n gwbod y bydda 'na le – ac eto, doeddan ni ddim yn malio am y canlyniada. Dwbl wfft iddyn nhw! Roedd mwynhau'r foment yn bwysicach nag ystyried unrhyw boen posib i ddod.

Ges i'r un teimlad pan ro's i'r tŷ ar dân. Yr adag hynny, mi fydda gweinidogion yn aros dros nos pan oedden nhw'n pregethu i ffwrdd o gartra. Penwythnos felly oedd hi pan ges i'r chwiw 'ma yn 'y mhen. Dwn i ddim lle o'dd Rowenna, chwaith, ar y pryd, nac Arwel a Mam o ran hynny. Cymryd clapia glo 'nes i o'r cwt ar waelod yr ardd, yna 'chydig o baraffîn mewn potal Dandelion & Burdock, a rholio papura newydd y Denbighshire Free Press yn beli bach twt a'u socian nhw ynddo fo. Yna, mi 'nes i lenwi pob gwter o gwmpas y tŷ hefo'r tanwydd, a'u tanio. Confflagrashyn ddilynodd, hwnna ydio! A'r fath gonfflagrashyn, hefyd! Ac oni bai bod un o'r blaenoriaid yn digwydd pasio heibio ar 'i ffordd i wasanaeth yr hwyr, mi fydda capal M.C. Henry Rees Llansannan yn dlotach o un mans y noson honno.

Fydda Dad yn rhoi pwys mawr ar bregethu, a byddai pob pregeth ganddo wedi'i saernïo'n gelfydd. Roedd o'n gwbl ddi-flewyn-ar-dafod hefyd, ac yn medru brifo teimlada pobol, weithia – a heb ga'l 'i boeni, wedyn, gan unrhyw deimlada o euogrwydd na'r angen i ymddiheuro am yr hyn ddudodd o. Mam fydda'n teimlo rheini i gyd! Yn amal iawn ar ôl rhyw sylw croes, neu feirniadaeth o ymddygiad rhywun yn y capel, fydda

Mam, ar ôl cyrradd adra, yn taranu ar dop 'i llais. *'Ye gods, Bob! You don't give a damn what you say to these people, do you? It's me who's got to face them all afterwards! Me! Me! Me!'* Roedd Dad yn galad arno fo'i hun, hefyd. Roedd ganddo fo syniada pendant iawn o'r hyn ddylai swydd gweinidog fod: ymweld yn gyson, pregethu'n eneiniedig, a gosod y safon uchaf posib o ymddygiad i'r aelodau. Byddai John Owen, ei frawd, o dan y lach yn aml. Roedd John yn ystyried pawb yn rhan o'i braidd yn Llanbedr, Dyffryn Ardudwy – gan gynnwys pobol y dafarn a'r caridyms lleol, chwadal yntau, a byddai'n ymweld â'r dafarn leol, yn aml. Nid felly 'nhad. Roedd unrhyw un fyddai'n yfed yn ysgymun ganddo. Doedd ganddo ddim amser o gwbl i bobl felly. Lwcus iddo farw, dduda i, cyn i mi ddechrau ar yr yfed mawr – neu mi fyddwn i wedi torri'i galon o. A fynnwn i ddim gneud hynny am y byd.

Dwn i ddim o lle roedd y syniada 'ma am ddiod wedi dod, chwaith – a bod yfwyr yn faw isa'r doman. Roeddan ni'n ca'l sherry bob Dolig – un glasiad cyn cinio. Ond welis i 'rioed mo Dad na Mam yn yfed; fel arall, y wir (ac eto, flynyddoedd yn ddiweddarach, dalltis i fod Dad yn mwynhau wisgi pan fyddai'n mynd i aros hefo'i chwaer, Jane, yn Warrington). Efallai bod Dad wedi gweld effaith alcohol ar bobol pan o'dd o'n gweithio yn chwaral yr Oakley, Blaena Ffestiniog, ac mai dyna oedd yn gyfrifol am ei ragfarn. Yn sicr, doedd dim hanes o alcoholiaeth yn 'i deulu o, hyd y gwyddwn i. Ro'n i'n ymwybodol iawn, sut bynnag, fod Dad yn trio gosod esiampl dda i mi drwy'i fyw – byddai'n dweud hynny wrtho' i'n aml – er ei fod o'n smygu'n drwm, hefyd, coblyn iddo fo!

A Mam? Roedd ei theulu hi yn yfwyr rhonc, ond anaml iawn y byddai'n sôn amdanynt – yn enwedig ei thad. Y cwbl ddwedai hi amdano fo oedd ei fod o'n ddyn cas – yn gas hefo'i mam. Wn i ddim ai alcohol oedd yn gyfrifol am hynny – o adnabod yr arwyddion, siŵr o fod. Ac roedd hanes am ryw ewyrth iddi, hefyd, oedd yn flaenor yn Bethel, Aberystwyth, ac yn berchen ar ffowndri yn y dre. Un nos Sadwrn, mae'n debyg, fei'i restiwyd o am fod yn feddw ac afreolus yn un o'r tafarndai. Mi

22

gafodd o 'i ryddhau (dalltis, flynyddoedd wedyn gan Mair Millichamp, chwaer Mam – fu ei hun yn gaeth i dawelyddion), ar y bore Sul canlynol fel roedd y ffyddloniaid yn mynd i'r cwrdd! Ond ni soniai Mam ddim amdano – ar wahân i ddeud 'i fod o'n ddyn annifyr, cas. Ond o safbwynt Mam, chyffyrddodd hi ddim mewn alcohol 'i hun drwy'i hoes. Ac roedd hi'n teimlo'i hun yn uwchraddol i 'bobol y dafarn' y *drunkards*, chwadal hitha, ac yn fy siarsio i'n amal, '*Don't have anything to do with them, Hyacinth. They're all bad eggs – the lot of 'em!*'

Ac eto, roeddwn i sylweddoli, flynyddoedd yn ddiweddarach, mai llyncu ei halcohol ar ffurf tabledi cysgu o'dd Mam, a'r carthlynnau felltith 'na o sena pods yr o'dd hi mor hoff ohonyn nhw. Oherwydd mae'n ffaith: os ydy alcoholiaeth yn llechu yn y genynnau yn rhywle – waeth pa mor bell fo'r cysylltiad teuluol, mi ffeindith 'i ffordd i'r genhedlaeth nesaf, rywsut. Efallai nad trwy'r ddiod, o bosib, ond mae 'na ffyrdd eraill o gaethiwo'r enaid. Draffarth o'dd, bryd hynny, doedd neb yn gwbod dim amdanyn nhw, ac roedd Mam, gwaetha'r modd, i farw mewn anwybodaeth, a heb ei rhyddhau o salwch nad oedd hi hyd yn oed yn gwbod oedd arni.

Dwi'n cofio'r BBC yn dod i gapel Henry Rees i recordio *Caniadaeth y Cysegr* ar y radio. Dwi hyd yn oed yn cofio un o'r emynau: 'Y Gŵr wrth Ffynnon Jacob'. Yn y flwyddyn 2001, cefais y fraint o gyflwyno fy hoff emynau i ar *Dechrau Canu, Dechrau Canmol*, i S4C, ac roedd yr emyn hwnnw yn un o'n ffefrynna i. Cafodd yr emyn argraff fawr arna i pan glywais i o gynta yn Llansannan bryd hynny, oherwydd y dôn hyfryd a'r darlun byw greodd y geiria yn fy meddwl i – fel y g'nath rhywbeth arall ddigwyddodd i mi'r un pryd. Wrth baratoi at y darllediad, cynhaliwyd ymarfer yn y festri, un noson, i fynd dros yr emynau. Ro'n i wedi 'ngwisgo mewn dillad cowboi, Roy Rogers, ac yn cario gynna ffyrnig i amddiffyn y byd! Roeddwn i tua chwech oed. Mae'n amlwg 'mod i wedi mynd dros ben llestri hefo'r holl beth – a dwi'n cyfadda, ro'n i'n goblyn o hogyn drwg! Na, direidus yw'r disgrifiad gora! Yn sydyn, dyma un o'r merchaid yn deud wrtha i am byhafio, o flaen pawb, ac i beidio dangos fy hun. Wel, rŵan, sawl gwaith ma' hynny wedi'i ddeud wrth blant bach anystywallt sy'n mynd dros ben llestri? Filiynau o weithia dwi'n siŵr. Yn union. Ond i mi, cyffyrddodd y ceryddiad yna â rhwbath sensitif iawn, iawn y tu fewn i mi. Cyffyrddodd â rhyw ddraig beryglus o'dd, tan hynny, wedi bod yn cysgu'n dawel. Ac mi 'nath 'i deffroad hi olygu y byddwn i'n cofio'r cerydd arbennig hwnnw fel pe bai'n ymosodiad bwriadol arna i, ac yn fygythiad i'r hanfod o beth oeddwn i, Wynford. Mi dyfodd y ceryddiad yna yn fy meddwl i fod yn ddig parhaus y tu fewn i mi. Ac roedd o'n dal yna, yn pydru a gwenwyno, bron i ddeugain mlynedd yn ddiweddarach. Ro'n i'n methu gadal i'r peth fynd; ro'n i'n teimlo fod y ddraig yn sibrwd 'mod i'n dda i ddim, ddim yn haeddu llwyddo, ac yn ddiffygiol fel person – yn union fel y dehongliais i'r hyn ddudodd y ddynas wrtha i. Felly, mi dries i 'neud yr unig beth fedrwn i, mi dries i dawelu'r ddraig 'ma tu mewn, a'i gwthio ymhell i gefn fy meddwl a thrio anwybyddu'i llais. Does gen i ddim amheuaeth mai hwn oedd dechrau'r ymwadiad creulon – y *denial* – sy'n gymaint nodwedd o alcoholiaeth ac afiechydon erill sy'n caethiwo. 'Do's dim byd yn bod arna i' – dyna'u mantra! Ac o hynny 'mlaen, ro'n i'n llawn ofna rhag i'r gwir ddod allan. A'r ofn penna o'dd deffro'r ddraig 'ma drachefn. Mi 'nawn i unrhyw beth i osgoi hynny. Ro'n i wedi teimlo rhwbath y tu mewn i mi o'dd wedi 'nychryn i'n fawr. Rhwbath yrrodd iasa i lawr asgwrn fy nghefn i. Roedd yn rhaid tawelu'r ddraig 'ma ar unrhyw gost.

Un ffordd ddelfrydol o 'neud hynny, o'n i'n meddwl, o'dd trwy drio plesio pobol. Taswn i'n llwyddo i 'neud hynny, yna fydda 'na fyth feirniadath ohona i wedyn, nac achos i neb ddeud dim byd cas wrtha i, fel y wraig yn y rihyrsal y noson honno. Ac mi 'nes i ddyfalbarhau hefo'r 'plesio pobol' 'ma – a datblygu i fod yn berson wên-deg, ffug-wylaidd, cyfrwys o'dd yn cynllwynio i drio ca'l pobol i fy hoffi – drwy dwyllo, deud celwydd, ond, yn fwy damniol, efallai, drwy aberthu'r hyn roeddwn i'n wir deimlo fy hun.

Ma' hyn i gyd yn swnio'n annhebygol iawn – a minnau ond

yn chwech oed! Efallai wir ac, o bosib, 'wnes i ddim dadansoddi'r sefyllfa yn yr union derma yna ar y pryd, na meddwl amdanynt mewn unrhyw ddyfnder, chwaith. Ond, wrth edrych yn ôl, a hefo'r wybodaeth sydd gen i heddiw, does gen i ddim amheuaeth mai hynny ddigwyddodd yn fy isymwybod. Achos roedd digwyddiad y noson honno yn groesffordd yn fy hanes. Ar ôl hynny ro'n i'n *touchy* tu fewn (ag eithrio cyfnod byr o wynfyd yn Llanllyfni) – yn or-sensitif a hawdd fy mrifo, ac ar biga'r drain o hyd. Hyd at hynny ro'n i'n rhadlon, bodlon a braf fel hen gath – ac yn dew. O hynny 'mlaen, newidiodd siâp fy nghorff i, hyd yn oed – ro'n i'n heipyractif, yn pryderu am bopeth, ac yn un lwmp o boen. A dyma sy'n rhyfedd am yr holl beth: doedd wiw i mi ddangos y poen affwysol hwnnw ro'n i ynddo i neb.

Ac os 'dach chi'n dal i ama y gallai person chwech oed fyth fyhafio yn y fath fodd – yna 'styriwch hyn: o fewn chwe blynedd mi fyddwn i wedi rhoi asid yn fy llygaid a thrio lladd fy hun trwy dorri 'ngarddwrn hefo rasel 'nhad. 'Radag hynny, hefyd, y sgwennis i'r canlynol – ac yn yr union eiriau yma: 'Diddiben yw bywyd bellach, anniddorol a dibwys. Fe all rhywun frwydro i geisio darganfod rhyw bwrpas i'w fywyd, ond ofer fu pob cynnig hyd yma. Fi? Un sydd wedi ceisio, ac wedi methu . . .'

Ro'dd pres – neu brinder pres – wastad yn broblam yn tŷ ni; a thalu bilia yn gamp ar gyn lleied o gyflog. Tydi gweinidogion ddim yn ca'l 'u parchu ryw lawar heddiw, ond 'radag hynny, roddan nhw'n ca'l 'u parchu lai fyth. Galwedigaeth o'dd mynd i'r weinidogaeth, wrth reswm, a bu'n rhaid i'r gweinidogion druain dalu'n ddrud am yr ymroddiad hwnnw – fel y mae'r ychydig sydd ar ôl yn dal i orfod g'neud heddiw. Fydda Dad bob amsar yn deud, "Dach chi un ai o ddifri yn mynd i'r weinidogath, neu 'dach chi'n ffŵl!' Draffarth o'dd bod y wraig a'r plant yn gorfod talu'r pris hefyd. Roeddan ni'n byw o hyd dan gwmwl du prinder pres. Ac, wrth gwrs, ro'dd disgwyl i'r gweinidog wisgo'n smart a gyrru car. Ond ar beth? Ac ro'dd disgwyl, wrth gwrs, i wraig y gweinidog (yn enwedig Mam) ga'l hetia crand ar gyfer y gymanfa hon neu'r sasiwn arall, a bod yn esiampl wrth fagu'r plant. Ond ar beth? Yn ffodus i ni, roedd gan Mam bersonoliaeth obsesiynol. Ac un fantais ohono o'dd 'i bod hi'n gallu cynilo o'r maint lleiaf o gyflog. Sut? Wn i ddim yn iawn hyd heddiw. Efallai bod gweddi yn arf ganddi, a bod bwydo'r pum mil (neu o leia deulu Heulfryn) yn bosib, o hyd, ar gyn lleied o fara a physgod. Ond prynu mewn bylc o'dd 'i chyfrinach, dwi'n meddwl – ymhell cyn i Tesco na Sainsburys feddwl am y peth. Fydda Mam yn prynu deugain pwys o siwgr, er enghraifft, pan fydda'r prisia'n isel neu fod peryg fod prinder siwgr yn mynd i fod yn y byd, ac mi fydda hi'n prynu'r math rhata o gig moch bob amser. Ac wrth gwrs, 'radag honno, ro'dd bri mawr ar y 'bring and buys' yn festri'r capal. Y capal, i raddau helaeth, oedd y wladwriaeth les, bryd hynny – gyda phobl yn dibynnu arno i gael prynu dillad 'newydd' ail-law i'w plant, a chyfnewid beth oedd ganddyn nhw eisoes am ddillada seis mwy, fel y bydda'r plant yn tyfu. Dim ond un waith welis i ni'n diodda oherwydd prinder arian, hefyd – wel, Mam ddioddefodd mewn gwirionadd. Draffarth oedd, bod be ddigwyddodd i Mam wedi dod reit ar gynffon fy mhrofiad i yn ystod rihyrsals *Caniadaeth y Cysegr*.

Weithia, mi fydda'r cig fydda Mam yn 'i goginio i ni yn amheus a deud y lleia. Bob tro byddwn i'n cwyno am y cig mi fydda Mam yn edrych arno, ei snwffian, a chyhoeddi hefo hyder na-fydda-chi-byth-yn-'i-herio, '*Struth! There's nothing wrong with this piece of meat, Hyacinth! Smells fine to me!*' ac yna mi fyddai'n 'i goginio a'i fwyta. Wel, un waith, mi o'dd 'na 'something yn feri wrong' hefo'r 'piece of meat'. Mi gafod Mam wenwyn bwyd difrifol o ganlyniad, a bu bron iddi farw. Dwi'n cofio hyd heddiw y synau cyfogi ofnadwy a ddeuai o'r llofft a'r sŵn taflud i fyny. Am ryw reswm, toeddwn i ddim yn ca'l mynd i'r llofft i weld Mam yn 'i gwely – ro'dd gweddill y teulu yn fy nghadw draw. Mi ddigwyddodd yr un peth flynyddoedd yn ddiweddarach, pan a'th Mam i ga'l triniath lawfeddygol yn ysbyty'r C & A ym Mangor. Fi o'dd yr ola i ga'l clywad am y peth 'radag hynny. A phan ofynnis i pam, yr ateb ges i o'dd, nad oedden nhw ddim ishio i mi boeni. Ond tasa nhw ond wedi dallt, ro'n i'n poeni llawar iawn mwy oherwydd 'mod i ddim yn gwbod beth o'dd yn mynd ymlaen. Ro'dd o hefyd yn g'neud i mi feddwl 'mod i ddim yn cyfri yn y teulu – rhywbeth o'dd yn fy mhoeni fwyfwy bob dydd – a bod yr hyn o'n i'n feddwl ddim yn bwysig.

Mae 'na duedd mewn rhai rhieni i labelu'u plant a'u rhoi nhw mewn blychau bach twt yn ôl eu disgwyliada ohonynt. Yn ein teulu ni, Rowenna o'dd y trefnydd a'r cymodwr, Arwel o'dd yr academic, a fi o'dd y comedïwr. Os bydda 'na drafodaeth ar beth o'dd yn bwysig i'r teulu, dudwch – yna fy chwaer fydda'n dal y llawr. Os o'dd 'na drafodaeth ar wleidyddiaeth (ac roedd gwleidyddiaeth yn bwysig yn tŷ ni (roedd Dad yn sosialydd o argyhoeddiad, oedd yn gweld y cyfan wedi'i wreiddio yn rhinweddau gora'r ffydd Gristnogaeth), yna barn Arwel fydda'n ca'l y blaenoriaeth. Os byddwn i ishio cyfrannu i'r drafodaeth yr ymateb fyddai, 'Cau di dy geg, Jac-y-Do, tw't ti'n gwbod dim byd am y peth!' Ond os bydda'r teulu angen tipyn o *light relief* yna, fy nhro i fydda hi. Yr unig draffarth hefo hyn ydy, os na fydd dyn yn ofalus, bod peryg iddo ga'l 'i orfodi i aros yn y blwch bach niweidiol hwnnw, a cha'l 'i gyfyngu i un ddelwedd ffug (weithiau) am weddill 'i oes. Mi fûm i yn fy mlwch niweidiol i hyd 1995. Ac roedd torri allan ohono yn broses boenus ac anodd i bawb – ond proses hollol, hollol angenrheidiol, serch hynny – sy'n dal i barhau heddiw mewn rhai achosion. Bu'n rhaid i mi ddatgysylltu oddi wrth fy nheulu am gyfnod – hynny o'dd yr unig ffordd – a dychwelyd wedyn (o ddewis) ar seilia a dealltwriaeth gryn dipyn yn wahanol i'r rhai o'dd ganddon ni'n tyfu 'fyny. Tydw i ddim am un foment, cofiwch, yn beirniadu na beio fy rhieni yn fa'ma, na neb o 'nheulu. I'r gwrthwyneb, mae gen i'r parch a'r cariad mwyaf tuag atyn nhw, bellach. Gwnaeth fy rhieni y gorau ohoni, a chyflwyno i ni'r plant y fagwraeth orau bosib yn ôl yr hyn roeddan nhw'n 'i wybod a'i gredu ar y pryd. Ac mae'n bwysig iawn nodi yn fa'ma na chafodd fy chwaer, Rowenna, nac Arwel fy mrawd, eiliad o draffarth wrth dyfu 'fyny; a bod y fagwraeth gawsant yr orau bosib, ac yn un y maent, fel fi, yn ei thrysori.

Ynof fi ro'dd y problema i gyd, ac yn fy ymateb i i helyntion a threialon bywyd bob dydd – o'dd yn wahanol i ymateb pobol erill. Toeddwn i jest ddim yn gweld petha 'run fath â phawb arall, rywsut. Atgoffir fi o stori am ddau fachgen o'dd yn chwara'n hapus ar lan y môr. Mwya sydyn, mae'r don anferth 'ma'n dod a chwalu dros 'u penna. Rŵan, ma' un ohonynt yn rhedag at 'i fam yn gweiddi dan grio a thorri'i galon. 'Waah! Waah! Dwi'm ishio mynd yn agos at y dŵr 'na byth eto!' Ond ma'r llall yn chwara'n braf yn y dŵr ac yn methu'n lân â dallt be ydy achos yr holl ffỳs. Yn yr ymateb i betha mae'r gwahaniath, felly. Mi redis i am 'y mywyd i'r lan o beryglon y don ro'n i'n meddwl o'dd yn fygythiad i mi – ac i ga'l fy nghysuro gan unrhyw beth o'dd ar ga'l; fe arhosodd Rowenna ac Arwel yn y dŵr, heb weld dim byd o'i le, yn hapus, bodlon a dewr. Hunangofiant llwfrgi fydd y llyfr hwn, felly, o reidrwydd.

Doctor Thomas o Ddinbych (ac un fyddai'n cynnal 'i syrjeri yn y Llan am hannar nos, yn aml iawn), o'dd wedi bod yn gofalu am Mam drwy'i chystudd. A phan ges i fynd i'w gweld yn y llofft o'r diwadd, ro'dd hi dros y gwaetha. Daeth ysfa drosta i bryd hynny i fod yn ddoctor – i rwystro Mam rhag mynd yn sâl byth eto.

Roedd hi'n amlwg, o edrych arni, fod Mam wedi ca'l tipyn o hen sgeg – ro'dd hi'n llwyd ac yn edrych yn hagr; ac mi fuodd hi'n gwla wedyn am rai misoedd. Drwy'r cyfan ro'n i wedi bod ar bigau. Ro'dd gen i ofn y bydda Mam yn marw. Ac ar ôl hynny, ro'n i'n holi sut oedd ei hiechyd hi bob munud effro o'r dydd.

Siŵr 'mod i 'di mynd ar nerfa Mam hefo'r holl holi. Ac ro'dd gen i ofn iddi ddechra taflud i fyny hefyd. Rŵan, nid unrhyw hen ofn o'dd hwn, ond ofn o'dd yn cymryd drosodd 'y mywyd i. O fewn 'chydig fisoedd, fedrwn i ddim aros yn yr un stafell â rhywun o'dd yn teimlo'n sâl, na theithio mewn unrhyw fws na char, chwaith. Fe ddaeth chwydu, neu gweld rhywun yn chwydu, yn anathema go-iawn i mi am gyfnod helaeth o 'mywyd i. Roedd gen i ffobia, mwya sydyn, o'dd i ychwanegu at 'y mhroblema i'n arw, ac i reoli fy mywyd i hyd nes y byddai gen i blant fy hun – pryd, yn wyrthiol am ryw reswm, fe'i gadawodd fi, byth i ddychwelyd wedyn. Ond 'radag hynny, roedd fy ffobia ar 'i waetha ac ar dop fy rhestr i o ofnau eraill o'dd yn gneud fy mywyd i mor annifyr. Amharodd arna i mewn ffordd arall, hefyd. Fedrwn i ddim bod yn feddyg llwyddiannus iawn os o'dd gen i ofn pobol yn taflud i fyny, fedrwn i? Fyddwn i ddim wedi para hannar diwrnod mewn syrjeri go-iawn! Awgrymodd Abel Jones y gallwn i fynd yn syrjyn, yn lle hynny, ac operêtio ar gleifion. Fydda dim angan i mi'u gweld nhw'n taflud i fyny, wedyn, medda fo. Ac felly y cytunwyd.

Abel Jones o'dd un o dri ffrind arbennig iawn yn fy mywyd i. Mr Jones y saer a Miss World o'dd y ddau arall, ond bryd hynny, toeddwn i ddim wedi'u cyfarfod nhw eto. Y postman lleol yn Llansannan o'dd Abel Jones, Tŷ'n 'Rardd. Ro'dd gan Abel Jones ffiwsilâj eroplên yn yr ardd ffrynt, fydda'n dyblu fel cwt i gadw bwydydd anifeiliaid – achos ro'dd ganddo fo *small-holding* a defaid yn pori – a lle i gadw jenerêtyr i gynhyrchu trydan. Gan mai Abel Jones o'dd ond un o ddau yn y pentra o'dd â thrydan (Dr Emyr Wyn Jones, Emyr Feddyg, Llety'r Eos, o'dd y llall, ond ro'dd o'n posh ac yn byw ymhell o'r pentra), ro'n i'n ca'l mynd i Tŷ'n 'Rardd i wylio'r teledu. Hen set fychan *fourteen inch* o'dd hi – ond bryd hynny, hi o'dd yr ora ar y farchnad. Dwi'n cofio bod yn 'i gegin ffrynt o'n gwylio'r coroneshyn – cyn i Dad ddod i 'nragio fi adra. Am ryw reswm ro'n i'n gorfod mynd i 'ngwely'n gynnar bob nos. Ac ro'dd 'na wastad hen gysgodion bygythiol yn fy stafall wely. Ac wrth iddi nosi ac i'r gola o'r lamp baraffîn greu mwy fyth o gysgodion, mi fydda 'na siâp wynab hen ddyn hyll, â thrwyn mawr, cam ganddo, yn ymddangos ar y wal uwch fy mhen, ac mi fydda hwnnw'n crechwenu arna i a 'nychryn i hefo pob smic, nes y byddwn i'n cuddio o dan y gobennydd yn un lwmp o ofn, crynedig. Bob cyfla gawn i, felly, byddwn i'n mynd i aros at Abel Jones yn Tŷ'n 'Rardd.

Ro'dd ganddo fo bianola yn y parlwr ffrynt – fydda'n wynebu'r stryd y tu allan. Ac ar nosweithia Sul braf yn yr haf, mi fydda Abel Jones yn brysio adra o'r capal cyn pawb arall, a

chymryd y rholyn 'ma o'dd yn dylla i gyd o'r bocs, a'i fwydo fo
i mewn i flaen y pianola. Mi fydda fo'n ista fel pianydd
proffesiynol, wedyn, gyda'i gefn at y stryd, pwmpio fel diawl
hefo'i draed, a chymryd arno mai fo oedd yn chwara'r
'Hallelujah Chorus' bendigedig fydda'n deillio o du fewn i'r
peiriant! Wn i ddim ddaru o dwyllo neb i feddwl mai fo o'dd y
pianydd go-iawn, ond roedd ffyddloniaid y Llan yn oedi bob
nos Sul wrth basio i glywed synau'r Goruchaf o Tŷ'n 'Rardd, ac
i gymeradwyo Abel Jones am y fraint o ga'l 'i glywad. Amball
waith fydda Abel Jones yn gadal i mi bwmpio'n ei le. Ac ar ôl
gneud hynny, mi fyddwn inna, hefyd, yn ca'l camu i'r *bay
window*, yr un fath â fynta, a bowio i gymeradwyaeth y dorf.
Ro'n i'n licio'r sŵn hwnnw. Ro'dd o 'ngneud i'n gynnas tu
mewn – ac ro'dd 'na rwbath sbeshal amdano fo, clywad pobol
yn clapio.

Ro'dd Abel yn fy nerbyn i fel ro'n i, ac ro'dd gen i hawl i fod
yn fi fy hun – dim yn fab i weinidog o'dd yn gorfod byhafio.
Dim yn aelod o deulu o'dd yn gorfod cydymffurfio. Ond yn fi fy
hun. Ac ro'n i'n ca'l y sylw i gyd. Ac fe gawson ni hwyl na fu'r
rotsiwn beth hefo'n gilydd. Yn rhannu'r post i'r ffermydd yn
Uwch Aled; ac amball waith mi fydda Abel Jones yn gadal i mi
ddreifio'i gar o – y Mini Minor ffyddlon. Un waith mi 'nes i
ddreifio'r car i mewn i giât ddwbwl rhyw fferm i fyny'n y
brynia – a hyd yn oed wedyn ddaru Abel Jones ddim 'y nwrdio
fi. Hollol wahanol i sut 'nath Dad ymateb pan ddaru Mam
grashio'r car!

Er 'i holl dalentau a'i galluoedd, ro'dd Mam – a hi fydda
wedi bod y gynta i gyfadda hynny – yn anobeithiol am yrru car.
Ond, mi o'dd Dad yn benderfynol 'i bod hi'n dysgu. Felly,
dyma lwytho ni'r plant i gefn yr Awstin Sefn tu allan i'r tŷ, a
Dad, yn awdurdodol orchymyn Mam i yrru i fyny'r allt i
gyfeiriad Gogor Ganol. A ffwrdd â hi, yn hercian mynd fel
cangarŵ rhwymedig ar garlam, a ninna'n y cefn yn ca'l 'yn
taflu 'nôl a 'mlaen fel dolis-clwt, neu fel tasan ni ar y dodjems
yn Marine Lake, Rhyl, ar noson wyllt. Ar dop yr allt, sut
bynnag, y dechreuodd petha fynd o chwith. 'Diwadd annwl dad!

Tro'n ôl yn fa'ma, Beti, wir ddyn – rhag 'chdi dorri'r car, yli!' medda Dad yn dechra poeni fod cyfansoddiad 'i gar o mewn peryg o chwalu'n ufflon dan straen 'i gyrru herciog hi.

'*Ye gods man!*' medda Mam. '*How am I supposed to do that?*'

'Tria'r llyw, ddynas!' medda 'nhad yn flin.

'*What . . .?*' A dyma Mam yn chwilio'n wyllt o'i chwmpas, '*This thing?*' A chyda hynny, dyma hi'n gafal yn y llyw hefo'i dwy law a'i droi o'n sydyn i'r chwith. Digwydd bod, ro'dd 'na godiad bach yn ochor dde'r ffordd, hefyd – rhyw inclên bach annisgwyl yn yr union fan honno. A chanlyniad y cyfuniad o Mam yn troi'r llyw'n sydyn, a'r codiad cyd-ddigwyddol hwnnw'n y ffordd, o'dd i Awstin Sefn Dad, hefo un teulu cyfan ynddo fo, droi drosodd â'i ben i waered, yng nghanol y ffordd ac yng ngŵydd haul llygad goleuni. Wnaeth Dad ddim rhegi – ro'dd ganddo fo ormod o ansoddeiria gwell yn stôr 'i feddwl; ond ro'dd o mewn tymer tymestl, ac yn bytheirio wrth ddringo i ben y car i agor y drws i'n rhyddhau ni'n ddianaf o'i du fewn. Wnaeth hyd yn oed galluoedd cymodol, rhyfeddol fy chwaer ddim gostegu'r dyfroedd y diwrnod hwnnw; a 'nath Mam ddim dysgu dreifio byth wedyn, chwaith.

Ma' sôn am y Marine Lake yn y Rhyl wedi'n atgoffa i o rwbath arall: pan fydda'r trip Ysgol Sul yn gadal Llansannan bob blwyddyn am un ai Llandudno, Southport neu'r Rhyl, byddwn i'n llwyddo i fynd ar goll, bob tro. Peidiwch â gofyn i mi sut – roedd o'n dalent o'dd gen i, mae'n debyg – ac yn ddirgelwch i bawb arall! Erbyn hynny, ro'dd Rowenna'n rhy hen i ddod ar dripiau o'r fath, ac mi fydda hi, o'dd yn gannwyll llygad 'i thad, yn aros adra hefo fo, gan adal Mam i ofalu am Arwel a fi ar y trip. A Mam, felly, fydda'n ca'l y bai am 'y ngholli fi bob tro. 'Ar f'encoes i, Beti! Fedri di'm trio mynd ar un o'r tripia 'ma un waith heb golli'r hogyn 'ma, dwad?'

'*Ye gods man! Don't you blame me. Struth!* Ar Hyacinth ma'r bai – fe sy'n mynd *skulking off* ar ben 'i hunan *without telling me w!*'

'Ond chdi ydy 'i fam o, ddynas. Dy gyfrifoldab di ydy gneud

31

yn siŵr na tydio ddim yn mynd yn 'skulking off', chwadal chditha!

'*Rachmaninoff! Look after him yourself then man, if you think you can do any better!*' Ac mi fydda hi'n gadal mewn tempar am y cefn wedyn, gan fwmblan, '*Ye gods! Give me a cwt at ochr y mynydd!*'

Ac felly bydda hi bob blwyddyn fel tiwn gron. Dad yn beio Mam, a Mam yn beio fi, a neb yn gneud dim byd ynglŷn â'r sefyllfa.

Symudwn ni rŵan i drip arall – nid un yr ysgol Sul y tro yma ond ymweliad Dad, Mam a fi â'r Rhyl – er mwyn i Dad ga'l mynd i gyfarfod go bwysig hefo'r Henaduriath yn y dre, ac i Mam ga'l cyfle i ga'l sbec bach cyflym rownd y siops tra o'dd hi'n gofalu amdana i, i fod.

Ro'dd Mam yn beio fi, 'de, am be ddigwyddodd wedyn, ond dyma'r gwir: mi gyfarfu Mam hefo rhyw ddynas bwysig o'dd hi'n nabod yn dda, ar gornel y stryd 'ma yn y Rhyl. Wedi'i chyfarfod hi ar un o'i thripia Cyfeisteddfod y Chwiorydd o'dd hi, am wn i. Ro'dd Mam yn ddynas fawr Cyfeisteddfoda'r Chwiorydd, a fydda hi'n ca'l trip i ryw gynhadledd neu'i gilydd yn rhwla'n bell i ffwrdd bob blwyddyn yn 'i sgil. Ro'dd Mam yn wraig weinidog tan gamp, dalltwch chi; yn llawn brwdfrydedd, byddai'n gadeirydd ar hwn, yn ysgrifenyddes ar y llall, ac yn cefnogi 'nhad yn ei waith i'r carn. Dwi ddim yn meddwl y bydda Dad wedi bod hannar cystal gweinidog ag o'dd o heb gyfraniad Mam – yn enwedig hefo'r plant. Ro'dd hi'n wraig weinidog ddelfrydol. Ond 'i bod hi'n medru siarad, gwaetha'r modd, fel melin bupur – dyna'i drwg hi! Beth o'dd yn waeth y d'wrnod hwnnw o'dd bod y *ddwy* gyfarfu ar gornel y stryd yn y Rhyl yn medru siarad fel melina pupur! Ac mi o'dd pawb dan y lach ganddyn nhw. Rhyfadd hynny, tydi? Fel ma' siarad am bobol erill – yn enwedig 'u problema – yn gneud i chi deimlo'n well y'ch hun. 'Nes i lot o siarad am bobol erill yn ystod y'n oes gythryblus i! Ac mae o'n wir, hefyd, be ma' nhw'n ddeud: mae o *yn* gneud i chi deimlo'n well.

Rŵan, am faint, mewn difri calon, ma' disgwyl i hogyn bach

'Nhad a Mam ar
ddiwrnod eu
priodas, 1938.

Fi yn y pram, 1948.

Ar fy meic tair-olwyn, 1951.

Gyda Rowenna ac Arwel, 1951.

Teulu Heulfryn, Llansannan, 1955.

Gydag Elen Thomas a chyd-ddisgyblion yn Ysgol Gynradd Llanllyfni, 1956.
Fi yw'r trydydd o'r chwith yn yr ail res o'r cefn.

Yn y gân actol, 'Barti Ddu', 1958.

Gydag Ann Lloyd Edwards ac Alwyn Humphreys wedi i ni ennill
cystadleuaeth y tîm siarad cyhoeddus gorau i ysgolion uwchradd yn
Eisteddfod yr Urdd, Caerdydd, 1965.
Yn cyflwyno'r tlws mae Mrs T.O. Phillips, priod Dirprwy Gyfarwyddwr
Addysg Caerdydd. Ar y dde mae Mr T.O. Phillips.

(Trwy ganiatâd Llyfrgell Genedlaethol Cymru)

Fel Squire Weston yn *Tom Jones* tra oeddwn i'n fyfyriwr yn y Coleg Cerdd a
Drama yng Nghaerdydd, 1968. Frank Lincoln yw Tom.

Yn *Tŷ ar y Tywod*, 1968, gyda
Brinley Jenkins a Stewart Jones.

*(BBC Cymru: Tŷ ar y Tywod
gan Gwenlyn Parry)*

Yn llanc i gyd ychydig ddyddiau cyn
gadael y BBC ym 1970.

Yn y Northcott Theatre yn Exeter, 1971, yn cael fy hyfforddi i fod yn gyfarwyddwr theatr.

Meira fy nghariad, 1972.

Diwrnod priodas Meira a fi, 23 Ebrill, 1973.

Un o'r ychydig luniau sydd ar gael o Nyff, y Dylwythen Annheg, gyda Ianto y Dewin Dwl (Dyfan Roberts) a Siencyn (Dewi Pws) yn y pantomeim *Mawredd Mawr!* ym 1971.
(Trwy ganiatâd Llyfrgell Genedlaethol Cymru a'r Cymro)

Criw *Teliffant* – y gyfres gyntaf, 1972 – gyda Sharon Morgan, Olwen Rees, Mici Plwm a dau ymwelydd ifanc â'r stiwdio.
(BBC Cymru: Teliffant)

Bethan a Rwth, 1979.

Mr Prys yn *Siop Siafins*, 1983, gyda Dyfed Thomas ac Ernest Evans.

(BBC Cymru: Siop Siafins*)*

Robin a Ruth Gregory (Christine
Pritchard) yn *Dinas*, 1985.

(HTV Cymru/Wales Dinas*)*

Ifans, y Saer, yn *Saer Doliau*, 1991.
Welwch chi wyneb fy angel
gwarcheidiol y tu cefn imi?

(Keith Morris)

sefyll mewn un man, heb flino, ar gornal stryd yn disgwyl i ddwy ddynas gegog orffan siarad, 'dwch? Deg munud? Hannar awr? Awr? Ro'dd o'n teimlo fel tragwyddoldeb i mi, ac ro'dd y ddwy yma'n dal i glafoerio'u sgwrs uwch fy mhen i – ac yn bwriadu cario 'mlaen tan Ddydd y Farn, hyd y gwelwn i. Felly, yn fy niniweidrwydd a 'mlinder, ffwrdd â fi i edrych mewn ffenast siop ddiddorol ar gornel pella stryd arall. Dim ond eiliad fues i yno – mi daerwn i hynny o flaen Duw! Ond erbyn i mi droi rownd, ro'dd Mam wedi diflannu. A'r ddynes or-siaradus arall, hefo hi i'w chanlyn. 'Mam? Mam? Lle 'dach chi?' Ond doedd dim ateb. 'Mam?' Beth i'w wneud o'dd y cwestiwn tyngedfennol. Ro'n i ar ben fy hun, ac ro'dd Rhyl yn lle diarth, bygythiol iawn i mi 'radag hynny. Doedd 'na ddim ond un ateb call yn cynnig 'i hun i mi drwy'n ofn. Ac felly, mi ddechreuis i gerddad am adra – i gyfeiriad Llansannan o'dd tua 25 milltir i ffwrdd.

Yn gynharach, mi o'dd Mam 'di dod i ddiwadd cymal yn 'i llifeiriant, mae'n debyg, ac wedi sylweddoli â braw y bydda 'nhad wedi hen orffen ei bwyllgor erbyn hynny, ac yn aros amdani y tu allan i ryw fan penodedig ar y prom. *'Hyacinth! where are you?'* medda hi wrth baratoi i ffarwelio hefo'r ddynas grand – achos to'dd Dad ddim yn licio gorfod gwitsiad yn hir. Ond, wrth gwrs, erbyn hynny, doedd dim golwg o'i Hyacinth yn unlla!

Yn y cyfamsar, mi o'n i wedi ca'l help rhyw gondyctor caredig ar fws Crosville o'dd yn teithio 'nôl a 'mlaen ar y prom i Winkups Camp. Mi welodd o fi'n sefyll wrth *bus stop* ger y Marine Lake, a gofyn a o'n i ishio reid i rwla. Ma' raid 'i fod o 'di 'nallt i'n siarad rhyw 'chydig – sy'n wyrth, achos munud nesa ro'n i'n teithio (am ddim) ar yr *open top* hefo 'ngwallt i'n chwythu'n y gwynt – ac antur enbyd arall wedi dechra – yr holl ffordd i Winkups Camp.

Ma' raid 'i fod o'n rhedag yn y teulu (fel alcoholiath) – achos to'dd y'n Saesneg inna ddim yn rhyw sbesh iawn, fel 'nhad – sy'n esbonio'r wyrth fod y condyctyr wedi 'nallt i o gwbl. Neu, falla bod gan fy niffyg crebwyll i o'r iaith fain, rwbath i 'neud

33

hefo safon yr addysg o'dd ar ga'l, bryd hynny, yn ysgol gynradd Llansannan. Ond stori arall yw honno.

Cyn bo hir mi o'dd yr heddlu allan yn 'u degau yn cribo'r strydoedd yn chwilio am *a young boy, six years old, with brown hair, a large hooked nose, and wearing a patterned, knitted jumper with grey, short trousers and answering to the name of Wynford or Hyacinth!* Mi o'dd cyd-aeloda Dad ar bwyllgor yr Henaduriath yn chwilio'r dre hefyd, ac yn gweiddi'n enw'n bryderus wrth grwydro'r ardaloedd llai parchus. Mi o'dd Mam mewn gwewyr. Felly bydda Mam ar achlysuron fel hyn – yn gorymateb, ac yn bygwth llewygu, ond y tro yma ro'dd ganddi bob achos i orymateb. Onid oedd 'i mab ieuengaf ar goll – ac mewn gehenna o le, fel y Rhyl o bob man? Mam o'dd yn ca'l y bai gen Dad. 'Diwadd annwl dad! Be o'ddach chi'n 'neud, ddynas? Siarad, mwn – bymthag yn dwsin, a ddim yn cadw golwg ar yr hogyn 'ma, 'te, fel o'ddach chdi fod i 'neud? Go drapia chdi ulw!'

Erbyn hynny, mi ro'n i wedi gadal yr *open top* ac yn nesáu ar droed at gyrion Abergele. Ac oni bai bod Gwilym Jones, Plas Newydd, un o flaenoriaid nobl 'y nhad yn Capal Henry Rees, wedi digwydd bod yn pasio ar 'i ffordd i'r deintydd yn y Rhyl, byddwn i wedi cerddad adra yr holl ffordd i Lansannan ma'n siŵr. Ro'dd o'n teithio hefo'i feddwl ar 'i boen, pan ddychrynodd o'n sydyn o weld rhywun tebyg i Wynford, mab y gweinidog, yn ffawdheglu ar ochr y ffordd. Mi roddodd o'r syniad hurt allan o'i ben – be fydda mab y gweinidog yn 'neud filltiroedd o gartra? – a pharhau ar 'i shwrna. Ond, mi o'dd 'na amheuath o hyd yn 'i feddwl, felly mi drodd yn ôl jest i 'neud yn siŵr. Ac wrth gwrs, Wynford, mab y gweinidog, o'dd y ffawdheglwr!

Mi fuodd 'na ddathlu yn y Rhyl y diwrnod hwnnw tebyg i fel y dathlodd y weddw dlawd ar ôl ffeindio'i hatlin prin; neu'r bugail hwnnw ffeindiodd 'i ddafad golledig. Ac am rai dyddia wedyn ro'n i'n teimlo mai fi oedd y person pwysica'n y byd. Falla mai dyma pam ro'n i wedi mynd ar goll, erbyn meddwl – er mwyn ca'l cadarnhad o hynny. Achos to'n i byth yn fodlon hefo beth o'dd gen i. Ma'r Sais yn deud bod pethau'n wyrddach bob amser yn y cae nesa. Felly finna. Ac yn fonws arall y p'nawn hwnnw, mi faddeuodd 'nhad i Mam am 'y ngholli fi – ac ar ôl g'neud adduned gyhoeddus y bydda fo, yn lle Mam, yn dod hefo fi ar y trip Ysgol Sul nesa – jest i 'neud yn siŵr na fyddwn i byth eto'n mynd ar goll – mi aethon ni adra'n deulu cytûn.

Sut bynnag, pan ddaeth hi'n amser mynd ar y trip Ysgol Sul nesa hwnnw i Southport, flwyddyn yn ddiweddarach – ia, 'dach chi'n iawn. Do, mi es i ar goll er gwaetha ymdrechion gora Dad. Yn waeth, mi fu'n rhaid galw'r heddlu i chwilio amdana i, a gwylwyr y glannau a phob gwasanath argyfwng arall. Ac erbyn i 'nhad ddod o hyd i mi yn y diwadd, yn crwydro'r strydoedd ar goll yn fy nychymyg, a dychwelyd i'r maes parcio – mi o'dd y bws wedi hen adal. Mi fuodd Dad angan 'i Dduw'r diwrnod hwnnw fel 'rioed o'r blaen. Ac, wrth gwrs, ar ôl cyrradd adra, mi fuo raid i Mam ga'l 'i phwys o gnawd yn edliw iddo ei adduned gyhoeddus. '*See, it wasn't me – you can't control Hyacinth either! Now say sorry, Bob, this instant!*' Mi gymerodd hi sbel go dda i Dad ddod dros y trip Ysgol Sul arbennig hwnnw. I mi, sut bynnag, ro'dd yr holl fynd ar goll 'ma yn rhagflas o'r hyn o'dd i ddod – gydag un gwahaniath sylfaenol: fydda Dad na Mam ddim yna i ddod i chwilio amdana i bryd hynny.

Llanllyfni yn yr hen sir Gaernarfon o'dd y stop nesa, ym 1955. Ac yn wahanol i Arwel a Rowenna, o'dd yn torri'u c'lonna o adal 'bro wen eu geni', ro'n i yn fy seithfed nef, ac yn wên o glust i glust. Fe deithion nhw yn y BF46, a minna ym mlaen y lorri hefo'r gweithwyr, gan alw mewn sawl tafarn ar y ffordd – mi o'dd mudo pobol, medda'r dreifar, yn waith sychedig! Yn ôl Arwel, mi wenodd Duw ar benderfyniad ein rhieni i symud i Arfon, yn 'diwadd – a lleihau cryn dipyn ar 'i anhapusrwydd o a'n chwaer, yn y broses. Erbyn hynny, a nhwtha wedi cyrradd y Groeslon, roeddan nhw jest â marw ishio bwyd. Yn sydyn, fe ddisgynnodd bocs oddi ar gefn lorri o'dd yn teithio o'u blaena. Ac wrth gwrs, fel rhyw fanna o'r Nefoedd, beth o'dd yn y bocs hwnnw ond dwsina o deisenna amrywiol, blasus. Mi gafon nhw bicnic annisgwyl ar ochor y ffordd – diawlad lwcus; ond mi ges i, diolch i'r ymfudwyr, agoriad llygad i fyd diarth, hudolus o'dd, tan hynny, wedi'i wahardd i mi; byd y dafarn a'i regfeydd cysylltiol.

Ro'dd pawb, bron, yn Llansannan yn drist o weld teulu Heulfryn yn gadal. Yr unig eithriad o'dd Bob Preswylfa o'dd wedi crogi baner yn datgan 'Hwrê!' o'i ffenest llofft. (Toedd Bob Preswylfa ddim yn licio 'nhad ryw lawar!) Mi fu ffarwelio hefo aeloda'r capal yn broses hir a llafurus, hefo'n rhieni yn byta allan ddwywaith, deirgwaith yr wythnos. Ac ro'dd 'na lawar o aeloda i ffarwelio hefo nhw, hefyd – a phob un yn rhoi cil-dwrn i mi yn y broses. Fûm i 'rioed cyn gyfoethocad. A phobol arbennig iawn o'dd pobol y Llan, hefyd. Cwbl wahanol i bobol Llanllyfni – o'dd yn fwy bydol ac yn oerach o ran natur. Ardal amaethyddol, lle ro'dd gwreiddia pawb yn ddwfn yn y pridd, o'dd Llansannan – ac o reidrwydd, mi o'dd bywyd yn arafach, ac yn fwy pwyllog. Protestiodd Arwel a Rowenna yn erbyn y nef i beidio gorfod symud oddi yno, ond ro'dd 'nhad wedi penderfynu – a do'dd dim troi arno. A diolch am hynny dduda i, achos ro'n i'n hen barod i adal am borfeydd gwell. A sut bynnag, mi o'dd gen i ffrindia newydd, cyffrous o'dd yn aros yn amyneddgar amdana i yn Llanllyfni.

LLANLLYFNI
(1955–1959)

Y peth cynta 'nes i ar ôl cyrradd Llanllyfni o'dd rhoi cythral o gweir i Meredydd Robaitsh. Linda Halliday ofynnodd i mi 'neud – ac, wrth gwrs, mi 'nawn i unrhyw beth i blesio. Ac fe seliwyd fy nhynged o'r foment honno 'mlaen. Merêd o'dd arweinydd y gang 'dach chi'n gweld, ac mi o'dd o 'di bod yn anorchfygol o'r cychwyn – achos mai fo o'dd yr hyna ohonynt i gyd a'r bwli mwya. Ro'dd fy nghyrhaeddiad i, felly, i'r pentra newydd fel cyrhaeddiad Blair yn 10 Stryd Downing ym 1997, neu fel yr Iesu yn cyrradd Jerusalem ar Sul y Palmwydd, 0035 – ac ro'dd gan y gang, jest iawn, yr un disgwyliada i mi ag i'r ddau arall!

Y gang o'dd: Meredydd Robaitsh a'i frawd bach, Edwin – ac ro'dd Edwin yn edrych fel 'i enw. Ro'dd o hefyd yn un o'r disgyblion medda fo – ro'dd o'n deud yn y Beibl: 'A Duw a Edwin y rhai bychain!' Wedyn, ro'dd Gwilym Robaitsh – neu Cwy; Glyn Robaitsh – neu Glymbo Rêch (am ba reswm wn i ddim – onest!), a Linda Halliday – *moll* y gang (ro'n i eisoes wedi'i ffansïo hi). Ar y cyrion, wedyn, ro'dd Barbara Robaitsh – o'dd â'r coesa gora welis i 'rioed; Gwyneth (Bach) Robaitsh – hi ddysgodd fi sut i gusanu, a'i brawd, Gwynfor – sy'n gweithio yn Awstralia rŵan, ac o'dd yn gythral o gricedwr da yn 'i ddydd. Wedyn ro'dd Neil a Richard, dau fab y ficar, o'dd yn mynd i 'neud yn dda; dau sant, Darran a Richard; dau ddiawl drwg fel fi, sef Gareth Owen, mab Ifor Owen o'dd yn gweithio ar y relwê ac a ddysgodd fi sut i 'sgota (a'th Gareth yn ŵr camera o fri, ac mi gafodd o 'i urddo i'r orsedd yn 2003), a'i gefndar, Kenneth Morris – o'dd â thalent i fynd o dan 'y nghroen i am ryw reswm. (Falla bod gen y ffaith 'i fod o flwyddyn yn hŷn na fi rwbath i 'neud hefo'r peth.) Flwyddyn yn fengach, wedyn, o'dd Kenneth Hughes a ddaeth yn brifathro arobryn yn Port, ac Eurwyn Thomas, mab Elen Thomas, fy athrawes ysbrydoledig yn Ysgol Gynradd Llanllyfni. Yn fengach fyth ro'dd Bryn Fôn, y canwr a'r actor enwog, a Cefin Roberts (Cefin Bach), sylfaenydd Ysgol Glanaethwy (y peth gora ddigwyddodd i Ddrama yng Nghymru 'rioed), a chyfarwyddwr artistig cynta'r Theatr Genedlaethol newydd, y ces i'r fraint o'i benodi yn rhinwedd fy swydd fel aelod o'r Bwrdd Rheoli. Ond *kids* bach oeddan nhw bryd hynny, ac yn nosbarth Ysgol Sul y babanod hefo Mam – felly, toddan nhw'm yn cyfri. Ac ro'dd Hari Bont, wrth gwrs, a oedd i fod yn elyn penna i mi (bu farw Hari'n ddiweddar, ym mloda'i ddyddia – a jest cyn i mi ddod yn gyfeillgar hefo'i fab, sy'n un o ffans penna Syr Wynff a Plwmsan). Ac ro'dd Lisabeth, chwaer Bryn, wrth gwrs, a Margaret Roberts – secsi – a'r ddwy chwaer, Nerys a Bet Hughes. (Ro'dd gen i grysh ar Bet, a Margaret Roberts, hefyd, a llawer un arall, wedi meddwl!)

A'r pentra? Wel, un strimyn hir, hefo'r briffordd rhwng de a gogledd yn torri reit drwy'i ganol: tai cyngor yn y top, stad arall yn y gwaelod, a rhesiad o dai bob ochr i'r ffordd yn 'u cysylltu, hefo Gwelfor – tŷ ni – a'r Polîs Steshion, ac amball siop a'r Post, tri chapal ac Eglwys, fel atalnoda i dorri ar 'u rhediad undonog. Dyna i chi Lanllyfni. Ond ro'dd Llanllyfni – y pentra fyddach chi'n 'i golli ar amrantiad – yn mynd i fod yn ganfas i'm dychymyg ac, fel mewn ffilm neu ddrama, i gynrychioli unrhyw beth y dymunwn iddo gynrychioli: gallai'r tomenni llechi fod yn ochr ddwyreiniol Mars, neu'n Antarctica, pan o'dd eira'r gaea'n cyd-fynd â thaith Fuchs i'r cyfandir hwnnw; neu mi allai afon Llyfni, dudwch, droi'n llifeiriant yn yr Amazon, neu'n fôr i'm cludo i bellteroedd byd ac at anturiaetha arch-gyffrous fy nychymyg rhy fyw. Yr un o'dd yr ofna – am iechyd Mam, a methu bod yn fab i weinidog digon da – ond, am ryw reswm, gwawriodd fy nghyrhaeddiad i yn Llanllyfni ar gyfnod o antur anghyffredin ac o ryddid nas profais na chynt na chwedyn.

Ac yn yr ysgol gynradd, Ysgol Gynradd Llanllyfni, a finna'n saith oed, mi ro'n i i ddarganfod bod 'na lawar iawn mwy o betha nad o'n i'n gwbod dim amdanyn nhw. Yn un peth, fedrwn i ddim darllen, na sgwennu'n sownd fel y plant erill. A'r un newidiodd bopeth i mi o'dd Mrs Elen Thomas – fy athrawes ddosbarth i. Am ryw reswm, mi welodd hi botensial yndda i, ac mi weithiodd yn ddygn arna i, ddydd ar ôl dydd. Ro'n i'n bell ar ôl y plant erill yn y dosbarth pan gyrhaeddis i Lanllyfni, ac yn ychwanegu negeseuon bach personol i Mrs Thomas mewn sgriblan ar ddiwadd pob gwaith dosbarth neu waith cartra. Mi fyddwn i'n deud wrthi 'mod i'n 'i charu hi, a phetha gwirion felly. Fedrwn i ddim canolbwyntio ar ddim, chwaith, pan gyrhaeddais i – bob amser yn dyheu am ga'l bod allan o'r dosbarth ac yn chwara ar y llethra uwchben y pentra, lle gallwn i ymgolli yn fy meddyliau fy hun a'm dychymyg. Rywsut, mi 'nath Elen Thomas ennyn brwdfrydedd yndda i tuag at ddysgu ac, o dipyn i beth, mi ddechreuais i ddal i fyny hefo'r plant erill. Ro'n i'n un da am wneud symiau, hefyd, mwya sydyn, a doedd dysgu ddim yn broblem i mi o gwbwl. Cofiwch chi, reit amal mi fydda hi'n gneud i mi aros i mewn dros amsar chwara neu amsar cinio i ail-neud y gwaith yn iawn, fel y gwyddai Mrs Thomas y gallwn. Un waith, mi ges i 'nghadw i mewn ar ôl ysgol a hitha'n wylia'r haf! Ond o ganolbwyntio'n iawn mi ges i bob un o'r symiau'n gywir wedyn, lle roeddan nhw, cynt, i gyd yn anghywir. Ro'dd y prifathro, Mr G.R. Jones, yn dipyn o ddewin, hefyd – ac yn fy annog i bethau gwell o hyd. Mi o'dd o'n talu chwecheiniog yr wythnos i mi am ddod â'r *Caernarvon & Denbigh Herald* iddo bob dydd Iau, a'r *Daily Post* bob diwrnod arall; ac ro'n i'n teimlo'i fod o'n malio amdana i, ac ishio i mi 'neud yn dda ond, yn bwysicach, falla, ro'n i'n teimlo 'i fod o'n fy licio fi. Cofiwch chi, bu'n rhaid iddo fo fagu amynadd Job wrth 'y nhrin i, achos, bob un diwrnod – bob un – mi fyddwn i'n anghofio galw am y blincyn *Daily Post* ar fy ffordd i'r ysgol, ac yn gorfod mynd yn ôl i'r siop, wedyn, mewn sachliain a lludw, wedi iddo fo'n atgoffa fi'n flin. A'r wyrth fwya yn hyn i gyd, o'dd nad o'n i'n malio fawr ddim am y mynych ddwrdio ganddo fo a Mrs Thomas. To'dd yr hunan, fy ego dinistriol i, ddim yn yr amlwg o gwbwl 'radag hynny – a dwi'n credu mai dyna ydy'r rheswm go-iawn, 'mod i wedi mwynhau'r cyfnod yma gymaint. Canlyniad arall, roeddwn i ddallt flynyddoedd yn ddiweddarach, o ga'l y rhyddid i fod yn fi fy hun. 'Runig adag i mi bwdu hefo'r ddau o'dd pan es i i'r ysgol un bora yn gwisgo *wellingtons* 'y nhad. Anfonwyd fi adra'n syth i newid. Ro'n i'n methu dallt pam. Os o'dd y *wellingtons* 'ma'n ddigon da i 'nhad, dadleuwn, mi o'ddan nhw'n ddigon da i minna hefyd.

Ma' 'na hanas am un arbrawf diddorol gynhaliwyd mewn ysgol yn America, unwaith. Dywedwyd wrth yr athrawon i gyd fod deuddeg o blant mewn un dosbarth yn blant arbennig iawn – yn 'spurters' fel y'u gelwid. Hynny ydy, ro'ddan nhw'n blant o'dd â thalenta o'dd yn 'u gosod nhw ar wahân i bawb arall, yn *geniuses*, ys dywed y Sais – a disgwylid iddynt lamu 'mlaen, 'spurtio' yn ystod y flwyddyn i ddod. Gosodwyd un amod ar yr athrawon, sut bynnag: nad oeddent i ga'l gwbod pwy o'dd y deuddeg. Doedd y plant eu hunain yn gwbod dim am fodolaeth yr arbrawf, chwaith, a rhybuddiwyd yr athrawon i beidio sôn dim wrthynt amdano. Canlyniad yr arbrawf, ar ddiwadd y flwyddyn, o'dd i bawb yn y dosbarth lwyddo'n anghyffredin. Ro'dd canlyniada'r plant i gyd yn llawer iawn uwch na'r cyffredin – gydag ugain y cant ohonynt wedi llwyddo i gyrraedd y graddau uchaf posibl – yn *geniuses*, fel y rhagdybiwyd. Dim ond wedyn y datgelwyd na wyddai'r awdurdoda ddim oll am y plant arbennig hyn – mai mympwy fu'u dewis; ac nad o'dd ganddyn nhw unrhyw fath o dystiolaeth eu bod yn 'spurters' o gwbl. Yn wir, er syndod i bawb, doedd y ffasiwn derminoleg ddim yn bod. Beth o'dd yn gyfrifol, felly, am eu llwyddiant anghyffredin? Wel, ro'dd yr athrawon yn *gwybod* fod deuddeg o blith y plant yn glyfar – ond, oherwydd nad oeddent yn cael gwbod pwy'n benodol o'dd y deuddeg, mi ddaru nhw drin y dosbarth cyfan 'run fath – fel pe baent i gyd *yn* blant *genius*. Mae athrawon sy'n meddu'r agwedd hon yn gallu newid bywydau, felly; ac yn nosbarth Mrs Elen Thomas, mi ges i fy nhrin fel y *genius* ag ydw i!

Mi o'dd darllan i ddatblygu'n broblem fawr i mi, sut bynnag. 'Dach chi'n gweld, dwi'n ddyslecsig. Twp o'n i bryd hynny, wrth gwrs! Ro'dd 'y nhad a'i genhedlath wedi darganfod addysg i fod yn allwedd i fywyd gwell, ac yn ddihangfa o'r pyllau glo a'r chwareli. Yn wir, ro'dd 'nhad, fel y dywedais yn gynharach, yn un wnaeth yn fawr o'r cyfle hwnnw a gadael y chwaral, a mynd i goleg a graddio. Ro'dd darllan, felly, iddo fo, yn rhan allweddol o'r daith honno i oleuni addysgiadol a chyfleoedd newydd mewn bywyd. Y draffarth oedd 'mod i'n ca'l dim diléit mewn llyfra (ag eithrio'r *Beano* ac amball rifyn o'r *Readers Digest*) ac, er y swnian, mi wrthodwn i ufuddhau – ro'dd darllan yn goblyn o anodd i mi, a'r llythrenna yn neidio o gwmpas i bob man. Llwyddis i guddio'r diffyg hwn am yn hir – drwy ddarllen y darn ymlaen llaw, pan fedrwn i. Mi awn i i'r capal cyn yr Ysgol Sul os bydda disgwyl i mi ddarllan o'r gwerslyfr neu'r Beibl, er enghraifft. A beth bynnag y byddai disgwyl i mi 'i ddarllen – yn gyhoeddus neu fel arall – mi fedrwn i wastad ffeindio pum munud jest i fynd dros y darn yn fy mhen yn gynta. Ro'dd y draffarth yn digwydd pan na fedrwn i ga'l y pum munud hollbwysig hwnnw. Digwyddodd unwaith pan o'n i'n darllen y newyddion ar BBC Cymru, ac yn cyflwyno'r rhaglen foreol, *Bore Da*, hefo T. Glynne Davies yn cynhyrchu. Mi fethais i ddarllen rhyw ddarn newydd o wybodaeth roddwyd o 'mlaen i'n ddirybudd. A chanlyniad hynny fu i mi dorri lawr yn fyw ar yr aer, a methu cario 'mlaen. Chyflwynais i ddim rhaglen newyddion wedi hynny. Tanseiliwyd fy hyder yn gyfan gwbl.

Tanseiliwyd fy hyder i am gyfnod, hefyd, pan ddaeth brawd 'nhad, John Owen, a'i fab fenga, Geraint, i aros hefo ni i Lanllyfni ar ddechrau'r chwedegau. Roedd gwraig Yncl John, Myfanwy, yn diodde o salwch meddwl ac wedi cyflawni hunan-laddiad. Roedd yn drasiedi a effeithiodd ar yr ardal gyfan, nid lleia oherwydd bod ganddi dri o blant, Alun, Gwenda a Geraint; roedd gwarth o hyd, bryd hynny, gwaetha'r modd, ynghylch salwch meddyliol. Roedd Geraint ryw flwyddyn yn fengach na mi ar y pryd. Mewn amgylchiadau o'r fath roedd Mam ar ei gorau: yn trefnu, cysuro a bod yn gefn 'mewn cyfyngder' i bawb. Trefnwyd fod Geraint yn dod atom ni i aros am gyfnod amhenodol. Nid y ffaith ei fod yn dod atom o gwbl ddaru fy styrbio fi, sut bynnag, ond y cyfnod amhenodol 'ma. Roeddwn i'n ansicr iawn o gariad fy rhieni tuag ataf – dim byd i'w wneud â nhw, gyda llaw; doedd dim digon o gariad i'w gael yn y byd i'm bodloni i, a gwelais ddyfodiad Geraint fel bygythiad mawr i mi. Ma' gen i ofn i mi beidio bod yn groesawgar iawn tuag ato, ar y pryd, ac roeddwn yn falch iawn, iawn, pan ddaeth yn amser iddo ddychwelyd i Lanbedr, oherwydd ro'n i wedi'm byta gan eiddigedd.

Yn ystod y cyfnod yma mi ddatblygais i i fod yn dipyn o ddyn busnes – yn ôntrprynŷr – a dyna pryd ges i Bonso. Ro'dd Mr Beeching wedi bod yn andwyo'r reilwê, ac ro'dd y lein rhwng Bangor a Phorthmadog wedi'i chau gan roi tad Gareth Owen, Ifor Owen, o'dd yn gyfrifol am steshion Groeslon, ar y clwt. Fo o'dd yn byw yn Tŷ Capal, hefo Mrs Owen, ac ro'dd pawb yn cydymdeimlo hefo fo o golli'i job. Ond sylweddolis i, sut bynnag, fod 'na bosibiliadau cadarnhaol i'w anlwc o. Ro'dd sliperi lein yn socian mewn col-tar – ac yn betha tan gamp, o'u llifio, i 'neud coed tân, meddyliais. Gwelwn y *pounds, shillings and pences* yn fflachio o flaen fy llygaid. Felly, wedi ymgynghori â rhai cwsmeriaid posib: Ben a Bessie, o'dd yn byw dros y ffordd, Mrs Roberts yr Hafan, o'dd yn galw fi'n 'Wînffordd bach' ac yn deud '*splendid*' bob munud, Miss World, o'dd y trysor perffeithia'n bod hefo pum blewyn ar 'i phen, a'r '*two old ladies*' (o'dd yn gadal i mi watshio'r telifishyn, weithia – a derbyn ymateb cadarnhaol ganddynt i gyd. Ffwrdd â fi, wedyn, i steshion Pen-y-groes, hefo dwy bunt o'r ffortiwn o'dd yn weddill o gelc 'godro pobol Llansannan', i'w fuddsoddi mewn pedwar o sliperi lein braf. Deg swllt yr un oeddan nhw ar y pryd, ac ro'n i wedi amcangyfrif y gallwn i 'neud elw o £5 ar bob sliper lein. Felly, dyna £20 ar y ddêl i gyd!

Angen partner o'n i i'm helpu i gario'r sliperi lein adra o Ben-y-groes; mi ffeindis i ffarmwr clên nid nepell o Ben-y-groes addawodd gludo'r sliperi adra i mi hefo'i dractor a threlar, petawn i'n 'i helpu fo am fora o gwmpas 'i ffarm. 'Runig drafferth o'dd bod ganddo fo gi, y mwngral du a gwyn hylla welsoch chi 'rioed. Ond bod ganddo fo'r llygaid perta'n fyw, hefyd – y ci, felly. Ddysgodd hynny i mi fod gan hyd yn oed y mwyaf amherffaith ohonon ni rinwedda, ac mae'n bwysig cofio hynny weithia. Wrth i mi garthu'r beudái drw'r bora, mi o'dd y ci 'ma yn gneud llygada mawr arna i. Dwi'n siŵr 'i fod o'n siarad hefo fi, deud gwir, 'Hei . . . ti isho'r mêt perffaith am oes? Ti ishio rhywun 'neith byth dy adal di lawr? Byth dy siomi di? Byth dy feirniadu di? Ai'm iôr dog, Wini!'

Ro'n i'n casáu ca'l 'y ngalw'n Wini, gyda llaw. Am ryw reswm dyna ddechreuodd y gang, a phawb arall, 'y ngalw fi. Ac mi o'n i'n 'i gasáu o. Ro'dd Wynford yn ddigon drwg! Eniwê, cyn gorffan gweithio'r bora hwnnw, ro'n i wedi perswadio'r ffarmwr i roi'r ci 'ma i mi'n dâl am 'y ngwaith – mi ffeindis ffordd arall i gludo'r sliperi lein adra. Ac felly y bu. A daeth Bonso i'm bywyd.

Ro'dd 'i gael o adra'n dipyn o gamp, sut bynnag. Oherwydd erbyn hynny, ro'dd Bonso wedi newid 'i feddwl a ddim am ddod adra hefo fi ar draws y reilwê yr holl ffordd i Lanllyfni. Mi glymis i gortyn beindar am 'i wddw fo, a'i dynnu o, yn erbyn 'i wyllys, yr holl ffordd adra. Bron na fedrech chi weld y stêm yn codi o'i draed o. Mi wichiodd, mi brotestiodd, mi frathodd y diawl bach am bob un cam araf, llafurus o'r daith adra. Beth o'dd Bonso ddim wedi cymryd i ystyriath, sut bynnag, o'dd 'mod i'n fwy pen-galad na hyd yn oed fynta. Llwyddis i'n diwadd i'w ga'l o adra a thrw'r giât gefn, a'i sodro fo yn y cwt yng ngwaelod yr ardd, yr hen *wash-house*. I mewn â fi i'r gegin wedyn, i gyhoeddi â balchder 'mod i 'di ca'l ci. Ro'dd 'nhad drwodd yn y stydi, ac ro'dd Mam yn y gegin.

'*Struth!*' medda Mam yn flin, '*who's going to feed it – this Bonso of yours?*'

'Fi siŵr iawn,' medda finna.

'*Ye gods! You watch, it'll be me, the skivvy, who'll have to look after it!*'

'Be sy, Jac-y-Do?' medda Dad yn ymuno â ni i fusnesu o'r stydi.

'Dwi 'di ca'l ci, Dad!'

Ac allan â ni i'r cwt ar waelod yr ardd. Erbyn hyn ro'dd Bonso wedi dechra udo dros y lle. Doedd o ddim yn hapus o gwbl. A phan agoris i gil y drws, mi stwffiodd 'i drwyn allan, a chyn i mi ga'l cyfla i ddeud dim, mi o'dd gweddill 'i gorpws o'n dilyn, ac mi lamodd dros y wal gefn fel ci Llywelyn, neu fel tasa fo'n dianc rhag y Diafol 'i hun, a diflannu i gyfeiriad 'i hen gartra. Mi fu'n rhaid i mi gerddad yr holl ffordd hir yn ôl i'r ffarm, eto, a'i lusgo, eilwaith, ar draws y reilwê i Gwelfor. Mi o'n inna yr un mor benderfynol â fynta! Châi'r Bonso 'ma ddim fod yn feistr arna i – o na! Yn ddiweddarach, mi ddangosis i Bonso i Cwy, Linda, Glymbo a gweddill y gang. Feiddiwn i ddim mo'i adal o allan o'r cwt cyn hynny, rhag ofn iddo fo ddengid drachefn. Ond, myn diawl i, wrth agor cil y drws am yr ail waith . . . ffwrdd â fo eto! Mi ges i fedydd tân yn trio ca'l Bonso i setlo yn tŷ ni. Y noson honno, mi udodd yn dorcalonnus drwy'r nos gan achosi Ben a Bessie, dros y ffordd, i gwyno'n swyddogol. Fedren nhw ddim cysgu, mae'n debyg! Ond yn y diwadd, mi dderbyniodd Bonso yr anochel ac, o hynny 'mlaen, fe ddeuthon ni'n bartneriaid triw. Lle bynnag y byddwn i, byddai Bonso. Ro'dd gan y plant erill i gyd gŵn, hefyd. Mi o'dd gen Cwy hen ast fach, fydda'n y'ch baglu chi dan draed. Mi ffansïodd Bonso honno – a dod yn dad i'w chŵn bach, ac mi ddifethodd ddrws cefn tŷ tad Gwilym, wrth drio crafu'i ffordd ati!

Mi a'th y busnas gwerthu coed tân o nerth i nerth, gyda llaw. Lwyddis i i ga'l y sliperi lein adra ar gefn tryc rasio tair olwyn o'dd gen i – ac am ryw hyd bu llewyrch anghyffredin ar y busnas. Hunanoldeb ddifethodd hwnnw, hefyd, yn y diwadd – fel yn achos Bonso a drws cefn tŷ tad Gwilym. Ro'dd gen i'r weiren 'ma mewn siâp cylch i fesur gwerth chwecheiniog o goed tân ond y draffarth o'dd, bob wthnos, mi fyddwn i'n rhoi tro go egar yn y weiran hefo gefel bedoli, er mwyn gneud y cylch yn llai! Wel, ro'dd llifio'r blincin sliperi'n waith calad ar y diân, ac ro'dd o'n mynd yn anoddach bob wythnos! Erbyn tua'r pedwerydd wthnos, mi ddechreuodd y cwsmeriaid gwyno fod nifer y coed tân yn lleihau bob wthnos. Ac, o dipyn i beth, mi stopiodd yr ordyrs. Dylwn i fod wedi dysgu bryd hynny na fedrwch chi ddim ca'l rhwbath am ddim: bod rhaid 'neud ymdrech cyn y daw llwyddiant. Ond wnes i ddim . . .

Tua'r adag yma, do'th Anti Mag i aros hefo ni o'r India bell. Hi o'dd chwaer fenga 'nhad – a'i ffefryn. Mi fydda'r ddau yn cyfnewid llythyra bob mis – ac mi fydda 'nhad yn 'i galw hi'n Begw, am ryw reswm. (Ma' gen i wyres fach o'r enw Begw, erbyn hyn, gyda llaw – un o'r bendithion hynny sy'n dod i gyfoethogi bywyd dyn.) Ro'dd Anti Mag wedi arfar ca'l 'i sbwylio. A hithau'n genhades yn yr India, ac yn fêtron ar un o'r ysbytai mwyaf yn Shillong hefo'r llawfeddyg, Hywel Hughes, mi o'dd hi wedi arfer ca'l tendans, a phobol yn gweini arni drwy'r amser. A phan gyrhaeddodd hi tŷ ni, mi o'dd hi'n disgwyl i'r arfer hwn barhau. Mam fydda'i *skivvy*. Ac o'r foment y cyrhaeddodd, wnaeth hi ddim codi cymaint â bys bach i helpu Mam – dim ond byta (ac mi fyddai'n cymryd tragwyddoldeb i fyta) a physgota'n yr afon hefo 'nhad, gneud *mess* wrth 'neud cyflath, a pharatoi ni'r plant i berfformio wedi'n gwisgo fel Indiaid o Assam, a hefo grêfi browning drosom! Ro'dd cynnwrf mawr yn y pentra bob tro byddai Anti Mag yn cyrradd, a phawb o'r plant a'r bobl ifanc yn ymarfer siarad Hindŵeg – ar gyfer 'u rhanna. Byddai'n teithio'r eglwysi lleol gyda sleidiau o Assam ar y magic lantern, a byddai Dad wedi sgwennu dramodiga bach ar ei chyfer, a hitha, wedyn, yn 'u trosi nhw i'r Hindŵeg er effaith. Byddai'r cynulleidfaoedd lleol yn rhyfeddu fod cenedl arall (heblaw Saeson) yn medru siarad rhwbath ond Cymraeg!

Yn y gwely yn y bora roedd yr hwyl gora' i'w gael hefo Anti Mag. Byddwn yn sleifio ati i'r *bedroom* ffrynt a stwffio rhwng y cynfasa – ac yno byddwn yn ymgolli yn 'i straeon am nadroedd gwenwynig, am fongwsiaid yn byta brychau ar ôl genedigaethau yn yr ysbyty yn Shillong, am *head hunters* mileinig, am ladd a saethu hefo bwa saeth, am anifeiliaid rheibus, a mwy. Ac roedd 'na wastad foeswers ar y diwedd, a'r da bob amser yn gorchfygu'r drwg! Ro'dd Mam yn un dda am ddeud stori, hefyd. A deud y gwir, ro'dd Mam yn un wych iawn

45

am ddeud stori. Pe bai Mam o gwmpas heddiw, byddai'n gweithio i S4C, heb os! Hanes Hector y bajar o'n i'n ga'l bob tro gen Mam, a'i deulu estynedig. Ro'dd yno helicopter yn achub, a Peleg, ffrind Hector, o'dd y peilot. Ro'dd Hortense yn ffrind iddo hefyd a Hyacinth (dyna lle ces i'n llysenw!), a gyda'i gilydd, byddent yn achub y byd rhag mynd i ddifancoll. Bob bore dydd Sadwrn byddwn i'n ca'l clywed y storïau hyn – yn y gwely, fel hefo Anti Mag – a Dad â'i ben wedi'i gladdu mewn llyfr wrth ein hymyl. O! ro'n i'n caru Mam sut gymaint pan o'dd hi'n deud y storis 'ma. Dyma o'dd holl bwrpas 'i bodolaeth hi, tybiais ar y pryd – i adrodd y storïau hyn wrtha i!

Ac allan hefo'r gang, mi fyddwn i'n parhau hefo'r storïau, wedyn – yn eu hactio, ac yn blasu pob un owns o ramant, o gynnwrf ac o beryg oedd ynddynt i'r eitha. A phan fydda'r plant erill wedi blino, ac eisiau mynd adra am ginio neu de, mi fyddwn i'n parhau yn fy nychymyg, wedi ymgolli'n lân ac ar dop rhyw fynydd rhy uchel o lesmair i'w adael am resymau mor bitw â bwyd a diod. Flynyddoedd yn ddiweddarach, pan oeddwn i ar fy ngwaetha o ran effeithiau alcoholiaeth, ro'n i'n arfer byw yn fy nychymyg bryd hynny, hefyd. Yn wir, mi 'nes i golli gafael ar realaeth bywyd yn gyfan gwbl, am gyfnod. Nid yn unig o'n i'n adeiladu cestyll yn y cymylau – mi o'n i'n symud i mewn a byw ynddyn nhw, hefyd! Mi o'n i'n cyfansoddi dramodigau cynhyrfus yn fy meddwl – hefo fi'n chwara rhan yr arwr arteithiedig, bob amser yn ysglyfaeth i ddigwyddiada, amgylchiada a thraha pobol erill. Ro'n i'n arfer arbed y byd rhag trychineba dychrynllyd – bom niwclear ar fin ffrwydro neu waeth; rhwystrwn wareiddiad cyfan rhag mynd â'i ben iddo. Ac mi fydda pob un o'r dramâu dychmygol 'ma'n gorffen hefo arweinyddion gwledydd y byd yn moesymgrymu o 'mlaen i, mewn sachliain a lludw, ac yn ymddiheuro am y ffordd greulon y gwnaethon nhw 'nhrin i, a'm cystwyo drwy'n oes, a phoblogaeth y byd, wedyn, fel un, yn sylweddoli 'u camgymeriad, ac yn sefyll i dalu gwrogaeth i'w hachubwr a'u gwaredwr dewr – Fi.

Anti Mag o'dd yr un ddudodd wrtha i am beth o'dd yn

digwydd yn ystod llawfeddyginiaetha mewn ysbytai – wel, ro'dd hi'n *sister* feddygol, wedi'r cwbl, ac yn fêtron, fel dudis i. Ac o gofio be ddudodd Abel Jones wrtha i yn Llansannan, gynt – y gallwn i ddal i fynd yn ddoctor, ond heb orfod delio hefo pobl o'dd yn taflud i fyny, drwy fynd yn llawfeddyg – dechreuais arbrofi.

Mi wnes i nifer o arbrofion, ar sosejys a phethau felly, ond mae un arbrawf yn aros yn y cof. Mi wnes i operêtio ar borc pei! Ro'dd Dad a Mam yn gadal yn gynnar bora wedyn i fynd yn ôl i Lansannan. Dad o'dd yn gweinyddu mewn rhyw briodas neu'i gilydd, ac ro'dd gofyn iddyn nhw fod yno'n gynnar. Dwn i ddim lle o'dd Arwel na Rowenna ar y pryd, achos dim ond fi o'dd adra. Ac fel y Fartha drafferthus ag o'dd hi, mi o'dd Mam wedi prynu porc pei i mi yn siop Edgar y Post, i'w bwyta i ginio dydd Sadwrn.

Y noson honno, sut bynnag, a Mam wedi mynd i'w gwely'n gynnar, wrthi o'n i'n hapus braf, yn parêdio 'nôl a 'mlaen o flaen y drych mawr yn y gegin, ac yn dychmygu mai fi o'dd arwr cynta'r gofod, Yuri Gagarin, neu'r llawfeddyg enwog, Sir Lancelot Spratt o'r ffilm *Doctor in the House*, welis i yn y Plasa ym Mhen-y-groes. Yn sydyn, mi ddo'th awydd bwyd drosta i. Ffwrdd â fi, felly, i'r pantri, ac ar flaena 'nhraed, rhag deffro neb yn y tŷ. Ond, och a gwae! '*When I got there, the cupboard was bare!*' Dim ond torth o'dd yno. Fel arall, mi o'dd y pantri'n wag – dim teisen, dim tamad o gig, dim *brawn* hyd yn oed. Rŵan, mi fydda Mam yn cwyno digon am brinder pres – ond, chwara teg, mi o'dd hyn yn hurt bost! Beth 'nawn i rŵan, felly, heb fwyd, llwgu? Ond, yn sydyn, mi welis i blât bach yn cuddio yng nghornel bella'r lechan las. A haleliwia! Beth o'dd oddi tano, ond y porc pei dela, blasusa welsoch chi 'rioed. Mi gawn i wledd wedi'r cwbwl!

Yn ofalus, mi gymris i gyllall finiog a thorri, fel y llawfeddyg enwog ag o'n i, o dan y porc pei. Wel, to'n i'm ishio i Mam ddarganfod 'mod i 'di bod yn mela hefo'r pei, yn nago'n? – neu mi gawn i row arall. Yna, mi dynnis i'r crwst gwaelod yn araf oddi ar y porc pei, cymryd dwy frechdan o'r tun bara'n y pantri, a gneud *sandwich* hefo'r ffiling – a'i fwynhau, hefyd, na fu'r rotsiwn beth. Ma' 'na wastad flas gwell ar bethau sy'n waharddedig, yn does? Wedyn, mi rois i'r gwaelod yn ôl ar y porc pei'n ofalus, a'i dychwelyd hi i'r plât – gan gofio gneud yn siŵr, wrth gwrs, nad o'dd 'na ddim briwsionyn ar ôl, nac unrhyw arwydd arall, chwaith, 'mod i 'di bod yn gloddesta. A hynny wedi'i wneud, mi gychwynnis am y ciando. Ac mae'n deg deud i mi gysgu cwsg y meirw'r noson honno.

Bora wedyn pan godis i – wel, mi o'dd hi bron yn amsar cinio, deud y gwir – ac mi o'dd Mam a Dad wedi hen adal am y briodas yn Llansannan. Ond pan gerddis i mewn i'r gegin yn gysglyd, be' o'dd ar y bwrdd yn fy wynebu fi – ond y ffêmys porc pei . . . a nodyn wrth 'i ymyl . . .!

'Dear Wyn . . .' 'sgrifen Mam o'dd o, '*Went to fetch the pork pie to put it in the oven, but the bottom fell out – there was NOTHING inside! I have taken it back to the post office, where I bought it. They have phoned Robert Roberts of Portdinorwig, who made it. Someone from the company will call at two o'clock. Be in! – Mam xx.*

Wyddwn i ddim beth i'w 'neud! Mwya sydyn mi o'dd rhwbath pitw wedi mynd yn fynydd anferth o 'mlaen – hefo pob math o oblygiada peryglus (a phoenus) i mi. Dwi 'di dysgu rhwbath: pan 'dach chi'n gneud *big deal* o rwbath, be 'dach chi'n ga'l? Ia, 'dach chi'n iawn – *big deal*! Wel, mi o'dd gen saga'r porc pei y potenshial i droi'r union beth hynny. Yn sydyn, mi o'dd cnoc ar y drws ffrynt!

Roedd hi'n ddau o'r gloch y p'nawn yn barod! Arswyd y byd! A to'dd dim amheuath mai boi Robert Roberts of Portdinorwig o'dd wrth y drws – ac mi o'dd o'n swnio'n ddyn blin iawn hefyd, ddudwn i, 'nôl trymder 'i law ar y drws. 'Ein Tad yr hwn wyt yn y Nefoedd . . .' dechreuis i weddïo'n wyllt, 'sancteiddier Dy enw, deled Dy deyrnas . . .'

Mi ddo'th curo arall ar y drws. Trymach y tro 'ma.

'Gwneler dy ewyllys, megis yn y Nef, felly ar y ddaear hefyd . . .'

Ac un arall, terfynol – fel atalnod llawn.

Do'dd gen i ddim dewis, bellach. Byddai'n rhaid i mi agor iddo – a wynebu pa ganlyniada bynnag a ddeuai.

I'r rhai ohonoch chi sydd wedi gweld y ffilm, *Porc Pei* – tydi'r diwedd ddim yn union fel yn y ffilm gyda Kenneth Robert Parry (fi) yn chwythu'r mans yn racsjibadêrs hefo matsus a nwy. Mi ddaru Robert Roberts of Portdinorwig wthio heibio i mi'n flin i'r gegin, ac astudio'r porc pei o bob ongl yn amheus, gan hymian ac áian yn fygythiol fel barnwr cyn dedfryd. A jest cyn i mi ga'l cyfle i gyfadda ma' fi o'dd yn gyfrifol am y 'lle gwag' tu fewn i'r pei, mi roddodd o 'i law yn yr awyr, fel plismon yn rhwystro'r traffic. '*Ah, yes . . .*' medda fo, '*you see, sometimes the machine that puts the filling in the pie will miss one out – such a nuisance when that happens. Will you accept a basket-full of groceries for the inconvenience that we've caused you and your parents?*'

Wnes i ddim meddwl ddwywaith, '*Thank you very much!*'

Ro'dd deud celwydd yn dod yn rhwbath haws bob dydd; ddaru Mam ddim clywed fersiwn gywir stori'r porc pei hyd nes ei bod ar 'i gwely angau. '*Ye gods! What other lies have you told me, Hyacinth?*' Wel gormod o beth coblyn. Ro'dd gen i syniad go dda o'r safon uchel iawn o ymddygiad ro'dd yn rhaid i mi gyrradd ato fel mab y mans – ro'dd pobol yn f'atgoffa i'n ddyddiol, ac yn yr ysgol; yn waeth, ro'n i hefyd yn gwbod 'mod i'n syrthio'n fyr iawn o gyrraedd y safon hwnnw – ro'n i'n llawer rhy ddireidus o ran natur, yn un peth. Felly, i geisio cysoni'r ddau begwn, mi fydda celwydd bach gola yn dod i mewn yn handi iawn, ac yn rhy gyfleus.

'Lle ti 'di bod, Jac-y-Do?'

'Yn tŷ'r *two old ladies* yn gwatsiad telifishyn, Dad' – pan oeddwn i, mewn gwirionedd, wedi bod allan yn chwara noc-dôrs neu'n cyflawni rhyw ddrwg arall, neu wedi bod yn cwffio hefo un o deulu'r Hanks gan lwyddo i dorri coes Fred.

Yn saith oed, dechreuis i smocio. Byddwn i'n dod adra o'r ysgol i gael bwyd bob amser cinio, ac yn mynd i stydi 'nhad i smocio'r stwmps o'dd yn y blwch llwch yno. Ro'dd yr hogia mawr i gyd yn smocio bryd hynny, ac ro'n i'n ca'l fy nenu gan

49

yr hogia mawr bob tro. Mi smocis i ddail te a phob math o sgrwtsh. Erbyn y trip Ysgol Sul nesa i'r Rhyl (fan'no neu Landudno o'dd y cyrchfannau poblogaidd bryd hynny) ro'n i wedi cynilo digon drwy weithio ar fore dydd Sadyrna yn fferm Tŷ Gwyn fel bod gen i ddigon i fuddsoddi mewn peiriant *roll my own*, pacad o Risla a hannar owns o faco. Pan gyrhaeddon ni'r Rhyl, mi ruthrais i'n syth i Woolworths ac, wedi prynu'r holl geriach, mi 'nes i gerdded yn hamddenol i lawr ar hyd y siop, o un pen i'r llall, yn darllen y cyfarwyddiada'n ofalus. *Attach Risla to machine with sticky part facing you, roll Risla half way into machine, pack the tobacco (not too tightly) between rollers, wet sticky part of Risla with tongue* . . . Wedi i mi gyrradd y pen, fel na fedrwn i fynd gam ymhellach, mi drois yn ôl. A phwy o'dd yno'n fy wynebu i, ac wedi bod yn fy nilyn i bob cam o'r ffordd, ond 'nhad! 'A be sgin ti'n fan'na, fab annwyl dy fam?' Ro'dd o mewn tempar tymestl.

Ar ôl hynny, mi benderfynodd 'nhad roi'r gora i smocio – i fod yn well esiampl i mi. Wel dyna ddudodd o wrth Mam a fi, beth bynnag – ond, dal i smocio wnaeth o 'run fath, ond ar y slei. Roeddan ni'n dau'n smocio ar y slei, wedyn – fo ar lan yr afon wrth 'sgota, neu yn nhŷ Ifor Owen yn Tŷ Capel (smociwr arall o argyhoeddiad), a finna i lawr y Lôn Gefn, neu yn y pwll tywod yn y cae chwara, neu'n y cwt ar waelod yr ardd. Un waith ro'n i'n smocio ar ben coedan enfawr wrth ymyl y ficerdy, ac ro'dd nifer o hogia erill uwch fy mhen – Philip Philips (Phil-Phil) o'r Tai Cyngor, o'dd un ac roedd o wedi ca'l gafal ar faco Shag o rywla. Bu cynnwrf sydyn uwch fy mhen, ac yna fe ddisgynnodd pentwr o chŵd drwy'r brigau, yn cael ei ddilyn, eiliadau'n ddiweddarach, gan Phil-Phil ei hun, wrth iddo ddisgyn mewn llewyg i'r llawr. Roedd y baco Shag, yn amlwg, 'di bod yn ormod iddo! Ond nid i mi! Ac wrth i'r misoedd droi'n flwyddyn a mwy, felly, hefyd, y datblygodd fy chwaeth i mewn sigarenna. Woodbines o'dd y gora. Draffarth o'dd bod rheini'n costio pres. Yn ffodus i mi, ro'n i wedi dechra ca'l gwersi piano hefo Dilys ym Mhen-y-groes, erbyn hynny. Ro'dd gan Dilys atal deud cryf, a byddai hi a'i chwaer, Mrs Williams, yn dysgu plant y fro i chwarae'r piano. Yn ffodus ro'dd ganddi drefniant reit gyfleus: os byddai disgybl yn colli gwers, am ryw reswm neu'i gilydd, byddai'n rhaid iddo ef neu hi dalu hanner cost y wers honno, sef hanner coron, fel fforffed. Swllt a thair i Dilys, felly, a swllt a thair i mi (tua chwe cheiniog ym mhres heddiw). Ac ar y pryd, mi o'dd pacad pump o Woodbines yn swllt a thair! A dyna ddatrys y broblem, felly, yn syml! Roedd 'na un anhawster, sut bynnag: byddai Dilys yn rhoi sylwadau mewn llyfr bach nodiada fyddai'n nodi ei bodlonrwydd, neu'i hanfodlonrwydd, gyda pherfformiad y disgybl ym mhob gwers. Byddai'n sgwennu pethau fel, '*A good little work by Wynford this week. He needs to concentrate a little bit on his scales, though, and to practise a good little bit more each day – especially the fingering in the Minuet in G. Otherwise, a good little progress has been made.*' Mater bach o'dd dynwared arddull Dilys, felly – ond ro'dd 'i hysgrifen yn anoddach; gymerodd hi wythnos bron i mi berffeithio hwnnw. Ac mi weithiodd y cwbl fel watsh am fisoedd wedyn – ac mi smocis inna fel stemar – hyd nes i Mam ddarllen y llyfr nodiada un wythnos, a sylwi nad o'dd y nodiada canmoliaethus yn cyd-fynd â'm gallu cyfyngedig i ar y berdoneg. 'Nôl disgrifiad Dilys ro'n i'n datblygu i fod yn dipyn o Russ Conway'r Llan (ef oedd ar dop y siartiau ar y pryd), ond roedd y gwirionedd am fy chwarae yn dra gwahanol. Prin y medrwn i chwarae 'Esgyn gyda'r lluoedd', heb sôn am y Rondo a'r Minuet yn G. Yn ogystal, ro'n i wedi bod yn flêr, braidd, a heb lenwi'r nodiada yng nghefn y llyfr bach ers rhai wythnosau. Darganfuwyd fy nhwyll. Ac wedi llawer o wylofain a rhincian dannedd a sôn am siom a chodi cywilydd, a'r hen awyrgylch annifyr hwnnw o ddoldryms a arferai bwyso'n drwm ar yr aelwyd yn dilyn darganfyddiad o'r fath, chwythodd yr helynt hwnnw drosodd, hefyd. Dwi'n meddwl i mi addunedu dysgu rhai o'r tonau yn y llyfr emynau, fel arwydd o gymod – a dychwelyd at Dilys. Ond addewais i ddim roi'r gorau i'r sigaréts, chwaith.

Ar wahân i fod yn athrawes tan gamp, mi o'dd Mrs Elen Thomas yn gampwraig ar gyfansoddi geiriau a cherddoriaeth.

Cyfunwyd y ddau allu arbennig yna un flwyddyn pan benderfynodd yr ysgol gystadlu ar y gystadleuaeth cân actol i blant dan ddeuddeg oed. Barti Ddu o Gasnewydd Bach o'dd y testun ddewisodd hi, a'r cyntaf i mi glywed am y peth o'dd pan ddaeth Mrs Thomas drwodd i'r dosbarth, un diwrnod, a gofyn i mi ganu rhywbeth hefo hi ar y piano. Symudodd pethau'n gyflym, wedyn. Mae'n debyg fod gen i lais canu ardderchog! A chyhoeddwyd â chryn gynnwrf yn yr ysgol, mai fi fyddai'n actio rhan Barti Ddu ei hun. Doedd dim troi'n ôl wedyn, ac roedd Mam, yn arbennig, wrth 'i bodd – roedd Hyacinth, o'r diwedd, yn medru gneud rhwbeth a ddeuai â chlod, o bosib, i'r teulu. Byddai'r ymarferion yn cael eu cynnal bob amser cinio, ac ar ôl ysgol hefyd. Llanwodd fy mywyd – a'r gân actol fyddai fy sigarét o hynny mlaen. Cefais fy hun yn dod yn berson poblogaidd iawn hefo'r merched, mwya sydyn. Ond ro'dd pawb yn cynhesu ataf, a deud y gwir, a rhoddodd hynny foddhad mawr i mi – yn enwedig y canmol. Rhaid i chi gofio mai cael pobol i'n licio fi fu holl bwrpas fy modolaeth hyd hynny; mwya sydyn ro'n i'n cael gwireddu fy nod. A'r cwbl o'n i'n gorfod 'i wneud oedd bod yn rhywun arall!

Aeth 'Barti Ddu' o nerth i nerth, ac ennill pob cystadleuaeth roddwyd yn ei ffordd. Yn y diwedd bu'n fuddugol yn Eisteddfod yr Urdd yn yr Wyddgrug, ac roedd fy nghwpan yn llawn – hefyd un fy rhieni. Roeddent yn falch ohona i na fu'r rotsiwn beth. A doedd dim ots, chwaith, pa anffawd ddigwyddai ar y llwyfan; gallwn ddelio â hwynt bob un, heb drafferth yn y byd. Ar y llwyfan fi oedd yn rheoli, gallwn newid yma, er effaith, torri fan draw, a'r mwya ro'n i'n mentro, y mwyaf llwyddiannus oeddwn i. Ro'n i yn fy elfen – a doedd dim amheuaeth ym meddyliau neb mai'r llwyfan fyddai'n denu mab y Mans o hynny 'mlaen. Fy nhad oedd yr unig un ag amheuon. Roedd o'n gwybod gwerth addysg. Byddai'n rhaid i'r mab ddilyn y ffordd honno'n gyntaf, cyn dilyn ei fympwy ei hun.

Y flwyddyn ddilynol, cafwyd cân actol arall, 'Culhwch ac Olwen', gyda Ken Hughes (prifathro ysgol newydd Eifion Wyn, Porthmadog), ifanc iawn bryd hynny, yn portreadu Culhwch;

Deliah Parry, Olwen; a minnau, Ysbyddaden Ben Cawr. (Yn ein gwylio o blith dosbarth y babanod roedd Cefin Roberts a Bryn Fôn. Roedd Cefin, erbyn deall, yn dyheu am gael bod yn forgrugyn. Wn i ddim am Bryn Fôn – doedd o ddim yn ca'l 'i wthio gymaint â Cefin a fi.) Toedd 'Culhwch ac Olwen' ddim cystal cân actol â 'Barti Ddu' – ond daeth yn ail ym mhrifwyl yr Urdd, 'run fath. Erbyn hyn ro'n i'n mynd o ''steddfod i 'steddfod', chwadal Caryl Parry-Jones, ac yn cystadlu ar ganu, adrodd, unrhyw beth ddeuai. Mae gennym yng Nghymru (fel ymhob man arall, debyg) yr hen arferiad annifyr hwnnw o'r encôr, bondigrybwyll. Fe glywn weithiau gantorion o galibr Bryn Terfel neu Carreras, a'r gynulleidfa'n bloeddio ac yn udo eu hencôr. Eisiau ail-greu'r foment ma' nhw – ail-greu'r uchelfannau. A pherfformiwr anaeddfed iawn sy'n canu'r un gân eilwaith, oherwydd mae'n gwybod mai aflwyddiannus fydd yr ymdrech – fedrwch chi byth cweit gyrraedd yr un safon ar yr ail gynnig, waeth be fo'ch gallu. Yn anffodus, mae llawer o bobl yn byw eu bywydau felly – drwy'r encôr. Mi wn i am un cyfaill welodd fachlud haul trawiadol yn Acapulco yn 1979. A byth ers hynny, does dim un machlud arall wedi cymharu â hwnnw. Mae fy nghyfaill wedi'i amddifadu'i hun o un o bleserau mawr bywyd – byw bywyd a'i fwynhau'n union fel mae'n digwydd. Drwy beidio gollwng gafael, a mwynhau'r foment nesaf, mae pob machlud haul wedi hynny, yn 'i achos o, wedi'i ddiraddio. A fedrwch chi byth gymharu chi'ch hun â rhywun arall, chwaith, heb ddod allan ohoni'n waeth eich hun. Felly fy mywyd inna, o 'Barti Ddu' ymlaen. Doeddwn i fyth i gyrraedd yr un uchelfannau wedyn yn fy ieuenctid – er i mi drio'n galad iawn i wneud hynny. A does dim sy'n dristach na gweld hen stejar (ifanc iawn yn fy achos i) yn ceisio ail-greu'i fachlud personol ei hun, sydd eisoes wedi hen ddiflannu o'r ffurfafen.

Roedd mudiad yr Urdd yn bwysig iawn i 'nhad, ac roedd o'n cefnogi pob ymdrech i'w hyrwyddo. Cofiaf weld llun ohono unwaith yn *Blodau'r Ffair* o dan y pennawd 'Oriel yr Anfarwolion'. Wow! Doeddwn i 'rioed o'r blaen wedi sylweddoli bod 'nhad yn ddyn mor bwysig. Ef, gydag Ifan

Jones Davies a Ses, ei wraig, sefydlodd adran bentref o'r Urdd yn Llanllyfni gyntaf, ac roedd hi'n ddyletswydd arnon ni'r plant i gefnogi'r adran honno ymhob ffordd bosib. Es i aros i Langrannog un haf poeth ym mis Awst. Ysywaeth, roedd rhyw aflwydd ar bron pawb arall yn y gwersyll, oedd yn golygu'u bod yn taflud i fyny dros y lle. Bron i mi fynd yn wallgo! Drwy'r wythnos bûm yn brathu'n winedd ar y ffôn wrth drio perswadio Mam a Dad i ddod i lawr i'm nôl yn y car – allwn i ddim meddwl teithio adref yr holl ffordd i'r gogledd gyda phawb yn cyfogi dros y lle. Wn i ddim be ddwedis i i'w perswadio i newid eu meddyliau, ond wedi 'ngwrthod i drwy'r wythnos, erbyn y dydd Gwener roeddent y tu allan i'r gwersyll yn aros amdana i. A minnau'n tyngu nad awn i fyth eto i aros i unrhyw wersyll yr Urdd.

Flynyddoedd yn ddiweddarach, pan o'n i yn fform ffôr, es am benwythnos i Lanllyn. Yno gwelais, am y tro cyntaf, y cardiau chwarae budron rheiny gyda merchad noeth yn gwneud pethau amheus arnynt. Yno, hefyd, bu bron i mi foddi. Roedd Arwel fy mrawd wedi bod ar daith i Dde America ac roedd o wedi dod â phum cant o sigaréts yn ôl hefo fo, yn anrheg i mi. Roeddwn i'n poeni gymaint y byddai rhywun yn dwyn y sigaréts 'ma, fel yr es i â nhw, wedi'u stwffio yn fy mhocedi, hefo fi ar drip ar y llyn mewn canŵ. Fedrwn i ddim nofio, chwaith – roedd hynny'n cymhlethu pethau. A wir i chi, fe drodd y blincin canŵ 'ma drosodd yng nghanol y llyn. Mae'n wir be maen nhw'n ddeud – ma'ch bywyd chi'n fflachio o flaen eich llygaid! A dwn i ddim sut wnes i ddim boddi. Dwi'n cofio deud wrthaf fi fy hun wrth i mi fynd i lawr am y trydydd tro, '*Die with dignity, Wynff!*' Ces i fy achub – ond nid felly'r sigaréts! Roedden nhw'n un shwrwd gwlyb yn fy mhoced. Mi ddysgais i wers ddrud iawn y penwythnos hwnnw yng Nglan-llyn: i beidio rhoi eich sigaréts i gyd mewn un boced – yn enwedig os ydych chi'n mynd ar ganŵ! Ond fel gyda phopeth arall yn fy hanes i, ddysgais i ddim oedd yn dda i mi nes oedd hi bron yn rhy hwyr.

Roedd cymylau duon yn crynhoi ar y gorwel gartref. Gwelwyd Bonso yn rhisio defaid. Wel, dyna be ddudodd y

ffarmwr wrthon ni'r dydd Sul hwnnw, pan o'dd y diweddar
Ainsleigh Davies yn pregethu yn Salem ac yn aros hefo ni dros
y penwythnos. 'Welish i gi'r g'nidog yn rhedag ar ôl 'y nefaid i,
ylwch!' Ro'dd y cyhuddwr yn sefyll yn y drws ffrynt, yn flin,
gyda Mr Roberts, y plismon, wrth 'i ymyl. 'Ma' hwn yn achos
difrifol iawn!' medde hwnnw. Ac yn wir, fe aeth yr achos i'r
Llys Ynadon yng Nghaernarfon, gyda'r tebygrwydd mawr y
byddai'n rhaid difa Bonso, ac y bydda 'na *headlines* yn y *Daily*
Post a'r Caenarfon & Denbigh yn deud petha fel, *'Minister of*
Religion not in control of dog!' neu, *'Minister's dog commits*
serious crime!' Roedd yr holl ddigwyddiad yn argyfwng
mawr yn Gwelfor, a bu trafodaeth ar sut orau y gellid delio
hefo'r cynhuddiad – ac, yn arbennig, y posibilrwydd o
gyhoeddusrwydd gwael fyddai yn y papura drannoeth yr achos.
Wnaethon nhw ddim gwrando o gwbl arna i wrth i mi ddadlau
nad Bonso o'dd yn gyfrifol, sut bynnag – a'i fod o yn y cwt yn y
cefn ar yr union amser yr oedd y ffarmwr yn 'i gyhuddo fo o
risio'i ddefaid, dair milltir i ffwrdd. Fe dystiodd Ainsleigh
Davies i hynny, hefyd – fe'i gwelodd o yno'i hun. Y noson cyn
yr achos, ro'n i yn fy ngwely, ac ar bigau'r drain, yn methu'n
lân â setlo. Mi godis i'n sydyn a rhedeg i lawr y grisiau i ddeud
un ffarwél olaf wrth Bonso. Ond mi ges i'n rhwystro rhag mynd
allan i'r cwt gan 'y nhad. 'Na, paid, Jac-y-Do. 'Nei di ddim ond
styrbio mwy arna chdi dy hun, yli!' Ond ro'n i'n benderfynol.
'Fedra i ddim bod yn fwy ypset nag ydw i rŵan, Dad!' Ac mi
'nes i wthio heibio iddo fo, a rhuthro am ddrws y cwt yng
ngwaelod yr ardd. A'r fath sioc! Pan agoris i'r drws, doedd dim
golwg o Bonso. 'Gwranda, Jac-y-Do,' medda 'nhad yn euog,
'fedra i egluro popeth . . .' Ro'dd fy rhieni, erbyn dallt, wedi difa
Bonso'n gynharach yn y dydd, gan obeithio y byddai hynny'n
lleihau'r ddirwy yn y llys y diwrnod canlynol. Fy nhro i oedd
gorymateb y tro hwn. Mi dorris i 'nghalon o golli Bonso, ac ma'
gen i ofn i mi gyhuddo fy rhieni o fod yn llofruddwyr ac yn
waeth, dwi'n siŵr. Gymrodd hi amser maith i mi ddod dros y
golled, hefyd, achos Bonso, i bob pwrpas, o'dd fy unig wir
ffrind i. Dim ond hefo Bonso ro'n i'n medru bod yn fi fy hun,

heb orfod cuddio dim, ac roedd o 'di bod yn gwmni triw i mi ar bob un antur fawr o'm heiddo – pob escapêd cyffrous. A rŵan, roedd o wedi'i gymryd oddi arna i yn y modd creulona, a heb ddim rheswm, oherwydd fe'i cafwyd yn ddieuog. Nid oedd digon o dystiolaeth i brofi mai Bonso o'dd y ci o'dd wedi bod yn rhisio'r defaid, mae'n debyg. *'Case dismissed!'* medda'r ynad.

Tua'r amser hwn daeth newydd oddi wrth Anti Mag yn yr India fod nifer o arbenigwyr yn yr Unol Daleithiau wedi datblygu triniaeth lawfeddygol i adfer clyw i rai pobl fyddar. Roedd un o'r arbenigwyr wedi dychwelyd i Lerpwl o'r Amerig, ac ef oedd yr unig un ym Mhrydain oedd â'r gallu a'r wybodaeth i wneud y llawdriniaeth arbennig honno. Awgrymodd Anti Mag y dylai Dad gysylltu ag o. Ar 'i wely angau, pan o'dd 'nhad a minnau'n agosach nag y buom erioed o'r blaen, ac yn siarad am bethau dyfnion bywyd, fe gyfaddefodd i mi cymaint rhwystr fu 'i fyddardod o yn ei fywyd. Roedd o'n teimlo'n llai na fo'i hun o'r herwydd, medda fo. Yn aml iawn, byddai'n ei gael ei hun yn sefyll mewn cyfarfod o'r Sasiwn neu'r Henaduriaeth, dweder, ac yn traethu yn erbyn neu o blaid rhyw gynnig arbennig, dim ond i sylweddoli wedyn ei fod wedi camglywed y wybodaeth, a'i fod o wedi bod yn siarad lot o nonsens. Roedd ei lais o'n dawel hefyd, a byddai rhai pobol yn cwyno nad oeddent yn ei glywed yn pregethu.

'Ye gods! Speak up won't you, Bob!'

'Diwadd annwl dad! Ddim yn gwrando 'dach chi 'te – dyna'ch drwg chi!' Ac, wrth gwrs, roedd rhaid dweud pob un dim wrtho fo ddwywaith a theirgwaith hyd at syrffed. Felly, wrth i Sir Gaernarfon baratoi at gynnal yr Eisteddfod Genedlaethol yno ym 1959, aeth Dad i Ysbyty Walton yn Lerpwl, i weld a o'dd Duw yn dal i 'neud gwyrthiau ai peidio.

Roedd y driniaeth, oedd yn digwydd trwy chwyddwydrau, yn golygu torri dau ddarn o wyn ei lygad, ac wedyn torri y tu ôl i'r glust a gwahanu'r esgyrn bychain hynny, y *malleus* a'r *incus* a'r *stapes* – oedd wedi glynu yn 'i gilydd – gyda'r gwyn o'r llygad.

Roedd hi'n llawdriniaeth fawr iawn ar y pryd, ac fe gymerodd wyth awr i'w chwblhau. Pan ddeffrôdd Dad, roedd o'n methu diodde sŵn y traffic y tu allan i'r ysbyty, ac roedd yn rhaid i bawb siarad yn dawel hefo fo, achos bod pob sŵn yn brifo'i glustiau. Gwyrth yn wir! Cafodd barlys ar 'i wyneb, wedyn, o ganlyniad, ond, er cymaint yr anhwylder hwnnw, bu'r llawdriniaeth yn llwyddiant ysgubol a chyfoethogwyd bywyd 'nhad yn fawr iawn o ganlyniad. Rhyw ddeng mlynedd yn ddiweddarach, dychwelodd i'r un ysbyty i gael yr un driniaeth ar y glust arall. Cymerodd awr a hanner; ni fu'n rhaid tynnu gwyn ei lygad y tro hynny, na chwaith dorri y tu ôl i'r glust i gael mynedfa i'r pen. Roedd meddygaeth yn datblygu i'r graddau hynny yn y cyfnod hwnnw.

'Nôl adref, roedd yr 11 plus bondigrybwyll ar fy ngwartha, ac er i mi boeni'n arw amdano, ro'dd yna ryw lais bach yn deud wrtha i y bydda popeth yn gweithio allan ac y byddwn i'n llwyddiannus. Ac, er mawr ryddhad i bawb, dyna ddigwyddodd. Yn wir, fi o'dd yr unig un o'r dosbarth o bedwar i lwyddo. Yn goron ar y cyfan, gwahoddwyd y gân actol, 'Barti Ddu', i'w pherfformio fel rhan o'r pasiant gan Huw Lloyd Edwards yn y pafiliwn, ac er i mi ddiodda clwy'r penna yn ystod yr ymarferion, bu hwnnw, hefyd, yn llwyddiant mawr. Ac yn ystod ha' poeth 1959, a Rowenna adre ar ei gwyliau o goleg y Barri ac Arwel wedi pasio'i Lefel O, roedd llwydd mawr ar ddeulu Gwelfor. Cafwyd ychwanegiad i'r teulu hefyd – Sionyn, y corgi. Ond ci 'nhad fyddai hwnnw. Yn y byd mawr y tu allan roedd Harold Macmillan, y Prifweinidog, yn deud *'You've never had it so good!'* Ac roedd pawb yn tystio i hynny. Ond wrth gwrs, uchel ysbryd o flaen cwymp ydy hi bob amser. Doeddwn i ddim wedi ystyried ymddangosiad y 'Diafol' yn fy mywyd – a hynny ym mherson Mr R. H. Pritchard-Jones fy mhrifathro newydd i yn Ysgol Dyffryn Nantlle.

UFFERN AR Y DDAEAR
(1959–1966)

Roedd y ddraig honno frawychodd fi yn ystod rihyrsals *Caniadaeth y Cysegr*, yn Llansannan, wedi bod yn gymharol dawel ers rhai blynyddoedd; ges i fy rhyddhau o'i chrafanga am ryw reswm ac o'i sibrydion dieflig, sef nad oeddwn i'n dda i ddim, ddim yn haeddu llwyddo, ac yn ddiffygiol fel person. Ond roedd ei deffroad ar ddigwydd.

Setlis i ddim yn Ysgol Dyffryn Nantlle. Ro'n i mewn dosbarth o dros ddeg ar hugain o blant, ac ro'n i'n colli'r sylw unigol ro'n i wedi arfer ei gael yn Llanllyfni – gyda dim ond tri disgybl arall yn y dosbarth. Ro'dd dysgu wastad wedi bod y peth olaf ar fy meddwl, ond roedd Mrs Ellen Thomas a Jôs Scŵl yn fy ngorfodi fi i weithio. Yn yr ysgol ddiarth hon, doedd neb i sicrhau hynny. Mi gollis i'r sylw un-i-un, ac roedd rhai pynciau ymhell o 'nghyrraedd i, yn enwedig gan nad oeddwn wedi deall y gwersi dechreuol yn iawn, ac wedi methu cael crap iawn ar eu hanfodion. Y gloch o'dd yn tra-argwyddiaethu, ac roedd yr athrawon a'r plant yn ymateb i honno fel pe bai'n dduw, ac yn rhuthro o un wers ac o un ystafell i'r llall – ac ar draul rhai disgyblion fel fi, yn aml iawn, oedd yn cael anhawster deall rhai pethau, ac angen mwy o amser. Doedd dyslecsia ddim yn bod ar y pryd!

Roedd dysgu Ffrangeg a Lladin tu hwnt i'm dirnadaeth, a phan ofynnwyd i ni ddod â photeli gwin i'r dosbarth Ffrangeg – gwin Ffrengig – gwyddwn, wedyn, nad oedd yr athrawes a mi yn siarad yr un iaith, nac yn byw yn yr un byd, chwaith. Roedd alcohol, pe byddai'r athrawes wirion ond yn gwybod, yn anathema yn ein tŷ ni. Llwyddais i gael ychydig o nwyddau Ffrengig ar gyfer y dosbarth nesaf, sut bynnag – gan obeithio y gwnâi'r rheiny'r tro, a rhyfeddu at yr amrywiaeth o boteli gwinoedd a gwirodydd Ffrengig roedd y plant erill wedi dod gyda nhw i'r ysgol. Nid oeddwn yn byw yn eu byd hwythau, chwaith, roedd hi'n amlwg, gyda rhai ohonynt yn siarad fel y byddai'u rhieni yn yfed gwin yn agored o'u blaena, neu'n ddyddiol, gyda'u prydau bwyd. Roeddwn yn genfigennus fod ganddynt rieni mor eangfrydig! Ond cadarnhau fy unigrwydd yn y byd wnaeth y cyfan i mi, ar y pryd. Teimlwn yn union fel pe bawn i ddim yn perthyn – fel ymwelydd o Mars. Fel 'mod i'n edrych i mewn ar y dosbarth drwy'r ffenest – yn gweld pob dim, ac yn clywed pob dim, ond ddim yn teimlo'n rhan o unrhyw beth. Yn *detached*, ys dywed y Sais. Ar goll ar ben fy hunan bach yn y byd mawr drwg.

Mi wnes i ymdrech lew i feistroli Lladin, gyda llaw – roedd o'n bwnc hanfodol os oeddech am obeithio studio meddygaeth yn y coleg y dyddia hynny – ac roeddwn wedi rhoi fy mryd ar wneud hynny. Ond er gwyched athro oedd Mr John Gill (a chwaraewr criced a phêl-droed, hefyd) fe gyfarfu â'i Waterloo hefo fi. Ac ar ôl fform thrî mi rois i'r gorau i'r erchyll bwnc, a chydag o pob gobaith o fod yn llawfeddyg enwog rhyw ddydd. Ac yn y sylweddoliad yna 'mod i ddim yn ddigon da i fod yn feddyg, mi gollais i ryw 'chydig bach mwy o ffydd ynof fi'n hun, a chleisio gryn dipyn ar fy hunanhyder oedd eisoes reit fregus.

Roedd Edgar Williams y Post (cyn-weinidog o'dd wedi gweld y goleuni a gadael y weinidogaeth i fynd yn siopwr), yn clirio allan ei warws un diwrnod, ac roedd ganddo fo dair potel o *brown ale* ymhlith y 'nialwch i'w taflu ar y domen sbwriel leol. Am ryw reswm fe'm mesmereiddiwyd i gan y poteli hyn. Ac wedi iddynt gael eu taflu ar y domen sbwriel, mi es i ar eu holau, a dychwelyd atynt, droeon, sawl diwrnod ar ôl hynny – i anwesu'r poteli, agor eu caeadau ac arogli'r hylif y tu fewn. Mi wnes i bopeth i'r poteli hynny ond blasu'u 'ffrwyth gwaharddedig'. Ond mi wnes i ymrwymiad tawel i mi fy hun, hefyd, sef y byddwn i, wedi i mi dorri'n rhydd o'r fagwraeth biwritanaidd hon, yn blasu'r alcohol y tu fewn a phrofi'i holl addewidion. Oherwydd gwyddwn, yn reddfol, fod gan yr hylif lledrithiol hwn rywbeth arbennig iawn i'w gynnig i mi. Teimlais ein bod ni wedi'n tynghedu i fod gyda'n gilydd ryw ddydd.

Ffarweliais â Glymbo Rêch, Edwin Roberts a Barbara Roberts, fy nghyfoedion yn ysgol gynradd Llanllyfni, pan ddechreuis i yn yr ysgol uwchradd; aethant hwy i'r dosbarthiadau B, C a D ar ôl ca'l eu traddodi'n fethiannau wedi dedfryd yr *11 plus*. Mi wnes i ffrinidau newydd: Gwyn Rowlands, fu'n brifathro yn y de, nes colli'i iechyd; Ian Damerall, sydd, yn ôl y wybodaeth ddiweddara, yn byw yn yr Iseldiroedd; John Leighton Jones, fu farw'n ifanc mewn damwain car; Tomos Elias (Twm Bwm), sy'n athrylith ar fyd natur – a sawl un arall rhy amrywiol i'w henwi yma. Ond ffrindiau mewn pentrefi eraill oeddent hwy, bob un. Am ryw reswm mi wnes i ymbellhau oddi wrth fy hen ffrindiau yn y pentra – ychydig iawn oedd gennym yn gyffredin, mwya sydyn, ac mi ddechreuis i deimlo'n unig heb gwmni wedi'r ysgol. Ac ar ben popeth, roedd Mr Jones y Saer, fy nghyfaill penna, wedi symud i fyw i Lerpwl ac oni bai am un neu ddau ymweliad â nhw dros wyliau'r haf, roeddwn i golli cysylltiad wedi hynny.

A dyma pryd daeth Miss World i mewn i'm bywyd i. Mrs Jini Griffiths o'dd 'i henw iawn, ac roedd hi'n byw ar ei phen ei hun yn 87 Rhedyw Road. Hen wreigan o'dd hi, ac wedi colli'i gŵr pan o'dd hi'n ifanc. Ychydig iawn o wallt o'dd ganddi – a gwisgai *hair net* am yr ychydig hwnnw, oedd bob amser wedi'i rowlio mewn dau gyrlyr pinc ar dop 'i phen. Ond dyma angel os bu un erioed. Ac fe gymrodd ata i, a finna ati hithau. Roedd hi'n amhosib gwahanu'r ddau ohonom oddi wrth ein gilydd gan gymaint y cariad rhyngom. Wrth edrych yn ôl rwy'n gweld pa mor garedig fu Duw tuag ataf yn ystod y cyfnod hwn, oherwydd heb Miss World, does dim amheuaeth, mi fyddwn i wedi gwneud rhywbeth gwirion i mi fy hun. Awn ati bob nos cyn clwydo a byddai'n disgwyl amdanaf yn eiddgar, gyda'r tecell ar y tân yn berwi yn barod i wneud paned. Aem at y piano, wedyn, i ganu emynau. Siŵr bo ni wedi cythruddo sawl cymydog iddi, oherwydd digwyddai'r canu hwn am hanner nos gan barhau i oriau mân y bore – ac roedd ganddi'r fath lais contralto cryf. Ac wedyn y sgwrsio! Am bopeth dan haul a dim yn arbennig, ac roedd ei meddwl mor agored â'r dydd. Gallwn ddweud unrhyw beth wrthi, a doedd hi'n cywilyddio dim na barnu dim arna i. Ac roedd hi'n adnabod pobl hefyd, ac yn feirniadol o rai unigolion blaenllaw yn y pentra oedd yn cael eu hystyried yn 'bobol capal'; ond condemniad ysgafn oedd o hefyd, ar ffurf ebychiad amheus, neu besychiad bach go sych. Ac yn ei chwmni, cawn roi'r byd yn ei le, a'r blaenoriaethau yn ôl lle dylent fod. Roedd fy mherthynas â Miss World mor agored ac mor rhydd ag oedd posib i unrhyw berthynas fod ar y pryd. Ond roedd gen i gyfrinachau oedd yn cael eu cuddio oddi wrthi hithau, hefyd, gwaetha'r modd. Y cyfrinachau hynny oedd yn rhy gywilyddus i'w rhannu gyda neb.

Dyna'r adeg y dechreuais i gael fy mwlio. Nid yn ystod oriau'r ysgol – roedd y rheini'n gymharol rydd o drais, ond wrth adael yr ysgol i ddal y bws adref o Ben-y-groes. Mi fyddai criw o hogia o'r tai cyngor lleol yn aros amdanaf bob dydd – gan droi pob p'nawn, wrth i mi feddwl am ddal y bws adref, yn hunllef llwyr i mi. Rhwygwyd fy nghrysbas droeon, a thaflwyd fy llyfrau ysgol i ganol y ffordd, a byddwn yn cael fy rhwystro rhag dal y bws adref – yn enwedig pan fyddai'n bwrw glaw. Ddywedais i ddim byd wrth neb am hyn; roeddwn ofn y canlyniadau, ofn y byddai'r bwlio'n gwaethygu, ac ofn cael fy ngweld yn fabi yn llygaid fy nghymheiriaid. Ro'n i'n ofn ymateb fy rhieni hefyd, oherwydd gwneud hwyl ar fy mhen fel mab y gweinidog fyddai'r bwlïaid. Nid oedd bwlio, bryd hynny, yn cael yr un sylw a'r pwysigrwydd ag y mae o erbyn heddiw, ond yr hyn sy'n gyffredin i bob dioddefwr, waeth be fo'r cyfnod, yw'r gred bendant, rhywfodd rywsut, mai ei fai ef neu hi yw'r cyfan. Weithiau, os na fyddai'r bwlïaid yn aros amdana i ar waelod lôn yr ysgol, cawn ddianc rhagddynt a cherdded adra heibio cae tîm pêl-droed Nantlle Vale a'r Ffactri. Roedd diwrnod felly'n ddiwrnod da.

A chyn pen dim, roeddwn i wedi dechrau diflannu o'r ysgol yn ystod y bore i chwilio am rywbeth i'w fwyta. Tua un ar ddeg bob dydd, roedd gen i'r llwgfa mwyaf dychrynllyd 'ma yn fy stumog. Mater o raid oedd ei ddiwallu. Fel rheol cawn deisen reit drom, neu bastai yn y siop ar y stryd fawr, a byddwn yn cael rhyddhad o'r boen yn syth. Y drafferth oedd, o fewn dim, byddai'r boen yn ôl, ond poen gwahanol fyddai hwnnw – poen fel bod gen i friw reit yng nghanol fy stumog. Wrth edrych yn ôl rwy'n adnabod yr arwyddion hyn i gyd. Doedd y gair Bullimia ddim yn bod ar y pryd, ond efallai y gellir disgrifio'r arwyddion yn well fel *comfort eating* a'r boen, fel poen ofn. Roeddwn eisoes wedi dechrau chwilio am ffyrdd i ddianc rhagddo, ac am ffyrdd i osgoi fy realaeth. Roeddwn hefyd wedi dechrau dwyn. Ychydig iawn o bres poced gawn i; dyna'r drefn. Roedd arian yn brin fel dudis i. Ond roedd pwrs Mam bob amser yn llawn, ac os na fedrwn i ddwyn peth ganddi hi, mi fedrwn i wastad fachu teisen heb i'r siopwraig sylwi.

Ychydig ddyddiau cyn y gwyliau cyntaf, gwyliau'r Nadolig, y newidiodd pethau'n barhaol yn Gwelfor. Cefais ganlyniadau fy arholiad cyntaf yn yr ysgol newydd. Ac roedd fy safle i yn y dosbarth yn ddau ddeg tri! Nid oedd hyn yn ddigon da i'm rhieni. A bu dwrdio mawr wrth astudio'r marciau ymhob pwnc. Am ryw reswm roedd 'nhad wedi disgwyl i mi fod ymhlith y tri cyntaf. Ac roedd bod yn drydydd ar hugain wedi dryllio'i ffydd ynof, a'i feddwl ohonof. 'Radeg hynny y dechreuodd o adrodd y dôn gron, 'Chwarelwr o'dd dy daid, chwarelwr o'dd dy dad, ac os na lwyddi di yn yr arholiada 'ma yn yr ysgol, hogyn, chwarelwr fyddi dithau hefyd – a'r gora yn y wlad!' Roedd fy nhad yn rhoi'r bai ar y ffaith 'mod i ddim yn darllen digon (er i mi ddarllen *Lady Chatterley's Lover* gan T. H. Lawrence gydag arddeliad.) Ac roedd o'n iawn, hefyd, i raddau. Ro'n i'n casáu'r 'clasuron' – y nofelau hirwyntog diflas (i mi) roeddan ni'n gorfod eu darllen fel rhan o'n gwersi Saesneg a Chymraeg yn yr ysgol, a hyd heddiw, anaml iawn y gwna i ddarllan nofel. Dwi'n casáu nofelau; dwi wastad wedi, ac i ddyn sydd wedi byw y rhan helaethaf o'i fywyd mewn byd ffantasi, mae hynny'n beth rhyfedd. Ar yr un pryd, rwy'n siŵr fod gan y diflastod yma at lyfrau a darllen rywbeth i'w wneud gydag agwedd fy nhad – ac yn arbennig y duedd oedd yn datblygu ynof i, bryd hynny, i wneud popeth yn groes i'w ddymuniad.

Canlyniad hyn i gyd oedd derbyn rhybudd clir y byddai'n rhaid i mi dorchi fy llewys o hynny mlaen – oherwydd roedd Rowenna wedi mynd i goleg, Arwel yn gwneud yn dda yn y chweched dosbarth a fi oedd eu hunig bryder, rŵan – eu hunig siom. Does dim fel beirniadaeth adeiladol yn nag'oes? Dywedwch wrth blentyn yn ddigon hir nad yw'n ddigon da, a dyna be gewch chi – plentyn sydd ddim yn ddigon da.

Erbyn arholiad yr haf, doedd pethau wedi gwella dim – a'r marciau yr un mor dorcalonnus. A dyna pryd y penderfynais i ar fy ngweithred fwyaf anonest hyd hynny. Cefais rwbath fel 28 o farciau yn Lladin, 15 yn Cemeg, 33 yn Ffrangeg, ac yn y blaen. Yn fy meddwl ro'dd gwyliau hir yr haf o 'mlaen, ac os na fyddwn i wedi gwella ar farciau'r adroddiada diwetha, gallwn anghofio am unrhyw fwyniant – haf diflas iawn fyddai'n fy wynebu. Felly, mi benderfynis i newid y marciau gwaethaf i gyd. Aeth 28 yn Lladin yn 58; 15 yn Cemeg yn 95; a 33 yn Ffrangeg yn 88. Yr unig drafferth oedd 'mod i, wrth ddileu un ffigwr, wedi crafu'r papur, ac roedd yr inc wedi rhedeg ac wedi blotio wrth i mi sgwennu'r ffigwr newydd i mewn. Dychwelais adra hefo 'nghalon yn curo'n wyllt. Ofnwn y byddai fy rhieni'n gweld yn syth 'mod i wedi newid y ffigyrau. Roedden nhw'n aros amdanaf, ill dau, yn y gegin, yn awyddus i weld a oedd gwelliant wedi bod yng ngwaith ysgol eu mab anystywallt. Sylwon nhw ddim yn syth ar y fforjeri, ac am ychydig funudau cefais ganmoliaeth fel 'rioed o'r blaen.

Mam sylwodd gynta. Daliodd yr adroddiad i'r golau'n sydyn, ac yna, ebychodd yn uchel. '*Rachmaninoff! This report's been changed!*'

'Be ddudist ti ddynas?' A chydiodd Dad yn yr adroddiad yn wyllt, wrth i'w wyneb o welwi. 'Ydy hyn yn wir, hogyn?'

'*Look,*' medda Mam, '*this mark's supposed to be twenty eight not fifty eight!*'

Cyn clywed dim mwy, roeddwn i wedi sgrialu am y stafell folchi yn y llofft. Mewn sterics, agorais y cwpwrdd, a gwelais botel dywyll gyda rhybudd arno, '*Caution, Caustic substance. Avoid all contact with eyes*'. Heb feddwl dim, agorais y botel a thollti peth o'r hylif yn syth i mewn i'n llygaid. Roedd y boen yn annioddefol – ro'n i'n sgrechian mewn poen; mi ges i afael yn rasal 'nhad, wedyn, ac wedi tynnu'r blêd, eisteddais ar sêt y tŷ bach, a dechrau slaesio 'ngarddyrnau. Dyna pryd y daeth Mam a Dad i mewn – a dychryn am eu heinioes. Cludwyd fi'n syth i syrjeri Dr Tom Ellis ym Mhen-y-groes. Gofynnodd yntau, 'Pam wnest ti hyn, Wynford?'

'Dwi'm yn gwbod, Doctor' oedd fy ateb anonest, parod. Oherwydd mewn gwirionedd gwyddwn yn iawn. *Divertory tactics!* Hwnna ydy o! Ac roedd o'n dacteg ro'n i i'w defnyddio'n aml yn ystod fy mywyd wedi hynny. Os cawn fy hun mewn rhyw dwll neu'i gilydd na allwn dyllu fy ffordd allan ohono, defnyddiwn y dechneg hon i dynnu sylw oddi ar ba helynt bynnag ro'n i ynddo ar y pryd.

Yn achos yr adroddiad ffug: chlywais i fawr ddim amdano wedi hynny (er ei fod i aros ar ben y dresel i'm hatgoffa o'm hanonestrwydd am weddill y gwyliau). O ganlyniad cefais haf go lew, o dan yr amgylchiada – hefo Mr Jones y Saer yn Lerpwl. Ond arhosodd y weithred anonest honno i bydru yn stôr fy meddwl – yn un rheswm arall dros deimlo euogrwydd a chywilydd, sef yr emosiyna dinistriol hynny oedd i'm llorio ymhen blynyddoedd i ddod. Chwarddodd y ddraig y tu mewn i mi o weld fy helbul; roedd popeth yn gweithio allan yn union yn ôl ei bwriad.

A thra bûm i'n aros yn Lerpwl y cefais fy mlas cynta o alcohol. Potelaid o Babycham oedd o. Ond roedd o'n ddigon i'm perswadio fod yr adduned i gadw oed ag alcohol, unwaith y byddwn yn rhydd o Lanllyfni, yn werth ei chadw. Wedi bod yn siopa hefo Mrs Jones yn y ddinas o'n i, ac wedi llwyddo i'w pherswadio i adael i mi brynu tair potelaid o'r seidr diniwed. (Erbyn heddiw rwy'n deall yn iawn nad oes unrhyw fath o seidr sy'n ddiniwed – wel, ddim i mi, beth bynnag!) Ar ôl cyrradd adra, gwnes seremoni fawr o'r holl ddefod wrth edrych ymlaen, hefo 'nghalon yn rasio; y paratoi – estyn gwydrau crand, ac agor y caead; wedyn y rhyfeddu mursennaidd wrth wrando ar sŵn hudolus y swigod yn ffrwydro'n swnllyd wrth daro'r gwydryn;

a'r wefr wrth ffroeni'r sawr melys, cyfriniol, sy'n unigryw i alcohol. Yna, fel pe bai i goroni'r cyfan, y teimlad ysgeler, tanseiliol hwnnw, 'mod i'n gneud rhywbeth oedd yn erbyn y drefn – mod i'n gneud rhywbeth o'dd yn ddrwg. A hyn i gyd cyn blasu dim!

Byddai pethau'n gwella i mi bob blwyddyn yn yr ysgol o gwmpas adeg yr eisteddfod. Roedd yna bedwar tŷ yn yr ysgol: Llifon, Llyfnwy, Silyn a Dulyn. Ro'n i'n perthyn i Llyfnwy – a nhw, yn draddodiadol, fyddai'n cael y marcia uchaf bob tro yn yr eisteddfod. Silyn fyddai'r gora yn y mabolgampa, ond Llyfnwy oedd y rhai diwylliedig! Ro'n i'n cymryd diddordeb mewn mabolgampa a chwaraeon yn gyffredinol, hefyd. Ro'n i'n chwaraewr pêl-droed da iawn. Fi fyddai'r gôl-geidwad. Yn wir, cefais brawf ar gyfer chwarae i dîm pêl-droed Cymru o dan bymtheg oed, unwaith – a chyrhaeddais y pedwar olaf, ond ddim y brig. Ro'n i'n hoffi criced hefyd, ac yn chwarae'n gyson i'r ysgol, ar y cae chware yn Llanllyfni, gyda Gwynfor Roberts – oedd yn ddigon da i chwarae i dîm Morgannwg, ddudwn i. Ffurfiwyd tîm rygbi yn yr ysgol, unwaith, hefyd, gan yr athro Saesneg ar y pryd, ac fe wnaethon ni gystadlu yn yr Urdd. Ond gan fod rygbi'n beth cymharol newydd i ysgolion y gogledd bryd hynny, a bod dim cystadleuaeth oddi wrth unrhyw ysgol arall, aethom yn syth drwodd i'r rownd derfynol a gynhaliwyd yn Aberystwyth. Roedd y sgôr terfynol, os cofiaf yn iawn, yn y chwedegau uchel iddyn nhw, a 5 i ni. Bu'n lladdfa! Ac fe dreulis i'r rhan fwya o'r gêm yn sefyll oddi ar y cae – ro'dd gen i ormod o ofn 'u blaenwyr nhw, ac ofn torri 'nghoes neu waeth! Ro'n i'n rhagori ar y naid hir, hefyd, y naid uchel a'r naid driphlyg – ond dim ond pan gyrhaeddais i'r dosbarthiadau uchaf. Er 'mod i'n dal iawn, bryd hynny bychan iawn o'n i, a chryn dipyn yn llai na Meira, fy ngwraig, wrth i ni gystadlu ar y ddeuawd yn yr eisteddfod – oherwydd roeddan ni'n dau yn ddisgyblion yn yr un ysgol, er nad oedden ni'n gariadon ar y pryd.

Ac, wrth gwrs, roedd Matt Pritchard, yr athrawes hanes enwog, yn un o'r athrawon a hi oedd prif ysbrydoliaeth Llyfnwy. Ddalltis i fawr ddim ar ei phwnc, chwaith – yn un cowdal o ddyddiadau ar y bwrdd du; roedd eu cofio y tu hwnt i mi. Ac fel llawer o athrawon y cyfnod, roedd dychan a gwawd yn rhan o'i harfau yn y dosbarth. Chymris i ddim ati o gwbl yn y dosbarth. Ond pan ddeuai'n amser 'steddfod, mwya sydyn, fi o'dd un o'i ffefrynna. A bryd hynny, dwi'n meddwl, y des i adnabod y Matt Pritchard go-iawn. Bob 'steddfod ysgol byddai Matt Pritchard ar flaen y gad yn hyfforddi, yn ysbrydoli ac yn cefnogi pawb yn nhîm Llyfnwy – a thîm Llyfnwy'n unig – i'r carn. A chan 'mod i'n gystadleuydd brwd, yn canu, yn adrodd, yn cymryd rhan yn y grŵp chwibanu a'r grŵp iodlo ac yn y blaen, des i deimlo gwres ei brwdfrydedd a'i chefnogaeth yn fwy, efallai, na rhai o'r plant erill. Felly, am dair wythnos fendigedig bob blwyddyn wrth i ni baratoi at y 'steddfod, doedd arna i eisiau neb gwell fel athrawes a hyfforddwraig na Matt – roedd hi'n ysbrydoledig. A dyna pryd y byddwn innau ar fy ngorau hefyd, a'r cyfle i fod yn rhywbeth nad oeddwn ddim, yn gyfle rhy euraid i'w golli. Roedd perfformio'n dod yn hawdd iawn i mi. Byw oedd fy mhroblem fawr i.

Cefais ddigon o gyfleoedd i serennu yn nramâu'r ysgol, hefyd, a hynny gydag arbenigwr yn y maes, yr athro Saesneg ar y pryd, Huw Lloyd-Edwards. *Midsummer Night's Dream* oedd un o'i gynyrchiadau, a minnau'n chwara Peter Quince. Unig sylw'r prifathro, ar y pryd, oedd bod gormod o acenion Cymraeg i'w clywed ar y llwyfan! Fi bortreadodd Shylock, hefyd, mewn cynhychiad o'r *Merchant of Venice*, gyda Matt Pritchard yn cynhyrchu'r tro hwnnw. Trosiad gan yr ardderchog J. T. Jones oedd o, ac yn ôl yr actores, Mari Gwilym, fy mherfformiad i fel y masnachwr a'i hysbrydolodd hithau i ddewis y llwyfan fel gyrfa.

Yn ddiweddar rydw i wedi bod ar flaen y gad gyda'r cyfarwyddwr theatr, Michael Bogdanov, a'r actores, Valmai Jones, yn ceisio perswadio Cyngor Celfyddydau Cymru i ariannu cynhyrchiad o *Hamlet* Shakespeare yn y Gymraeg. Mae gen i bryder mawr ynglŷn â safon llefaru rhai actorion – yn enwedig y to iau. Un rheswm am hyn, heb os, yw dylanwad y teledu a'i arddull naturiolaidd, a'i waith 'rhy hawdd ei gael'; ac mae llai a llai o actorion o gwmpas, bellach, sydd â phrofiad o actio a llefaru ar lwyfan ar unrhyw lefel broffesiynol. Gyda dyfodiad Theatr Genedlaethol Cymru, wrth gwrs, mae pethau ar newid. Ond, yn y cyfamser, mae Michael, Val a fi wedi comisynu'r awdur Gareth Miles i ysgrifennu trosiad newydd, modern o'r clasur – fydd, gobeithio, yn mynd ran o'r ffordd tuag at ddatrys rhai o'n pryderon.

Yn ystod fy mlynyddoedd cyntaf yn yr ysgol, jest cyn i Arwel adael am y coleg, cefais ryw aflwydd anghyffredin iawn. Am ddim rheswm codai lwmp ar fy wyneb. Deuai heb rybudd, ac ro'dd o'n union fel pe bai clwy'r pennau arnaf fi. Rhyfeddach oedd y ffaith y byddai'n diflannu bob tro cyn i mi gyrra'dd yr arbenigwr yn ysbyty'r C & A ym Mangor – dim ond i ddychwelyd, wedyn – ac mewn lle gwahanol – wrth i ni deithio adref. Ond mi ddiflannodd mor sydyn ag y dôth. Un canlyniad, sut bynnag, oedd i mi golli llawer o'r ysgol yn ystod y flwyddyn honno, ac i mi lithro fwyfwy y tu ôl i'r plant erill.

Pan symudis i i lawr i'r ysgol isaf yn fy ail flwyddyn, mi ddois i ar draws y prifathro am y tro cyntaf. Dyn bychan iawn o gorffolaeth oedd o, ond un oedd yn llwyddo i wneud sŵn mawr serch hynny. Roedd ganddo bedolau o dan 'i sgidia, a byddai rhywun yn ei glywed yn dod o bell wrth iddynt glician yn swnllyd ei ddyfodiad. Gwisgai ŵn du dros ei sgwydda hefyd a byddai hwnnw'n cyfrannu at yr ofn affwysol oedd gen i ohono. Roedd o'n gyfeillgar iawn gyda 'nhad – y ddau wedi mynd i'r un coleg. Wn i ddim oedd gan hynny rywbeth i'w wneud â'r ffaith fod gen i ofn, efallai, iddo fo ddeud wrth 'y nhad mor wael o'n i'n 'neud yn yr ysgol! (Ond roedd 'nhad yn gwbod hynny beth bynnag!) Un peth sy'n sicr, doedd Mr R. H. Pritchard-Jones ddim yn fy licio fi.

Mae gen i theori i egluro'r peth. Dros y blynyddoedd, dwi wedi dod i gredu fod y prifathro wedi adnabod yr alcoholiaeth ynof i – er nad oedd o'n gwybod beth oedd o. Hynny yw, ei fod yn synhwyro'i ddiawledigrwydd, ei styfnigrwydd, a'i ddiffyg parch ynof a'i fod o wedi ymateb i hynny trwy fod yn gas hefo fi, a thrwy geisio 'nhanseilio i o'r foment gynta y gwelodd o fi, a thrwy geisio'n newid i. Dyna'r unig eglurhad sydd gen i. Enghraifft o hynny oedd yr hyn ddigwyddodd yn ystod cyngerdd mawreddog yn yr ysgol.

Roeddwn i newydd ennill Cystadleuaeth Siarad Cyhoeddus yr Urdd a gynhaliwyd yn y Deml Heddwch yng Nghaerdydd. Tîm ysgol Dyffryn Nantlle oedd y tîm gorau drwy Gymru – Ann Lloyd Edwards oedd y cadeirydd, gydag Alwyn Humphreys yn rhoi'r diolchiadau, a minnau'n siaradwr. Ac roedd gen i chwip o araith, hefyd. Dad oedd wedi'i hysgrifennu. Roedd o'n giamstar ar sgwennu areithiau i mi. 'Ffasiynau Merched' oedd y testun, a chafodd hwyl anghyffredin yn saernïo sgript oedd nid yn unig yn ffraeth ond yn ddoniol hefyd. A thrwy 'ngyrfa lwyddiannus iawn fel siaradwr cyhoeddus, Dad fyddai'r *scriptwriter* bob tro. Roedd o'n medru sgwennu ar fy nghyfer i ac i 'nghryfdera i, ac fel tîm, roedden ni bron yn anorchfygol. Enillais y siaradwr cyhoeddus gorau trwy Brydain unwaith, yn y Drenewydd, ac yn yr iaith Saesneg, hefyd – gyda Beti Williams, fy ffrind, ac Aelod Seneddol Conwy erbyn hyn, yn gadeirydd arna i. Dim ond unwaith gollis i yn ystod yr holl flynyddoedd – a hynny, pan wnes i siarad mewn cystadleuaeth i Glybiau Ieuenctid Arfon, gyda Gwilym Owen (y newyddiadurwr, maes o law) yn drefnydd arnon ni. Diffyg paratoi oedd yn gyfrifol am y colli bryd hynny; roedd o'n ormod o drafferth gen i baratoi'n drylwyr gan y dibynnwn i ar fy nhalent gynhenid. A'r canlyniad fu cwymp enfawr, a siomiant i nifer o bobl oedd wedi dod i 'mharchu fi'n fawr fel siaradwr. Wnes i ddim dibynnu ar fy nhalent gynhenid yn unig byth wedyn. Mae paratoi yn hanfodol.

Roedd Mr R. H. Pritchard-Jones, y prifathro, ar y llwyfan yn fy nghofleidio'n falch y noson honno yr enillsom ni yn y Deml Heddwch, ac yn dweud pethau canmoliaethus iawn amdanaf. Ro'n i'n gaffaeliad i'r ysgol, medda fo, roedd yr ysgol yn falch ohona i, ac ro'n i'n dod â chlod i'r ardal, ac yn y blaen ac yn y blaen. A thra bod y gynulleidfa'n cymeradwyo'i sylwadau'n frwd, mi drodd ata i a deud mewn gwaed oer. ''Dach chi'n sylweddoli, tydach fachgen, na toeddwn i ddim yn golygu un gair o be ddudis i!'

68

Fe amharodd y sylw yna'n fawr iawn arna i – ac mi gymerodd hi flynyddoedd i mi'i gael o allan o'n system. Y niwed pennaf wnaeth o oedd cadarnhau rhywbeth yr oeddwn i wedi'i amau'n barod – na fedrwn i ddim trystio pobol mewn awdurdod. Roeddwn i wastad wedi amau fod pobl o'r fath yn dweud un peth, ond yn golygu rhywbeth gwahanol. O'r diwadd dyma gadarnhad o hynny. Hyd yn gymharol ddiweddar, felly, cawn unrhyw berthynas â phobol mewn awdurdod, yn anodd, os nad yn amhosib. Awn yn llai na mi fy hun bob amser pan fyddwn yn eu cwmni; ro'n i'n ddilornus ohonynt ac yn amau'u cymhellion.

Cyn i mi adael yr ysgol dywedodd Pritchard-Jones wrtha i, 'Wna i ddim dymuno lwc dda i chi, fachgen – 'dach chi ddim yn 'i haeddu o!' Am flynyddoedd lawer, felly, wedi gadael yr ysgol, magais gasineb dychrynllyd tuag at fy nghyn-brifathro ar sail enghreifftiau o'r math yna. Ond y bwlio dyddiol, bron, oedd y gwaethaf ac fe fyddai wrth ei fodd yn fy mychanu o flaen y dosbarth a'r ysgol. A'r hyn sy'n od yw ei fod o yn berson mor gwrtais a chlên hefo fi ar yr achlysuron prin y gwelwn ef tu allan i'r ysgol. Ac eto, wedi deud hynna i gyd, dwi'm yn credu i mi rioed glywed cystal athro â fo wrth ei waith; roedd o'n wych pan ddaeth atom ddwywaith yn fform ffôr i roi gwers Gymraeg i ni ar Williams Parry.

Fydd hi ddim yn syndod ichi wybod, felly, dwi'n siŵr, i mi ddelio â'r blynyddoedd anodd hyn drwy redeg i ffwrdd. (Wel, fedrwn i ddim deud wrth neb am y peth, roedd hynny'n amhosib – fyddai neb wedi 'nghoelio i. Bryd hynny ro'dd y pendil, yn wahanol iawn i heddiw, ar ochr yr athro bob tro a byddai fy rhieni wedi ochri â'r prifathro – ef oedd bob amser yn iawn.) A'r tro yma mi redis i ffwrdd gyda help tabledi cysgu cryfion fy mam, a gadael y byd creulon ar ôl wrth ddiflannu i fyd afreal, carbwl, fy nychymyg gwyrdroëdig.

Ambell waith byddai Mam yn cyfri'i thabledi cysgu, ac yna byddai coblyn o le. Reit aml gallwn wadu'r ffaith mai fi o'dd wedi'u cymryd. (Yn nes ymlaen yn fy mywyd gwnawn hynny pan o'n i wedi bod yn yfed, hefyd, a pherswadio Meira a'r plant nad o'n i wedi cyffwrdd tropyn er mod i, ar y pryd, yn feddw dwll ac yn siarad yn floesg. 'Ymwadiad', *denial*, ma' nhw'n 'i alw fo. Alcoholiaeth, felly, yw'r unig salwch sy'n mynnu dweud wrthoch chi nad oes dim byd yn bod arnoch.) Dro arall cawn fy nal yn llythrennol yn dwyn tabledi cysgu Mam, hefo 'nwylo yn y cwpwrdd a'r botel ar agor. Golygai hynny drip i weld y meddyg, fel rheol, a hwnnw, y cradur, yn gwneud popeth i drio'n argyhoeddi fi o beryglon cymryd y ffasiwn gyffuriau cryfion (er fod 90 y cant o drigolion Dyffryn Nantlle, yn ôl ei gyfaddefiad ei hun, yn cymryd tawelyddion ar y pryd). Ond wnaeth neb 'rioed drio perswadio Mam i beidio'u cymryd nhw, chwaith. Ac os o'n nhw'n ddigon da i Mam – roedden nhw'n ddigon da i minnau hefyd! Beth bynnag, erbyn hynny, roedden nhw'n dod â gormod o fendithion i 'mywyd i drwy fy ngalluogi fi i newid fy hwyl yn llwyddiannus iawn a newid y mŵd. Llyncwn ddwy dabled cyn mynd i'r gwely ac yna, mwya sydyn, byddai tensiynau fy nghorff yn diflannu, a phob pryder a phoen yn eu sgil. Byddai gwên yn dod i'm hwyneb, a toedd pethau ddim yn ymddangos cynddrwg ag oedden nhw, mewn gwirionedd. Ro'dd cyfle bob nos i ga'l dianc i'r byd cymharol hapus hwn, felly, yn ormod i'w hepgor i blesio Mam a Dad, heb sôn am unrhyw ddoctor. A waeth befo'r blinder yn y bore, chwaith, a'r teimlad trwm, fel tase 'mhen i'n llawn o arian byw. Roedd o'n werth o er mwyn cael dianc bob nos i fyd gwell, ac i ddianc rhag y ddraig, hefyd, oedd bellach yn effro drwy'r dydd, bob dydd, ac yn mynnu cael ei bwydo'n barhaus â'r barbitiwraid. 'Runig draffarth, wrth gwrs, oedd fod Mam wedi dechra cyfri'r tabledi cysgu 'ma'n gyson, rŵan – fel bod 'u dwyn nhw bron yn amhosib. A dyna pryd y dechreuis i ddwyn rhai oddi wrth bobol erill – hen bobol, fel rheol. Mi ddois i'n ffrind i'r henoed!

Ro'n i wedi arfar mynd i ymweld â hen bobol Llanllyfni yn rhinwedd fy swydd fel ciwrat answyddogol i 'nhad (wel os oedd pawb yn disgwyl i mi ymddwyn felly – pam na fedrwn i'u bodloni?), ac ro'n i'n ymwelydd cyson ag un oedd newydd golli'i gŵr, ac ofn aros yn y tŷ ar ei phen ei hun. Bûm yno'n cysgu am fisoedd lawer – ac wrth gwrs, fy mhrif reswm dros wirfoddoli i gadw cwmni iddi oedd bod ei meddyg wedi argymell iddi gymryd tabledi cysgu cryfion i'w helpu i ddygymod â'i galar! Gwelais fy nghyfle'n syth, a chawn helpu fy hun i'w thabledi pan fyddai hi'n mynd i'r llofft i roi'i blanced drydan ymlaen. Roedd yna nifer o bentrefwyr erill Llanllyfni yn cyflenwi cyffuriau i mi'n ddiarwybod – a'r hyn o'dd yn gyffredin rhyngddynt oedd eu bod i gyd yn byw ar 'u pennau eu hunain. Yn ystod y cyfnod yma mi lyncis i bob math o dabledi (a diodde pob math o sgil-effeithiau!). A wnaeth yr un ohonynt fy amau 'rioed am wn i – i'r gwrthwyneb, daethom yn bennaf ffrindiau, a rhai ohonynt yn ffrindiau oes.

Yn y dyddiau chwyldroadol hynny i gymdeithas, gyda John F. Kennedy yn cael ei lofruddio yn Dallas, Texas, ym 1963, a sôn am lanio dyn ar y lleuad, a'r Beatles yn sgubo'r byd gyda'u poblogrwydd gan roi llais am y tro cynta i'r genhedlaeth iau, a'r Rolling Stones yn dychryn pob rhiant drwy'r wlad gyda'u hymddygiad a'u hagweddau hedonistaidd, roedd yn Llanllyfni un gŵr ifanc oedd yn gwbl gaeth i gyffuriau – ymhell cyn i'r ffasiwn ddod yn boblogaidd. Nid yn Carnaby Street, ond yn Gwelfor, Rhedyw Road.

Roedd traed fy nhad yn gadarn solat yn yr hen Gymru gyda'i werthoedd Cristnogol, cadarn a'r hen ffordd Gymreig, gul o fyw tra bod y byd modern yn esblygu i fod yn fyd tra gwahanol, gyda'i bwyslais ar y materol, a'r seciwlar. *'The Beatles are more popular than Jesus Christ!'* oedd sylw dadleuol John Lennon a achosodd y fath ymateb ffyrnig. Yn y canol, gydag un droed yn ddoe fy nhad, a'r droed arall yn yfory'r chwyldro, cefais i fy hun yn sgi-wiff heddiw, heb wybod i ba gyfeiriad i droi.

Ceisiais fyw yn y ddau fyd, a dyna gamgymeriad mwya fy mywyd, oherwydd yr unig ffordd y gallwn i wneud hynny'n llwyddiannus, wedyn, oedd trwy fod yn rhagrithiwr. Ac os oes unrhyw beth sy'n mynd i gosbi'r cydwybod yn fwy na dim arall, rhagrith yw hynny.

Tua'r adeg yma aeth criw ohonom o'r ysgol am benwythnos crefyddol i Glyn Llifon. Kenneth Hughes, Gwenno Lloyd–Price a finna oedd yn cynrychioli Ysgol Dyffryn Nantlle. Ac yn wir, a chysidro pob dim, cawsom benwythnos da iawn. Do, fe gafodd yr hogia'u dal yn ystafelloedd y merchad ganol nos – a bu'n rhaid i ni fartsio i lawr y grisiau crand a sefyll mewn rhes yn ein pyjamas i ga'l y'n dwrdio gan y trefnwyr – ond achos diniwed iawn oedd hwnnw, a byta creision ac yfed Dandelion and Burdock oedd yr unig ddrwg wnaethon ni mewn gwirionedd. Hwyl ddiniwed, ddwedwn i, oedd y cyfan a dysgom rwbath am Dduw, hefyd – Duw dial a Duw cosb yn ôl dehongliad poblogaidd y cyfnod, wrth gwrs!

Fore dydd Llun yn yr ysgol, sut bynnag, roedd diniweidrwydd y penwythnos i droi'n fwriad ysgeler, dieflig, ar ein rhan i danseilio'r gyfundrefn addysg gyfan, ac i fygwth pob egwyddor roedd yr ysgol yn credu ynddi; roeddem wedi pechu yn erbyn Pritch Bach, y prifathro, hefyd – ac roedd hynny'n waeth na dim. Fe'n galwyd ni'n tri o flaen panel disgyblu oedd yn cynnwys y prifathro ei hun, Matt Pritchard oedd yn edrych ar ei ffyrnicaf fel Pennaeth y Merched, ac yna Mr Jackson o'r Swyddfa Addysg, gŵr ac iddo enw am fod yn un gwyllt na fyddai'n goddef unrhyw fath o gamymddwyn. Do, fe gawsom ein ceryddu, a'n gwneud i deimlo fel y pechaduriaid mwyaf yn bod.

Bu'r bore hwnnw'n fore poenus gynddeiriog i ni i gyd – Ken, Gwenno a fi, felly. Ond os o'dd Pritch-Bach a finna'n methu gweld lygad-yn-llygad cynt, o hynny 'mlaen roedden ni gyfandiroedd ar wahân. Wnaethon ni ddim siarad â'n gilydd wedi hynny, dim ond ysgwyd llaw pan adewais i'r ysgol i fynd i'r coleg, a phan ddudod o'r geiria niweidiol hynny, nad oedden i ddim yn haeddu unrhyw lwc.

Bu'n rhaid i ni ysgrifennu llythyr at y prifathro yn ymddiheuro am ein cam-ymddwyn dros y penwythnos, a bu'n rhaid i ni fynd â'r llythyr adref i'w ddangos i'n rhieni, ac er mwyn iddynt hwy'i lofnodi. Cefais i Miss World i lofnodi'r llythyr yn eu lle, a chlywodd fy mam a 'nhad ddim byd am helyntion y penwythnos crefyddol nac am y dwrdio mawr fu wedyn. Wn i ddim a wnaeth Gwenno fyth feddwl defnyddio'r achlysur yn un o'i sgriptiau teledu hi – oherwydd bu Gwenno

Lloyd-Price yn sgwenwraig o athrylith hyd nes i gancr ei goddiweddyd ym mlodau'i dyddiau, a hithau ar fin gwneud enw mawr iddi'i hun – ond mi wnes i. Yn wir, dwi wedi defnyddio llawer o'm plentyndod anhapus i wneud oriau lawer o ddeunydd teledu doniol a digrif (gobeithio). Rhyfadd, pan mae'r agwedd meddwl yn gywir, fel y gall y chwerw yn aml iawn droi'n felys yn y deud. Yn sicr, bu 'mhlentyndod yn stôr gyfoethog iawn o ddeunydd i mi. Ac mae'n parhau i fod wrth i mi garthu'r drwg i wneud lle i'r da . . .

Rwy'n siŵr bod y rhai craffaf yn eich mysg wedi sylwi i mi ddeud ar y dechra fod Ken Hughes flwyddyn yn fengach na mi; felly, beth o'n i'n ei wneud yn yr un dosbarth ag o? Methu arholiadau Lefel O, dyna wnes i! Wel, dim methu'n gyfan gwbl – mi lwyddis i basio pum pwnc. Ond wnes i ddim yn ddigon da i fynd i'r chweched dosbarth i studio'r tri phwnc arferol. Yn lle hynny, mi ges i aros blwyddyn i sefyll rhai pynciau Lefel O am yr ail waith, a dilyn cwrs Lefel A mewn Cymraeg a Saesneg yn unig – ond heb y bwriad lleiaf o sefyll arholiad ynddyn nhw!

Peth rhyfedd ac ofnadwy iawn yw cael eich labelu'n dwp. Mae'n waeth pan 'ych chi'n gwbod yn iawn, fel ro'n i, 'mod i'n glyfar ac yn alluog iawn y tu mewn ond, am ryw reswm, yn methu cyfleu hynny i neb. Yn sicr wnaeth y system addysg ddim ffafrau â fi o gwbl; ces fy nedfrydu i dwpdra ym meddyliau'r athrawon o fform wan ymlaen; roedd y methiannau i ddilyn, wedyn, yn anorfod. Doedd dim disgwyliadau uchel i mi gan fy rhieni, chwaith. Fe'u siomwyd hwy wedi twyll yr adroddiad ffug, a dyna ddiwedd ar y mater. Feddyliodd neb i chwilio am y rhesymau am hyn, na chwaith i chwilio am y dalent unigryw honno sy'n perthyn i bob un ohonom yn ddiwahân. 'Radag honno, os nad oeddach chi'n dda, ac yn deall y pynciau traddodiadol, Duw a'ch helpo.

Atgoffir fi am Rwth, fy merch fenga. Pan o'dd Rwth yn yr ysgol gynradd yng Nghreigiau ger Caerdydd, ro'dd hi'n casáu'r ysgol â chas perffaith. Yn wir, ar un adag rhoddwyd Rwth yn y dosbarth adfer; ro'dd ei Saesneg yn warthus, ac ro'dd hi'n methu gweld unrhyw bwrpas mewn dysgu hanes a daearyddiaeth ac yn y blaen (ro'dd hi'n ddyslecsig, hefyd, fel finnau!). Wrth iddi symud i Lanhari, yr ysgol uwchradd Gymraeg, roedd Meira a minnau'n ofni'r gwaethaf, ac yn dychmygu y bydden ni'n cael anhawster mawr yn ei pherswadio i fynychu'r ysgol, heb sôn am wneud unrhyw beth o werth ohoni yno. Ond fe'n siomwyd i gyd ar yr ochr orau! Yn Llanhari fe ddarganfu Rwth bynciau newydd: ffiseg, bioleg, a chemeg. A wnaeth hi ddim edrych yn ôl, wedyn. Ychydig flynyddoedd yn ddiweddarach, graddiodd Rwth gyda gradd dosbarth cyntaf mewn meddygaeth o Goleg Meddygol Prifysgol Caerdydd! Faint, tybed, sydd fel Rwth, ond sy'n methu darganfod eu hanian?

Roeddwn i yn un, yn sicr. Ac yn wahanol i Rwth, methais i â darganfod trwy addysg fy ffordd ymlaen mewn bywyd. Methiant oedd i ddangos hwnnw i mi.

Gallwch ddychmygu'r gwarth a'r cywilydd yn Gwelfor. Roeddwn wedi gwneud yn waeth, bron, na neb arall yn yr arholiadau Lefel O (ac ro'n nhw'n cyhoeddi'r canlyniada yn y papura bryd hynny, hefyd – ro'dd pawb yn gwbod!). Beth i'w wneud nesa oedd y cwestiwn tyngedfennol ar wefusau pawb. Gadael i fynd i weithio i'r chwaral o'dd ateb parod 'y nhad.

'*Ye gods, Bob! Leave off, Hyacinth can't do that!*'

Rowenna, fy chwaer, oedd erbyn hynny ar fin priodi a symud i Bolton i fyw, awgrymodd ffordd allan i mi. 'Rwyt ti'n licio actio a gneud petha ar lwyfan, Wyn. Pam na ei di i goleg drama, neu rwbath felly, dŵad?' Roedd o'n gwneud sens, hefyd. Wedi'r cyfan, yr unig adega i mi blesio'n rhieni o'dd pan o'n i'n llwyddo ar y llwyfan mewn cân actol, drama, neu wrth ennill ar siarad cyhoeddus. Efallai mai dyma'r ateb hirddisgwyliedig i'r cwestiwn sut i blesio fy rhieni yr o'n i wedi bod yn chwilio amdano drwy'n oes. Sut fues i mor dwp na fyddwn i wedi sylweddoli'r ateb yn gynharach, wn i ddim! Wrth gwrs, mi awn yn actor – er nad o'n i'n licio fy hun ryw lawer, erbyn hynny. Deuthum yn ymwybodol, ar ben pob dim arall, fod gen i drwyn go fawr, ac ro'n i'n chwithig yng nghwmni merchad. Ond gallwn guddio'r ffaith nad o'n i'n licio fy hun ryw lawer, a'r chwithdod – wedi'r cyfan, onid dyna oedd actio?

Wedi i mi hepgor y syniad o ymuno â'r heddlu yn Llundain, dyna benderfynais i wneud, mynd yn actor. Bu'r dramodydd Huw Lloyd Edwards yn help mawr i mi. Dysgodd i mi ddwy araith fawr o waith Shakespeare, a ffwrdd â fi i Lundain, wedyn, i chwennych enwogrwydd ac i wneud fy ffortiwn. Yn anffodus, roedd fy acen Gymreig i braidd yn rhy gryf ar gyfer RADA. Bryd hynny doedd dim sylw yn cael ei roi i acenion rhanbarthol na chenedlaethol. Y 'Standard English' bondigrybwyll oedd popeth. Ac os na fedrech chi siarad honno – waeth i chi anghofio am goncro'r West End na Broadway. Cefais un neu ddau o glyweliadau eraill yn y brifddinas, ond yr un fu'r ymateb. *'Sorry, not this time. Try in a few years' time, when you're older!' 'A few years time'*? Actio oedd i fod yr allwedd i mi allan o Lanllyfni ac o garchar fy mhlentyndod a'm hieuenctid. Fedrwn i ddim aros *'a few more years'*; byddwn wedi mynd yn wallgo erbyn hynny, os nad wedi gwneud rhywbeth gwaeth!

Clywais am y Coleg Cerdd a Drama yng Nghaerdydd. Ro'dd ganddyn nhw wrs actio yno, ac ro'dd modd i mi gael fy hyfforddi'n athro trwyddedig, hefyd – ro'dd hynny'n plesio 'nhad. 'Mae'n bwysig iti ga'l rhwbath i syrthio'n ôl arno fo, Jac-y-Do – ac mi gei di grant, hefyd, yli, i fynd i fan'no!'

Pan gyfarfûm i â Raymond Edwards, prifathro'r coleg, ar fy nghlyweliad yn y coleg yng Nghaerdydd, mi wnaethon ni glicio'n syth – roedd Raymond yn hen foi iawn, ac mi ges i 'nerbyn i Gyncoed, y coleg hyfforddi, hefyd, i'm cymhwyso'n athro ar ddiwedd y cwrs actio – er nad o'dd gen i unrhyw fwriad o gwbl i ddysgu.

Gyda'r colegau hynny yn eu lle, felly, y cwbl o'dd raid i mi wneud wedyn o'dd aros yn amyneddgar nes byddwn i'n ddeunaw oed. A chan fod y Beatles ar frig y siartiau, pam na ellid cael grŵp cystal bob tamad o Ddyffryn Nantlle – Pavlov's Hounds?

Ian Damerell, John Leighton, Twm Elias a fi oedd aelodau Pavlov's Hounds, a byddem yn ymarfer yn neuadd Clynnog Fawr bob wythnos. Ac roedden ni'n eitha, hefyd – yn chwarae caneuon y cyfnod, yn enwedig caneuon Chuck Berry a phob dim *rock 'n roll*. Ambell waith bydden ni'n cynnal dawns yn y Drill Hall yng Nghaernarfon, a bydda llond y lle o rafins nos Wener y dre yno yn ei morio hi i'n sŵn. Fi oedd y canwr ac, er mai fi sy'n deud, ro'n i'n ganwr *rock 'n roll* rhagorol iawn (dal i fod!). A chyda'n gwalltia'n hir (wel fi oedd yr unig eithriad – chawn i ddim tyfu fy ngwallt fel pawb arall), roedden ni'n edrych cystal bob tamad ag unrhyw un o arwyr y cyfnod. Ond y Rolling Stones oedd ein gwir arwyr. Ro'n nhw mor ddrwg, mor anghydffurfiol. Roedden ni i gyd yn dyheu am gael ymddwyn fel y Stones.

Erbyn hyn, roedd Arwel fy mrawd yn fyfyriwr yn y coleg, ac yn swyddog adloniant Undeb Myfyrwyr Prifysgol Cymru, Aberystwyth, 'run pryd! (Ymhen blwyddyn arall, byddai'n Llywydd yr Undeb.) Ta waeth, roedd o wedi clywad amdanon ni, diolch i mi, ac un penwythnos, dyma wahoddiad yn cyrradd oddi wrtho i Pavlov's Hounds chwara yn un o hops enwog y coleg. Buom yn ymarfer bob nos hyd berferddion – wel roedd ffi o ddwy bunt ar bymtheg yn y fantol! Wedi'r cyfan, yn y cyfnod hwnnw pan allai unrhyw Dwm, Dic a Hari ddod yn seren dros nos, roedd y gobaith o gyrradd brig y byd pop yn bosibilrwydd real a chyraeddadwy iawn.

I dorri stori hir yn fyr, fe gyrhaeddon ni Aberystwyth yn gynnar, ond ro'dd gweddill y grŵp yn awyddus i fynd am beint! Mae'n anodd i mi ddirnad hyn fy hun, heddiw, ond gwnes bopeth i'w rhwystro rhag mynd. Gwyddwn yn iawn am beryglon perfformio o dan ddylanwad alcohol, am ryw reswm – roedd o'n rhywbeth nad oedd perfformwyr cydwybodol yn ei wneud. (Mor hawdd a buan yr anghofiais i'r rheol honno pan ddaeth alcohol yn bwysicach na dim arall yn fy mywyd i!) Ond roedd mwyafrif y grŵp o blaid, felly ffwrdd â ni i'r dafarn. Roeddwn i ar bigau'r drain drwy'r amser y buom yno, ac yfais i ddim alcohol o gwbl. Roedd y pleser hwnnw, fel yr addunedais i mi fy hun ger y domen sbwriel, i ddod wedi i mi adael fy nghartref; p'run bynnag, ro'n i ofn i Arwel ein gweld yn yfad yn y dafarn, a deud wrth Mam a Dad. Roedd yr ofn yma'n affwysol

– ofn i bobl weld a deud wrth fy rhieni. Wn i ddim be o'n ni'n feddwl ddigwyddai i mi, chwaith, oherwydd chefais i 'rioed gweir gan fy rhieni, na 'mygwth ganddynt, chwaith, yn gorfforol. Ac eto, trwy ddirgel ffyrdd, roeddan nhw wedi cyfleu i mi na ddylwn i fyth yfad, na cha'l fy ngweld yn yfad.

Yn ddiarwybod i mi, pan ddechreuis i gymryd tabledi cysgu fy mam, mi gefnais i ar fy Nuw. Dibynnais ar fy ngallu'n hun i wneud i mi deimlo'n well, ac nid arno Fo. Roeddwn ar goll yn y byd heb unrhyw fath o Dduw yn fy mywyd, felly – heb bŵer o gwbl. A dyna'r rheswm am yr ofnau – roeddwn ar drugaredd y moroedd heb gapten ar fy llong. Ond ni fyddai'n hir rŵan, sut bynnag, nes i mi ffeindio un arall i gymryd Ei le – duw fyddai'n dwyn yr holl ofnau'n wyrthiol oddi wrthyf, a hynny ar amrant. A'r duw pwerus hwnnw fyddai alcohol.

Pavlov's Hounds oedd yn perfformio gyntaf yn King's Hall y noson honno – ac ro'n i'n meddwl fod petha'n mynd yn eitha, deud y gwir. Do'dd dim llawar i'w gweld yn dawnsio, chwaith – ond yn y tafarndai o'dd pawb, ma'n siŵr, a byddai'r neuadd yn llenwi yn y man. Yng nghefn y neuadd, wrth i mi rocio'n rhy swnllyd, efallai, i 'Route Sixty Six' gwelwn griw o fyfyrwyr wedi ymgasglu ac yn cynnal trafodaeth frwd yn y gornel. Erbyn deall, nhw oedd aelodau'r Pwyllgor Adloniant ac yn cadw trefn arnynt oedd neb llai nag Arwel fy mrawd, eu cadeirydd. A thestun eu trafodaeth? Sut i gael gwared o'r grŵp uffernol 'ma o'dd ar y llwyfan – ni, Pavlov's Hounds! Dyna pam nad oedd neb yn dawnsio, mae'n debyg; ro'dd pawb yn cadw draw oherwydd nad oedd ein cerddoriaeth yn plesio! Arwel ddaeth ataf i dorri'r newyddion drwg i mi yn y man, 'Gwranda, Wyn, tydi'r Pwyllgor Adloniant ddim yn meddwl llawar ohonach chi fel grŵp,' medda fo'n llawn embaras. 'Hwda, dyma ichdi'r sefntîn pownds, fel nathan ni addo. 'Newch chi adal y llwyfan, rŵan, plîs?' ac mi ddiflannodd yn ôl i ganol ei bwyllgor i guddio'i euogrwydd. Ac felly, cyn i'r byd gael cyfle i ddod i werthfawrogi'n talentau cerddorol ni, fe dorrwyd gyrfa Pavlov's Hounds yn y bôn yn swta, fel'na. Aethom adre i'r gogledd yn benisel a thrist y noson honno.

Ar y nos Fercher, ychydig ddyddiau cyn i mi adael am Gaerdydd i ddechrau'r tymor cynta yn y Coleg Cerdd a Drama, roedd 'nhad yn gwylio'i hoff raglen ar y teledu – reslo gyda Kent Walton yn sylwebu. Bryd hynny, byddai'n fynd i gyd gyda'i draed a'i freichiau'n cicio ac yn pwnio'r awyr wrth ymateb i gampau Mick Macmanus a'i debyg ar y sgrîn. Mwya sydyn, mi gododd o'i gadair, a diffodd y sain. 'Wyn,' medda fo wrth droi ata i'n syber, 'os clywa i fyth dy fod ti wedi bod yn yfad, mi dorra i 'nghalon.' A chyda hynny, mi roddodd o sain y teledu yn ôl, dychwelyd i'w gadair, a dechrau cicio a phwnio'r awyr drachefn.

Fe'm lloriwyd i'n llwyr. Rhaid i chi gofio 'mod i wedi gwneud adduned i mi fy hun – unwaith y byddwn i'n rhydd o'r fagwraeth biwritannaidd hon, y byddwn i'n blasu alcohol, oherwydd gwyddwn, yn reddfol, fod gan yr hylif rywbeth arbennig iawn i'w gynnig i mi. A rŵan, gydag un sylw, roedd 'nhad wedi tanseilio'r cyfan, oherwydd y peth olaf roeddwn i eisiau'i wneud oedd torri'i galon o.

Roedd fy nhad yn ddyn smart iawn ac yn ddyn da iawn, fel Taid gynt. Fedrech chi ddim peidio parchu 'nhad. Roedd popeth o'i gwmpas – ei ymarweddiad, ei lais, ei ddoethineb a'i ymroddiad llwyr i'r weinidogaeth – yn hawlio parch. Ac roedd ganddo synnwyr digrifwch i'w ryfeddu, hefyd, a byddai'n defnyddio'r doniolwch hwnnw i leddfu neges go boenus, weithiau, wrth bregethu, neu yn ei ymwneud â phobol o ddydd i ddydd yn ei waith, ac ar y stryd. Tomi Cooper oedd ei ffefryn a Sarjant Bilko – fy nau ffefryn innau, fel mae'n digwydd! Ond dyn tawel oedd 'nhad, serch hynny, dyn dwys a dyn oedd wedi'i effeithio gan ei fyddardod. Byddai wedi dringo'n uwch oni bai am hwnnw, meddai (er, pa mor uchel all person ddringo gyda'r Methodistiaid Calfinaidd, wn i ddim!). Ac ro'dd o'n un am ddweud ei feddwl yn blaen ac yn ddi-flewyn-ar-dafod, hefyd. Hyn, efallai, fyddai'n gwneud i rai pobol feddwl 'i fod o'n ddyn caled, dideimlad. Bûm yn meddwl hynny am gyfnod. Ond eisiau'r gora i mi o'dd 'nhad – a Mam. Eisiau i mi fanteisio ar yr hyn oedd ar gael.

Ond un peth oedd yn sicr: wrth i mi baratoi i adael Llanllyfni a chefnu ar y gorffennol am Gaerdydd ym mis Medi gobeithiol 1966, doedd gen i ddim bwriad yn y byd i frifo 'nhad na thorri'i galon. Gwthiais yr adduned wnes i i gefn fy meddwl, a mwya sydyn, doedd gen i ddim bwriad yn y byd i yfed. Dim bwriad o gwbl. Ac addewais hynny iddo gyda'm llaw ar y Beibl.

TO BE OR NOT TO BE . . .?
(1966–1971)

Roedd 'nhad wedi ysgrifennu at y Parch. Ddr. D. Lodwig Jones, B.A., B.D., gweinidog Eglwys y Crwys, Caerdydd, i'w hysbysu 'mod i ar fy ffordd – ac roedd amryw o bobl flaengar bywyd crefyddol Caerdydd wedi cael eu rhybuddio, hefyd.

Trefnwyd *bed-sit* i mi yn Allensbank Road, a dechreuais yn y coleg yn blygeiniol ar y diwrnod cyntaf. Ychydig iawn o Gymry Cymraeg oedd yno – rhyw bedwar drwy'r coleg i gyd, os cofiaf yn iawn. Roedd yr actores Iola Gregory yno yn ei hail flwyddyn ac yn fy mlwyddyn i roedd Betsan Jones, merch y Parchedig Idwal Jones, Llanrwst, a Vaughan Hughes, y darlledwr a'r cynhyrchydd enwog o Fôn. Byr iawn fu arhosiad Vaughan yn y coleg, sut bynnag; mae'n debyg iddo sylweddoli'n fuan iawn – ar ddiwedd yr wythnos gyntaf o'r tymor newydd – nad ar y llwyfan oedd ei yrfa ef i fod. Ymunodd Frank Williams â ni o Lanelli wedi iddo sicrhau gradd o Goleg Prifysgol Cymru, Caerdydd (newidiodd ei enw i Lincoln wedi gadael y coleg oherwydd bod rhywun arall hefo'r enw Frank Williams yn aelod o Equity, undeb yr actorion. Frank fyddai fy ngwas priodas i, yn y man, ac ef oedd yr actor gorau ohonom i gyd), a Geraint Wyn Davies – daeth yntau i'r coleg gyda gradd o Abertawe, hefyd, ac aeth ymlaen i wneud cyflwyno ac actio, a bod yn uwch-reolwr gyda'r BBC, yn yrfa iddo'i hun. Roedd amryw o Gymry enwog wedi bod yno o'n blaen, wrth gwrs: Hywel Gwynfryn yn eu plith – ef oedd un o ohebwyr y rhaglen nosweithiol *Heddiw* ar BBC Cymru – ac Anthony Hopkins, yr actor byd-enwog a gafodd broblemau'i hun gyda'r ddiod, os cofiaf yn iawn. Roedd Valmai Jones, Clive Roberts, hefyd, a llu o actorion cyffelyb, wedi troedio drwy ddrysau'r castell. Oherwydd y tu mewn i gastell Caerdydd yr oedd lleoliad y coleg ar y pryd. Ac yn ei dyrau, a thu mewn i'w ystafelloedd crand y cynhelid darlithoedd Thomas Taig (a berswadiodd Dylan Thomas i gyhoeddi'i farddoniaeth gyntaf), gwersi symud, a byr-fyfyrio Martyn Colburn a June Griffiths (gwraig Raymond Edwards y prifathro), a'r amrywiol ymarferion eraill dan ofal Peter Palmer, oedd i'm gwneud i'n actor cymwys i droedio'r byrddau – a oedd ond megis dechrau cael eu hadeiladu gan Wilbert Lloyd-Roberts gyda'i Gwmni Theatr Cymru, newydd.

Bob nos arhoswn adref yn y *bed-sit* heb unwaith ildio i'r demtasiwn i ymuno â'r myfyrwyr eraill – jest i dri deg ohonynt – wrth iddyn nhw ddod i adnabod ei gilydd yn well, a chymdeithasu yn yr Horse & Groom, tafarn 'swyddogol' y coleg. Arhosais yn y *bed-sit* am dair wythnos hir, a byddai'n atgas gen i glywed helyntion y noson cynt gan y myfyrwyr eraill, bob bore yn y coleg, a phob un yn holi, 'Ble oeddet ti neithiwr? Gawson ni'r fath hwyl!' Unwaith eto, dechreuais weld fy hun ar y tu allan yn edrych i mewn fel y dyn hwnnw o Mars – byth yn perthyn, byth yn rhan o ddim byd. (Druan ohona i! Druan ohona i!) Yr unig beth a'm rhwystrodd i rhag ymuno â nhw oedd geiriau 'nhad. 'Wyn, mi dorra i 'nghalon os clywa i fyth dy fod ti wedi bod yn yfed!' Fedrwn i ddim gwneud hynny iddo, fedrwn i ddim! Drwy groen fy nannedd, felly, y llwyddais i gadw draw o'r dafarn mor hir, ond roedd yr alwad yn cryfhau'n ddyddiol a minnau'n gwrando ar y llais temtiol fwy-fwy, mae gen i ofn, a'r awydd i ymwrthod yn gwanio ac yn cilio i'r un graddau, wrth i mi simsanu. Dair wythnos union oedd hi i'r dydd Llun cyntaf hwnnw o'r tymor newydd, pan ildiais i'r demtasiwn ac ymuno â'r myfyrwyr eraill yn yr Horse & Groom. Y noson honno, mi feddwais. Ac ar ôl y noson honno, wnes i ddim cerdded i mewn i unrhyw dafarn arall, Horse & Groom neu glwb nos, heb y bwriad penodol o feddwi. Nid i gael peint neu ddau – ond i feddwi, i anghofio realaeth bywyd yn gyfan gwbl, ac i feddwi'n chwil ulw gaib. Roeddwn i wedi cyrraedd adref o'r diwedd.

Roedd y ddiod gyntaf fel profiad ysbrydol i mi. (Tydyn nhw ddim yn galw alcohol yn *spirits* ar chwarae bach!) Yn sydyn, ro'n i'n caru fi'n hun a'm cyd-ddyn – ac roedd pawb arall yn fy ngharu i, hefyd. Doedd dim ots o gwbl am fy nhrwyn mawr cam i, bellach – roedd alcohol wedi sythu hwnnw, ac wedi 'nhrawsffurfio'n Adonis; des i'n ganolbwynt poblogaidd gweithgaredda'r noson. Ro'n i'n gyfforddus yn fy nghroen fy hun, ac yng nghwmni merched, mwya sydyn. Ro'n i'n medru sgwrsio'n braf hefo nhw; gofyn i ambell un ddod allan am ddêt hefo fi, a hynny heb unrhyw deimlad o chwithdod. Roedd pob yfory'n obeithiol – ac ro'n i'n rhydd. Yn rhydd o'm gorffennol ac oddi wrth fy holl rwystredigaethau. Gallwn goncro'r byd! Ond yn goron ar y cyfan ro'n i'n teimlo 'mod i'n perthyn, o'r diwedd – nid ar y tu allan yn edrych i mewn, ond ar y tu fewn, yn y canol, hefo pawb arall, lle dyliwn i fod. Haleliwia! Roeddwn i'n cyfri yn nhrefn pethau – yn un â'r bydysawd. Yn un hefo fy Nuw newydd!

Profiad ysbrydol heb unrhyw amheuaeth! Mae rhai'n galw alcoholiaeth 'y clefyd sanctaidd' am yr union reswm yna – mae'n ffugio'r gwir brofiad ysbrydol i'r eithaf. Ond yr unig draffarth hefo'r math alcoholaidd yma o brofiad ysbrydol ydy'i fod o wedi diflannu erbyn niwl y bore. Yn ei le, yn fy achos i, teimlwn yr hen ofnau cyfarwydd – yn gymysg â theimladau dychrynllyd o euogrwydd a chywilydd am yr hyn roeddwn i wedi'i wneud, sef – torri f'addewid i 'nhad.

Felly, dyma fi'n dechra ar y meri-go-rownd gwallgo o ymddygiad sy'n gyffredin i bobl 'run fath â fi. Er mwyn trio ail-greu 'profiad ysbrydol' y noson cynt (cofio fi'n sôn am yr encôr?), ond yn bwysicach, er mwyn lladd y teimladau negyddol, poenus hynny o euogrwydd a chywilydd, mi feddwais eto ar y nos Fawrth.

Mi fyddai rhywun call yn gweld y perygl o wneud peth felly'n syth – ond nid fi. I'r gwrthwyneb. Roedd alcohol wedi datrys fy holl broblemau. Fedra i ddim egluro'n iawn gymaint o argraff wnaeth y ddiod gyntaf honno arna i. Hi oedd y cyswllt coll yn fy mywyd hyd hynny. Mwya sydyn roedd popeth yn gwneud synnwyr i mi. Gallwn goncro unrhyw beth – fi ac alcohol. Dyma sy'n gwneud alcoholig – bod alcohol yn ennyn ymateb gwahanol ynddo fo i'r hyn mae'n ei ennyn ym mhawb arall. Yn lle mynd yn gysglyd a theimlo'n sâl wrth yfed gormod – sy'n normal – mae'r alcoholig yn dod yn fyw ac yn cael ei danio gan y ddiod wrth i adrenalin gael ei ryddhau yn ei gorff. Mae alcohol, i'r alcoholig, yn newid ei bersbectif o realaeth ac mae'n ymateb i alcohol fel pe bai ganddo alergedd iddo yn y corff.

Pam fod 'realaeth' yr alcoholig mor boenus fel bod rhaid iddo fo chwilio am rywbeth i'w newid? Wel, yn fy achos i, pan ddechreuis i gymryd tabledi cysgu Mam i wneud i mi deimlo'n well, mi stopiais i dyfu'n emosiynol. Mae'r adict bob amser yn stopio tyfu'n emosiynol pan mae'n dechrau cymryd ei gyffur o ddewis – boed alcohol, cyffuriau, y camddefnydd o fwyd, rhyw (y pedwar yn fy achos i), neu gamblo, gorweithio, ceisio rheoli pobol erill, ac yn y blaen – mae'r rhestr o bethau sy'n newid y mŵd yn hir. Canlyniad hynny ydy bod yr adict yn berson anaeddfed. Ro'n i'n ddeuddeg oed pan ddechreuis i ddwyn tabledi cysgu Mam – o'r herwydd, roedd gen i emosiyna plentyn deuddeg oed mewn corff dyn ifanc o ddeunaw oed. Ro'n i'n cael fy mrifo, felly, fel plentyn deuddeg oed: yn pwdu, dal dig, caru, casáu, bod yn genfigennus, bod yn flin ac ati. Mae'r emosiynau amrwd yma'n brifo'n arw ac yn boenus tu hwnt, coeliwch chi fi! Does dim rhyfedd, felly, bod yr adict yn chwilio am unrhyw ryddhad posib oddi wrthyn nhw.

Ond mae 'na rwbath arall sy'n cymhlethu'r darlun. Yn gymysg hefo'r ymateb yn y corff, yr alergedd yma, mae 'na obsesiwn sy'n digwydd 'run pryd yn y meddwl, hefyd. Mae'r naill yn bwydo'r llall. Salwch deublyg ydy alcoholiaeth, felly: mae'n salwch y corff ac yn salwch y meddwl. Er i alcoholig dyngu na fydd o byth eto'n yfed, a bod y boen o'r feddwad olaf wedi bod yn ormod iddo, mae'r meddwl yn bwydo negeseuon croes i'w ymennydd, gan ddileu pob atgof o boen y noson cynt yn gyfan gwbl a'i berswadio y bydd pethau'n wahanol y tro nesa. Gall y meddwl ei berswadio y bydd yn cysgu'n well wedi yfed, yn sgwennu'n well, yn perfformio'n well, yn cael gwell rhyw gyda'r wraig ac yn y blaen. A hyn sy'n od: unwaith y bydd alcoholig wedi cymryd y ddiod gyntaf, mae'r alergedd yn y corff yn cael ei danio'n syth, a hefyd yr obsesiwn yn y meddwl, sy'n sicrhau ei fod o'n parhau i yfed yn ddi-stop. Yr unig ffordd i rwystro'r meri-go-rownd gwallgo rhag digwydd ydy i'r alcoholig beidio cymryd y ddiod gyntaf – honno sy'n meddwi dyn. Nid y seithfed neu'r bymthegfed, fel ro'n i'n meddwl – ond y ddiod gyntaf. Felly, o ymwrthod â honno, tydi'r alergedd yn y corff na'r obsesiwn yn y meddwl ddim yn cael eu tanio, wedyn. Mae'r ddraig yn cysgu!

Wrth gwrs, stopio yfed ydy'r lleiaf o broblemau'r alcoholig. Os alcohol yn unig oedd 'mhroblem i gallwn wella ohono'n syth – drwy beidio yfed. Ond nid alcohol oedd (ac ydy) fy mhroblem i – ond alcoholiaeth. Mae'r emosiynau amrwd, anaeddfed hynny gen i o hyd; wedi symud un o'r symptomau ydw i drwy beidio ag yfed – mae'r salwch, sef alcoholiaeth a'r boen emosiynol, yn aros. Symptom arall, i gymhlethu pethau'n waeth, ydy'r ymwadiad creulon – y *denial* sy'n mynnu deud wrthoch chi nad oes dim byd yn bod arnoch chi! Cofio? Ac mae'n rhaid chwalu hwnnw'n deilchion, rywsut, cyn bod unrhyw obaith i'r dioddefwr ddechrau gwella! A hyd yn oed wedyn, er nad ydy o'n yfed, mae'r salwch yn gwaethygu – mae'n *progressive*! O ddydd i ddydd, mae'n mynd yn waeth – tydio byth yn dod yn well. Mae'r alcoholig fel dyn sydd wedi colli'i goesau, felly – wnaiff o byth dyfu rhai newydd. Unwaith yn alcoholig, fedr o byth yfed yn normal fel pobl erill, wedyn. Hyd yn oed os bydd o wedi ymwrthod ag yfed am ugain mlynedd, dyweder, ac yn yfed wedyn, bydd mewn gwaeth cyflwr yn syth nag oedd o pan roddodd o heibio'r ddiod yn y lle cyntaf. Ydy, mae'r salwch yn medru cael ei atal am ddiwrnod – am un diwrnod yn unig (un dydd ar y tro) – ond mae hyd yn oed hynny'n dibynnu ar gyflwr ysbrydol y dioddefwr, a'i allu i newid rhai pethau sylfaenol yn ei fywyd. Mae'n rhaid iddo newid ei ymddygiad a'r amgylchiadau sy'n achosi'r boen emosiynol anaeddfed yn y lle cynta, a delio hefo pob euogrwydd a chywilydd a charthu'r gorffennol o'i holl boen a'i afael dieflig arno fo. Achos, yn aml iawn, mae jest meddwl am yr holl bethau ynfyd, creulon, mae o wedi'u g'neud i'w ffrindiau a'i anwyliaid, yn gallu'i yrru o i yfed!

Sut mae'r creadur, druan, hyd yn oed os ydy o'n awyddus i wneud rhywbeth am ei alcoholiaeth, yn mynd i fedru gwneud hynny i gyd heb bŵer o ryw fath yn ei fywyd? Alcohol oedd ei bŵer o'r blaen – dyna fydda'n dileu poena'i emosiyna amrwd. Fe gollodd 'i ffydd a'i ymddiriedaeth ynddo'i hun ac mewn pobol eraill gan gredu'n unig yn y botel. Beth rŵan heb honno?

Mae'r alcoholig, fel rheol, wedi troi'i gefn ar Dduw, neu pa bŵer crefyddol bynnag arall sy yn y byd, rhywle'n gynharach ar y daith – felly tydi'r pŵer hwnnw ddim ar gael iddo. Yn fy achos i, mi ddigwyddodd hynny pan ddechreuis i ddwyn tabledi cysgu Mam, a beth bynnag, roedd Duw wedi stopio gweithio yn fy mywyd i ers blynyddoedd. Pan ofynnais i iddo Fo atab rhai gweddïau i mi – i stopio Mam rhag cymryd tabledi cysgu a llyncu'r sena pods gythral 'na o'dd yn ei gwneud hi'n sâl, yn un peth, a stopio Pritch-Bach rhag pigo arna i o'dd y llall – wnaeth O ddim. Ac eniwê, Duw dial a Duw pell yr Hen Destament o'dd O, a Duw 'nhad a'r hen ffordd biwritannaidd, greulon, Gymreig o fyw ro'n i'n ei chasáu gymaint! Ychydig a wyddwn i ar y pryd, ond byddai'n rhaid i mi ffeindio rhyw bŵer arall ryw ddydd – rhyw bŵer mwy na fi'n hun a phŵer cryfach nag alcohol, hyd yn oed – os oeddwn i obeithio gwella o alcoholiaeth. Dyna'r ddêl i bawb sydd eisiau gwella; fedr yr alcoholig ddim dibynnu ar ei adnoddau'i hun, tydyn nhw jest ddim yn ddigonol. Mae'n rhaid iddo ddarganfod rhyw bŵer arall i'w helpu i adfer y gwerthoedd ysbrydol: ffydd, gobaith ac ymddiriedaeth – y gwerthoedd ysbrydol pwysig hynny a gollodd o drwy yfed.

Ac fel y dywedais i'n gynharach, does gan y pŵer hwn ddim oll i'w wneud â chrefydd; pe bai hynny'n wir, byddai'n o ddrwg ar yr anffyddiwr, druan. Na, mae'r pŵer yma ar gael i bawb yn ddiwahân, fel mae'r gwellhad – wel, i bawb sydd eu gwir eisiau, hynny ydy. A'r allwedd i alluogi hyn i ddechrau digwydd ydy 'derbyniad', *acceptance*. Yn gynta, mae'n rhaid i'r alcoholig dderbyn yn gyfan gwbl, i ddyfnderoedd isaf ei enaid, ei fod o'n alcoholig. Yna, mae gofyn iddo dderbyn nifer o bethau eraill – ef ei hun, i ddechrau, fel y mae; ei deimladau, ei anghenion, ei ddyheadau, ei ddewisiadau, a'i gyflwr presennol o fod. Mae hyn yn cynnwys problemau, bendithion, safle ariannol, lle mae'n byw, ei waith, ei dasgau, a safon ei waith yn y tasgau hynny. Yna rhaid derbyn pobol eraill – fel y maent, ac ystyried cyflwr ei berthynas hefo nhw.

Derbyniad yw'r catalydd sy'n gwneud newid yn bosib. Tydio ddim am byth; i'r foment yn unig y mae. Wedyn, mae'n medru gwneud ei amgylchiada presennol yn dda. Mae'n dod â heddwch a bodlonrwydd, ac mae'n agor y drws i dyfiant a newid, a'i alluogi i symud ymlaen. O fewn fframwaith derbyniad, felly, mae'n bosib i'r alcoholig ddyfalu be'n union sy'n rhaid iddo'i wneud i gymryd gofal ohono'i hun. Derbyniad yw'r ateb i'w holl broblemau.

Ond sut mae'r alcoholig i gael y derbyniad hollbwysig 'ma, yr *acceptance* bondigrybwyll? Wel, does dim rhaid iddo boeni dim, fe wnaiff alcohol y gwaith hwnnw drosto. Drwy'i waldio'n gorfforol, yn feddyliol, ac yn ysbrydol – a'r ysbrydol yw'r pwysica! Oherwydd o'r tu mewn mae'r ildio'n digwydd yn y diwedd (nid oherwydd amgylchiadau allanol). Yn ddwfn yn nyfnder ei enaid; ac mae'n cael ei amlygu, yn aml iawn, mewn un sgrech ddirdynnol o anobaith, a'r weddi daeraf ohonynt i gyd, 'H-e-l-p!'

Ond salwch o anwybodaeth ydy alcoholiaeth – y dioddefwr ydy'r olaf i wbod dim byd amdano fo, a toeddwn i, ym mlodau fy nyddia, ddim yn eithriad. Er 'mod i'n cofio dim am y noson grêt gynta honno ges i yn yr Horse & Groom (roedd pawb yn deud wrtha i 'mod i wedi cael noson dda), ro'n i'n cael fy nhynnu'n ôl yno bob dydd fel magned – ac yn ystod yr awr ginio, hefyd.

Dwi'n gweld fy hun rŵan, ar ôl fy nghinio gwlyb arferol, yn pwyso yn erbyn wal Womanby Street y tu allan i'r Horse & Groom, yn trio cadw'r cwrw i lawr, ac yn fy nybla gan boen. Do'n i ddim wedi arfer yfad dim cyn i mi gyrradd Caerdydd, ac ro'dd llyncu'r holl beintia 'ma'n ymestyn cyhyra'n stumog i nes byddwn i'n gruddfan mewn poen. Yr unig beth fedrwn i 'neud o'dd pwyso yn erbyn y wal a gwitsiad i'r alcohol adael fy stumog, ac i'r boen ostegu. Mi allwn i groesi'r ffordd yn araf, wedyn, a mynd yn ôl i'r coleg ar gyfer darlithoedd y p'nawn – i gysgu, neu i fod yn ddylanwad trwblus yng nghefn y stafell.

Do'dd y ffaith 'mod i ddim yn cofio digwyddiada'r noson cynt, ddim yn fy mhoeni i'n ormodol, chwaith. Blacowts, ma' nhw'n 'u galw nhw, erbyn dallt – ac ma' nhw'n effeithio ar bob alcoholig rywbryd. Mae'n bosib i'r alcoholig fynd o gwmpas ei waith, teithio'r byd, neu fod yn caru yn y gwely hefo'i wraig – neu rywun arall – heb fod yn ymwybodol o'r peth. Mae rhai alcoholigion wedi deffro o'r blacowts 'ma i ffeindio'u hunain yn y llefydd rhyfeddaf – ar y Costa Del Sol, neu ar ben rhyw fynydd uchel neu'i gilydd, neu mewn gwely yn syllu i wynepryd hyll rhyw ddynas ddiarth – heb y syniad lleiaf sut y daethon nhw i fod yn y ffasiwn lefydd. Ond bryd hynny, ym 1966, fel dudis i, toedd y blacowts 'ma'n poeni dim arna i. Roedd hynny i ddod, ryw ddwy flynedd i lawr y lein pan ddechreuis i weithio i'r BBC. Bûm i yno am ddeunaw mis, mae'n debyg, a dwi'm yn cofio fawr ddim ddigwyddodd i mi yn y dam lle!

Mi fwriais iddi yn y coleg, wedyn, gan daflu fy hun i mewn i'r bywyd cymdeithasol gydag afiaith – yn cymdeithasu hefo'r myfyrwyr gyda'r nos yn yr Horse & Groom neu'n ymgynnull yng nghartrefi'n gilydd am bartïon gwyllt hyd oriau mân y bore.

Dechreuis i deimlo, bryd hynny, pan nad o'n i'n yfed, fod gen i rywbeth yn debyg i *spring* y tu mewn i mi, ac ro'dd y *spring* yma'n cael ei dynhau'n araf nes y byddwn i'n teimlo tensiwn mawr ac anniddigrwydd y tu mewn i'm stumog. Ro'n i fel petawn i'n dioddef o'r ddannodd yn barhaus, yn ymwybodol yn unig o 'mhoen i fy hun. Wnaeth poen rhieni Aberfan, hyd yn oed, ddim cymylu 'mhoen hunanol i fy hun: roedd fy mhoen i cynddrwg bob tamed, os nad yn waeth. Byddai'n rhaid i mi yfed, wedyn – achos alcohol o'dd yr unig beth o'dd yn llacio'r *spring* felltith yma, a rhoi rhyddhad i mi.

Dim ond ychydig o effaith gafodd yr yfed 'ma ar fy iechyd i, sut bynnag. Roedd fy stumog i'n dioddda pan o'n i'n yfed gormod, ond nid yn ddigon i'm rhwystro fi rhag yfed, chwaith – o na! Mi o'dd o'n achosi poen i mi, oedd, ond, yn rhyfedd iawn, roedd yn cael ei ddileu'n gyfan gwbl drwy yfed mwy o alcohol. Mi wnes i sylwi, sut bynnag, ar ryw ffaith arall ddiddorol iawn: os yfwn i wirodydd (whisgi a rum & black oedd y ffefrynna), yn lle cwrw neu lager, doedd fy stumog i ddim yn protestio sut gymaint. Felly y dechreuis i yfed *shorts* – gan ladd dau dderyn 'run pryd: meddwi'n gynt a chael meddyginiaeth i'm stumog!

A phwy oedd yn ariannu'r cyfan – yr yfed gorffwyll? Wel, ro'n i'n cael grant llawn, gan fod fy nhad yn ennill cyn lleied. Ond doedd hynny byth yn mynd i fod yn ddigon, chwaith – ro'n i'n barod yn rhedag yn brin. Byddai'n rhaid i mi ffeindio rhyw ffynhonnell arall o arian! Rhai da ydy alcoholigion am wneud pethau fel hyn, gyda llaw. Ma nhw, fel rheol, yn bobl reit glyfar, ddeallus, gyda'r gallu a'r potensial i ennill arian mawr. Mae hynny'n bwysig iddyn nhw, nid yn unig am y *prestige* sy'n bwydo'u balchder (dim ond alcoholigion sy'n medru edrych i lawr ar y byd o'r gwter!), ond hefyd i ariannu'r yfed – sy'n gallu bod yn fusnes drud iawn. Mi es i am dro i Crwys Road, capal crand y Methodistiaid Calfinaidd yng Nghaerdydd, un dydd Sul – a dod yn addolwr cyson yno. Nid yn gymaint i gyfarfod â Duw, dalltwch – ond ro'dd 'na bobl bwysicach na Duw yn mynychu Crwys Road 'radag hynny. Yno yr âi rhai o bwysigion y BBC i addoli!

Mi ges i air hefo un ohonyn nhw un bore Sul, sef Owen Edwards – fo, wrth gwrs, o'dd yn cyflwyno *Heddiw*, y cylchgrawn newyddion teledu, ac roedd o ar binacl y byd darlledu yng Nghymru ar y pryd, fel perfformiwr. Gofynnais iddo lle y dylwn i fynd i chwilio am waith? A lle'n union oedd y *Broadway* 'ma ro'n i wedi clywad cymaint o bobl yn sôn amdano? Ar y pryd, rhaid i mi fod yn onast, ro'n i'n meddwl fod Sammy Davis Junior neu Frank Sinatra yno'n perfformio – ond Broadway arall oedd hwnnw! Stiwdios y BBC yng Nghaerdydd oedd y Broadway yma, ac mewn hen gapeli yr oeddan nhwtha, hefyd. Do'dd dim modd dianc rhag capeli Duw bryd hynny!

Ond dyna o'dd y lle i fod, yn amlwg – Crwys â'i gysylltiada teledol! Felly, mi fwriais iddi i fod yn gristion bach ffyddlon. Doedd hyn ddim yn broblem i mi o gwbl. Ro'n i'n hen law ar ragrithio. Pregethis yno un nos Sul. Ces fenthyg pregath gan fy nhad, a'i thraddodi gydag arddeliad. Bron i mi 'chosi diwygiad dwi'n siŵr!

Cefais gyfle i symud allan o Allensbank Road a mynd i fyw hefo Arwel a Hywel Gwynfryn i fflat yn Ninian Park Road. Profiad chwerw-felys. Roedd Arwel wedi symud i Gaerdydd, ac achosodd ei gyrhaeddiad o gryn anesmwythyd i mi. Roedd o wedi cael gwaith yn syth o'r coleg fel gohebydd ar y rhaglen *Heddiw*, hefo'r BBC; ro'n i'n teimlo ei fod o'n tresbasu ar fy mhatsh i. Fy maes i o'dd maes perfformio a theledu – ac ro'n i'n genfigennus iawn o'i lwyddiant cynnar o. Ro'dd gen i ofn Arwel ar y pryd, ac ro'dd ei bresenoldeb yn dod ag atgof o'm gorffennol agos, ac o'r fagwrfa gul yr oeddwn i newydd ddianc ohoni. Roedd o fel byw hefo 'brawd mawr' George Orwell yn llythrennol gadw llygad arna i! Wrth lwc, roedd o'n teithio llawer gyda'i waith, ac anaml y byddai'n aros yn y fflat yn Ninian Road. Ond ro'n i'n amheus ohono fo ar y pryd, ac yn teimlo'i fod o'n estyniad o ddylanwad fy rhieni, a'i fod o yno'n unswydd i gadw golwg arna i. Byddai'n rhaid i mi drio rheoli fy yfed, hefyd. Fyddai fiw i mi roi unrhyw arwydd i Arwel a Hywel, na neb arall, o ba mor gaeth o'n i i alcohol mewn gwirionedd.

Roedd Hywel yn hwyl. Bob wythnos byddai ganddo ryw chwilen wahanol yn 'i ben, rhyw ffad y byddai'n ymgolli ynddi'n llwyr: set ddrymiau, un wythnos – a byddai'n waldio'r drymia 'ma tan oriau mân y bore gan gadw pawb yn effro; offer ffotograffiaeth yr wythnos ganlynol, ac ro'dd o'n mynd i fod yn well tynnwr lluniau nag Anthony Armstrong-Jones; offer cadw'n heini wedi hynny a.y.y.b. Roedd o i'w weld yn berson o'dd yn chwilio am rywbeth yn ei fywyd, fel fi. Ond yn wahanol i mi roedd o'n mwynhau'i waith, a dyna, efallai, oedd ei angor. Fyddwn i wedi troi allan yn wahanol pe bai gen i'r un angor? Dwi'n amau rywsut – roedd y salwch yn fy ngenynnau i.

Mae amryw sy'n dioddef o alcoholiaeth yn cyrraedd pwynt yn eu hyfed pan ma' nhw'n croesi rhyw linell anweledig. Pobol ydy'r rhain sy'n yfed yn ormodol, ac mae'r cyffur mwyaf pwerus sy'n bod, yn sydyn, yn cael gafael ynddyn nhw. Wedi hynny, mi wnân nhw suddo i waelodion alcoholiaeth gyda'i ganlyniadau erchyll, cyfarwydd – colli iechyd, hunan-barch, cartrefi, teuluoedd, pwyll, a'u bywyd hyd yn oed, os ydyn nhw'n lwcus. Ond cyn iddyn nhw groesi'r llinell anweledig honno, ma' nhw'n ymddwyn yn normal, ac mae'u meddyliau nhw'n weddol synhwyrol, gall. Mae fy nheip i o alcoholig yn wahanol. Roedd alcoholiaeth yn fy ngenynnau i. Fe'm ganwyd i'n alcoholig. Felly o'r foment y gwnes i flasu alcohol, ro'n i'n yfed yn alcoholaidd, ac yn colli rheolaeth bob tro. Ond ymhell cyn i mi, hyd yn oed, flasu alcohol roedd fy meddwl i'n alcoholaidd – yn wyrdroëdig; roedd fy meddwl i'n gweithredu'n abnormal yn union fel pe bawn i wedi yfed. Ers pan o'n i'n blentyn, felly, mae fy meddwl i wedi bod yn bwydo celwydd i mi (hynny ydy, bwydo ffeithiau i mi am fywyd fel yr oeddwn i'n ei ddirnad, nid fel ag yr oedd o mewn gwirionedd), ac ar sail y meddyliau hynny, roeddwn i wedi bod yn teimlo fy nheimladau (oedd yn blentynnaidd) – ac yn gweithredu arnyn nhw. Yn gweithredu ar gelwydd. Collais bob cysylltiad hefo realaeth. A deud y gwir, fûm i 'rioed mewn cysylltiad ag unrhyw realaeth. Rydw i wastad wedi trio'i greu o yn fy meddwl fy hun – a methu bob tro, ond heb wybod hynny ar y pryd.

Un ffordd (o blith llawer) o drio creu'r realaeth 'ma oedd trwy farnu pobol yn ôl fy ffon fesur i fy hun (oedd yn ddiffygiol). Dewisais, o ganlyniad, gadw cwmni â rhai na ddyliwn i gadw cwmni â nhw. Roeddwn i'n collfarnu pobol, a'u condemnio â rhagfarn oedd yn deillio o feddwl gwyrdroëdig. Cymerodd hi flynyddoedd i mi unioni'n meddwl a'i gael o i weithredu'n weddol gall. Rwy'n dal i orfod gweithio'n galed iawn arno. Mae'n dal i geisio 'nhwyllo i. Mae alcoholiaeth yn salwch deublyg, fel dudis i – mae'n salwch y corff ac yn salwch y meddwl. Tydi'r alcoholig ddim yn gall – hyd yn oed cyn iddo ddechrau yfed, ac weithiau, mewn achosion trist, mae hynny'n wir wedi iddo stopio yfed, hefyd.

Cystadleuaeth siarad cyhoeddus rhyngolegol y BBC ddaeth â fi i sylw'r cyfryngau, yn y diwedd – a datrys fy mhroblem diffyg pres i'n syth bìn. Ro'dd y gystadleuaeth hon yn un boblogaidd iawn 'radag honno, a byddai cynrychiolwyr o bob coleg yng Nghymru yn cystadlu am yr anrhydedd o gael bod yn brif siaradwr cyhoeddus colegau Cymru. Erbyn hynny, mi ro'n i wedi sefydlu cymdeithas Gymraeg yn y Coleg Cerdd a Drama. Ro'n i wedi darganfod fod gan Undeb Myfyrwyr y coleg arian wrth gefn mewn cronfa i helpu sefydlu cymdeithasau o'r fath. Er mai ond llond dwrn ohonon ni o'dd yn Gymry Cymraeg yn y coleg, ro'dd ganddon ni'r hawl i'r arian 'ma. Un cyfarfod gawson ni, os dwi'n cofio'n iawn, er mwyn sefydlu'r gymdeithas a ffurfio pwyllgor rheoli. Fe wariwyd holl arian y gymdeithas, wedyn, y noson honno yn yr Horse & Groom mewn un meddwad anferthol oedd yn fwy na theilwng ohonon ni fel Cymry Cymraeg y coleg. Ond er na wnaethon ni gyfarfod wedyn, yn swyddogol beth bynnag, roedd y gymdeithas yn bod yn llygad awdurdoda'r coleg, ac felly cawson ni wahoddiad i gystadlu yn y gystadleuaeth ryng-golegol.

Mi gafodd y rhaglen ei darlledu'n fyw, ac o'r holl gystadleuwyr, fi orchfygodd. Y ddiweddar Jenny Eirian Davies o'dd yn beirniadu. Un cymal yn unig o'i beirniadaeth dwi'n ei gofio. Wrth fy nghanmol i'r cymylau, mi ddwedodd hi hyn: 'Wn i ddim beth ddaw o hwn!' A oedd hi'n gwbod rhywbeth nad oeddwn i ddim, tybed?

Roedd Raymond Edwards, y prifathro, wrth ei fodd 'mod i wedi ennill yn enw'r Coleg Cerdd a Drama; yn wir, roedd Raymond yn gefnogol iawn i bopeth Cymraeg, ac yn gefn i ni, roedd rhywun yn teimlo. Os oedd unrhyw un yn gwbod rhwbath am siarad cyhoeddus, Raymond Edwards o'dd hwnnw. Dwi'm yn meddwl i mi glywed neb cystal â Raymond am areithio; ro'dd y llais ganddo, a phlethai hiwmor a dwyster yn gelfydd i'w gilydd yn ei areithiau. Byddai wedi gwneud gwleidydd tan gamp; ac eto, efallai mai gwleidydd oedd o, hefyd – ac un llwyddiannus iawn. Pwy arall yn y cyfnod yna fyddai wedi medru perswadio Cyngor Dinas Caerdydd i gefnogi sefydlu Coleg Cerdd a Drama, o bob dim, pan oedd cymaint o flaenoriaethau eraill, pwysicach, o bosib, yn galw? Fel siaradwr cyhoeddus arobryn, cyfaill, a rhywun a gododd broffil y ddrama yng Nghymru y bydda i'n cofio'i gyfraniad gwiw. Gwnaeth Raymond Edwards ddiwrnod da o waith ar dalcen caled iawn. Mae ei rodd i'r oesoedd â ddêl i'w weld ym mhwysigrwydd cynyddol y coleg presennol, a'i ffyniant.

Gyda help Raymond Edwards, os cofia i'n iawn, y ces i fynd i weithio i HTV am y tro cyntaf, yn actio rhan yn *Y Tad a'r Mab*, gan John Gwilym Jones, gyda'r actor mawr o Fôn, W. H. Roberts – tad Owen Roberts, pennaeth rhaglen newyddion *Y Dydd* ar y pryd, a gŵr yr Aelod Seneddol, Ann Clwyd. Mab arall iddo fo oedd Bill, tad Siôn Trystan Roberts, fyddai'n portreadu Kenneth Robert Parry i mi, mab direidus y gweinidog yn *Porc Peis Bach*.

Yn fuan wedyn, mi ges i waith gan Gwyn Erfyl oedd yn cynhyrchu *Nos Wener*, rhaglen faterion cyfoes wythnosol ar HTV. (Mae cyswllt yma, hefyd gan mai Angharad Jones, merch Gwyn, fyddai comisiynydd drama S4C, ac un o'r rhai cynta i'm helpu fi i'n nhraed wedi i mi wella digon i ddechrau cymryd cyfrifoldeb. Hi gomisiynodd y ffilm *Porc Pei* ym 1998 – a'r holl gyfresi a ddeilliodd o'r ffilm lwyddiannus honno.) Roedd Gwyn Erfyl ei hun yn enigma i mi hefyd. Ac yntau'n weinidog yr efengyl, ro'dd o'n yfed alcohol yn agored! Ro'n i'n teimlo 'run fath â phan ddaeth pregethwr diarth i aros aton ni dros y penwythnos i Lansannan 'stalwm. Roedd yna waharddiad ar fyta hufen iâ ar ddydd Sul. Roedd Mam a Dad yn bendant am hynny. Beth bynnag, y penwythnos hwnnw prynodd y gweinidog diarth 'ma hufen iâ i mi mewn corned. Pan welodd Mam a Dad fi'n llyfu'r corned, ro'n nhw'n gandryll, wrth gwrs, ond do'dd fiw iddyn nhw ddeud dim byd – a chaniatawyd y peth! Gwyn ddangosodd i mi nad oedd alcohol, efallai, y bwgan mawr ro'dd fy rhieni wedi'i wneud allan ei fod o. Trueni na fyddwn i wedi cyfarfod Gwyn ychydig flynyddoedd ynghynt.

Erbyn hynny, wrth gwrs, roedd hi'n rhy hwyr; roedd coelbren fy alcoholiaeth wedi'i fwrw.)

Roedd 'na amryw yn cyflwyno'r gyfres *Nos Wener*, ac roedd o'r peth hawdda'n y byd i'w wneud. Troi i fyny i'r stiwdio erbyn amser te, yna mynd dros y links oedd wedi'u paratoi ar fy nghyfer, ac yna'u darllen ar yr *auto-cue* wrth i'r rhaglen gael ei darlledu'n fyw yn hwyrach yr un noson. Popeth yn iawn, a mwynheais y gwaith yn fawr – yn arbennig yr arian ychwanegol oedd yn ariannu'r yfed a 'mywyd hedonistaidd newydd i. Ond un noson torrodd yr *auto-cue* – a minnau ar ganol darllen rhyw gyflwyniad i eitem wleidyddol oedd yn sôn am Harold Wilson a'i Blaid Lafur, os cofia i'n iawn.

Do'n i ddim yn gwbod lle ro'n i; collais bob gafael ar yr hyn roeddwn i'n ei ddweud, a daeth yr hen ofnau hynny, am fethu darllen beth oedd o 'mlaen i ar ddarn o bapur ar y ddesg, yn ôl. Ro'dd y geiria'n neidio'n fygythiol tuag ata i yn blith-draphlith. Wn i dim beth ddwedis i yn y diwedd. Rhywbeth anghywir, dwi'n siŵr, a dim byd i'w wneud â'r eitem dan sylw. Diolch i'r drefn, daeth yr eitem ar y sgrîn i'm harbed i rhag mwy o embaras, ond fe'm lloriwyd i gan y profiad. Tanseiliwyd fy hyder, oherwydd ro'n i'n gwbod fod gen i wendid a fyddai'n medru taro ar unrhyw adeg a chael y llaw uchaf arna i os mynnai.

Fy ffordd i o osgoi unrhyw ddigwyddiad tebyg wedi hynny, oedd paratoi'n ordrylwyr. Mi awn i eithafion i wneud yn siŵr 'mod i'n berffaith ym mhopeth ro'n i'n 'neud. Os ydach chi'n berffeithydd, neu'n nabod un sy'n berffeithydd, 'dach chi'n gwbod peth mor uffernol ydy o. Mae'r cradur dan bwysau o hyd – ganddo fo'i hun, ran amlaf, a tydio byth yn hapus na'n fodlon hefo unrhyw beth mae'n ei wneud. Ei ben draw o, wrth gwrs, ydy bod y perffeithydd yn mynd i feddwl ei fod o'n anhepgorol – na all dim ddigwydd yn iawn yn y byd heb ei gyfraniad a'i arbenigedd o. Mae'n medru bod yn fwrn ar bawb ac arno'i hun! Roedd ffrind i mi, flynyddoedd yn ddiweddarach, yn arfer mynd â fi am dro heibio i'r fynwent leol er mwyn dangos rhai o'r bobl anhepgorol hyn i mi. '*Look, Wynford,*' medda fo, a byddai'n pwyntio at y beddau a'u cofgolofnau crand, *'Let me show you some indispensable people!'*

Mae 'na atodiad bach i'r busnes rhaglen *Nos Wener* 'ma hefyd. Ychydig fisoedd wedyn, fe riportiwyd fi'n ddi-enw gan rywun i'r Awdurdod Addysg yn Sir Gaernarfon – 'mod i'n ennill arian ac yn derbyn grant ganddynt ar yr un pryd. O ganlyniad, bu'n rhaid i mi dalu peth o'r grant yn ôl. Y draffarth oedd 'mod i eisoes wedi gwario'r pres. Os oeddwn i mewn dyled cynt, wel, ro'n i mewn dyled dros fy mhen a'm clustia wedi hynny!

Er 'mod i'n feddw bron bob dydd erbyn hynny, yr unig adeg i mi fynd i unrhyw draffarth yn y coleg drama'i hun oedd pan fydden ni'n ffraeo am yr iaith Gymraeg a'i safle o fewn y gyfundrefn addysg bryd hynny. Er bod Raymond Edwards, y prifathro, yn parchu'r Gymraeg, doedd fawr neb arall yn gwneud hynny. Yn wir, naws ac anian Seisnig oedd i'r coleg. Holl bwrpas ei fodolaeth oedd i baratoi actorion Saesneg ar gyfer y theatr a'r diwydiant teledu yn Lloegr. Doedd dim darpariaeth o gwbl ar ein cyfer yn y Gymraeg, na chydnabyddiaeth bod angen un, chwaith.

Erbyn hyn, rwy'n falch o fedru dweud, mae 'na arwyddion calonogol fod tro ar fyd. Mae darlithydd llawn amser a chwrs uniaith yn y Gymraeg yno bellach, ac mae'r coleg yn paratoi un cynhyrchiad, os nad dau, drwy'r iaith Gymraeg yn flynyddol. Yn ogystal, mae'n hyrwyddo'r ddrama Gymraeg drwy gyhoeddi trosiadau. Rwy'n croesawu'r ffaith fod gan y coleg gysylltiad amlwg, o'r diwedd, ag S4C drwy ei stiwdio newydd, a phresenoldeb hirddisgwyliedig yn Eisteddfoda'r Urdd a'r Genedlaethol, a'u bod wedi dechrau hyrwyddo'r actorion Cymraeg sydd wedi astudio gyda nhw, a nid jest y Saeson a Victor Spinetti ac Anthony Hopkins hyd at syrffed!

Ers i mi gwyno'n gyhoeddus fod y coleg mewn peryg o fynd yn amherthnasol i ni fel cenedl oherwydd ei fod yn gwrthod cynifer o actorion Cymraeg i'w gyrsiau, rwyf wedi newid fy meddwl, bellach. Yn bennaf oherwydd 'mod i'n clywed sî'r gwanwyn yn y tir, ac yn gweld ymdrechion glew rhai aelodau cydwybodol o'r staff yn dechrau dwyn ffrwyth. Mae'n ddyletswydd arna i, felly, i gefnogi'r coleg wrth iddo dyfu'n fwy ymwybodol o'i Gymreictod, a dod i chwarae ei ran yn llawn yn natblygiad pethau ar adeg mor dyngedfennol yn hanes datblygiad y ddrama Gymraeg.

Yn ystod gwyliau o'r coleg ro'n i i sylweddoli beth oeddwn i mewn gwirionedd. Cyfnod y Nadolig o'dd hi, ac ro'n i adra dros y gwyliau, ac yn teimlo'n flin ac yn anniddig. Ro'n i fel llew mewn caets, ac yn teimlo 'mod i'n ca'l fy mygu gan y gymdeithas rhy glòs (i mi) yn Llanllyfni. Teimlwn fod pawb yn fy ngwylio, pawb yn edrych allan am unrhyw arwydd nad o'n i'n ymddwyn fel dylwn i, a finna'n fab y mans. O leiaf yng Nghaerdydd ro'n i'n medru dianc rhag hynny, ac ymgolli ym mywyd anhysbys y ddinas! Y noson honno es i Gaernarfon, ac i gefn y Royal Hotel. Fedrwn i ddim mynd trwy'r drws ffrynt rhag i rywun fy ngweld i ac achwyn wrth fy rhieni. Roedd arna i ofn fy mam a 'nhad o hyd, 'dach chi'n gweld, er 'mod i'n cael smocio o'u blaenau nhw erbyn hynny! Mi yfis i ddau ddwbwl fodca mawr. Yn syth bìn, ro'n i'n teimlo'n well – ac fe ddiflannodd yr holl deimladau negyddol a'r tensiynau annifyr hynny y tu mewn i mi mewn amrant. Dyna'r tro cynta i mi feddwl, 'Hei! Tydi hyn ddim yn iawn. Tydi hyn ddim yn naturiol, Wynff!' Y foment honno, ro'n i'n gwybod beth oeddwn i. Gwyddwn 'mod i'n alcoholig. Ro'n i wedi ama'r peth o'r blaen. Ro'n i'n gwbod 'mod i'n yfed gormod – ac yn methu helpu hynny. Ro'n i'n gwbod yn dawal bach 'mod i'n mynd yn rhy hoff o'r ddiod ond rŵan, am y tro cyntaf, ro'n i'n gwbod pam. Ro'dd y llais bach 'ma yng nghefn fy meddwl i'n deud wrtha i'n glir pam; roedd o'n deud wrtha i beth oeddwn i: ro'n i'n alcoholig! Mi ddreifis i adre'n araf o'r dre y noson honno; ro'dd y wybodaeth wedi'n styrbio fi'n arw. Beth o'dd hyn yn ei olygu? Beth allwn i 'neud am y peth?

Mi ddois i i benderfyniad pwysig. Wedi i mi gyrradd adra ac wrth ddianc i solas cwsg drwy garedigrwydd tri o dabledi cysgu Mam, addewais i mi fy hun y byddwn i'n dod o hyd i feddyg wedi i mi ddychwelyd i Gaerdydd. Meddyg a fyddai'n fodlon rhoi presgripsiwn i mi am y tabledi cysgu 'ma – er mwyn i minna, fel mam, gael fy stôr personol fy hun. Ro'n i'n ffyddiog y byddai hynny'n helpu lleihau fy yfed hefyd! Wedi'r cyfan, onid methu cysgu o'dd fy rheswm i dros feddwi?

Erbyn y bore, sut bynnag, ro'n i wedi gwthio'r wybodaeth am fy alcoholiaeth i gefn fy meddwl, i'r pwll o fudreddi hwnnw lle claddwn i bopeth oedd yn annerbyniol ac yn annymunol i mi. Feddyliais i ddim amdano fo wedyn tan 1992. Ond anghofiais i ddim am yr addewid i ddod o hyd i feddyg, chwaith!

Mi es i gofrestru hefo meddyg yng ngwaelod Ffordd Penylan, Caerdydd, a'i berswadio bod fy nerfau'n ddrwg. Wel, mi oeddan nhw! Ro'n i wedi dechra sylwi bod fy nwylo'n crynu yn y borea – dyna reswm arall pam 'mod i'n yfed: i setlo'r nerfa. Yn anffodus, gwrthododd roi tabledi cysgu cryfion 'run fath â Mam i mi, ond rhoddodd ryw bethau eraill – llawer iawn gwaeth eu heffaith hir-dymor arna i – faliym. O'r foment honno 'mlaen dechreuais lyncu tawelyddion ac yfed alcohol – ac mi o'n i i barhau i'w cymryd nhw am dros ddau ddeg tri o flynyddoedd, gan ychwanegu tabledi cysgu a thabledi gwrth-iselder ysbryd at y rhestr. Byddai gennyf dri meddyg yn rhoi presgripsiwn i mi erbyn y diwedd, a dim un ohonyn nhw'n ymwybodol o fodolaeth y llall.

Un noson wyllt yn y Top Rank yng Nghaerdydd, a Love Sculpture, grŵp Dave Edmunds, yn diddanu'r dorf, mi ddiflannis i ryw stafell wag drws nesa i lyncu llond dwrn o'r tabledi faliym 'ma. Byddwn yn eu cymryd fel *smarties* – do'dd cymedroldeb ddim yn rhan o 'ngeirfa i! Yn syth bìn, wedyn, dyma tua chwech o ddynion cyhyrog yn neidio allan o'r cysgodion a chymryd y botel oddi arna i, a'm dal yn erbyn y wal fel taswn i'n aelod o'r IRA. Y rhain oedd y *drug squad*, erbyn dallt. A'r fath gywilydd! Beth ddwedai Mam a Dad? Mab y mans wedi'i restio yng Nghaerdydd am gymryd cyffuria! Wnaeth hyd yn oed Deiniol yn *Teulu'r Mans* ddim ymddwyn fel hyn! A'r cyfan, cofiwch, mewn dyddiau pan nad oedd ond y mwya mentrus (ac ynfyd) o sêr amlwg y byd pop yn herio'r awdurdodau drwy gymryd cyffuriau!

Bu'n rhaid i mi roi perfformiad fy mywyd i osgoi ca'l fy restio'r noson honno. Erbyn i'r heddweision fy rhyddhau, sut bynnag, ro'n i wedi'u perswadio 'mod i'n un o weiniaid dynolryw, yn ddiffygiol mewn pob ffordd bosib, a'r unig ffordd ro'n i'n medru dygymod â bywyd o'dd drwy lyncu'r tabledi hyn oedd wedi eu cymeradwyo i mi gan feddyg.

'I'm sorry I did what I did this evening, officers, but I had one of my funny turns, look. I'd have fainted from a panic attack if I hadn't taken my tablets. Perhaps I should have stayed at home. That's what I normally do.' Bu'n rhaid i mi fynd i weld y meddyg ym Mhenylan rai dyddiau'n ddiweddarach, i egluro pam 'y mod i wedi llyncu dyrnaid o'r tabledi 'ma – yn lle'r un ar y tro fel ro'dd o wedi'i argymell. Ond mater hawdd iawn ydy twyllo meddyg; mi ddudis i wrtho fo 'mod i heb gymryd rhai ers tridiau – 'mod i wedi anghofio (swnio'n dda – fel taswn i ddim yn ddibynnol arnyn nhw o gwbwl!), a 'mod i, yn fy anwybodaeth, wedi penderfynu cymryd dôs tri dwrnod hefo'i gilydd. Cefais ram-dam iawn ganddo, a darlith fer am beryglon cymryd cyffuriau yn y ffasiwn ffordd anghyfrifol, ond aeth y peth ddim pellach. Whiw! A chlywodd Mam na 'nhad ddim am y digwyddiad – na neb arall, chwaith, tan rŵan.

Sefydlwyd y *drug squad*, gyda llaw, ym Mhrydain Fawr yn y lle cyntaf i ddelio hefo canlyniadau delio-mewn-cyffuriau adict ifanc arall, oedd yn oferu'n wrth-gymdeithasol tua ochra Rhydychen yn yr un cyfnod. Fo o'dd yn cyflenwi cyffuriau i holl golegau Rhydychen ar ddiwedd y pumdegau, ac i glybiau nos y 'West End' yn Llundain. Ac yntau'n gaeth ei bersonoliaeth, fel fi (roedd o'n cymryd heroin ac alcohol ac unrhyw sgrwtsh arall y gallai gael gafael arno), byddai Joe South yn symud, yn y man, i Gymru i ddianc rhag yr heddlu ac eraill oedd am ei restio neu ddial arno. Ac roedd o a minnau, er na wydden ni hynny ar y pryd, wedi'n tynghedu i gyfarfod ein gilydd un dydd. Fo, 'rôl sobri a sefydlu'r ganolfan driniaeth i alcoholigion yn Rhoserchan, oedd y dyn fyddai'n bennaf cyfrifol am achub fy mywyd i.

Erbyn yr ail flwyddyn yn y Coleg Cerdd a Drama, roedd y gwaith coleg wedi dechrau amharu ar fy yfed i. Roeddwn i wedi ymddangos mewn sawl cynhyrchiad i'r coleg yn ystod fy nghyfnod yng Nghaerdydd: *The Good Woman of Setzuan*, a

Peer Gynt i enwi ond dau, ac ro'dd hynny'n iawn. A chwarae teg, dim ond rhyw ddau berfformiad yn unig ro'n i wedi'u colli oherwydd fy yfed. Mi yfis i gymaint yn ystod un cynhyrchiad fel y collais fy llais. Bu'n rhaid i Peter Palmer, y cynhyrchydd, fynd ar y llwyfan yn fy lle. Ond, wrth gwrs, y ffliw oedd o! Gallwn gelu'r yfed dan fantell o gelwydd a dichell o hyd yn y dyddiau cynnar hynny.

Cefais ran y llanc yn nrama Gwenlyn Parry, *Tŷ ar y Tywod*, i'r BBC, hefyd, gyda Stewart Jones, Brynley Jenkins, Guto Roberts a Lisabeth Miles. Yr unig beth gofia i am y cynhyrchiad gan George P. Owen, sut bynnag, oedd i Stuart Jones a fi dreulio noson feddw yng nghartref Rhydderch Jones yng Nghorris ar ein ffordd i recordio yng Nghaerdydd wedi'r ymarferion yn y gogledd, ac i mi gael fy ngalw'n ôl o glwb y BBC yn Newport Road i ailsaethu un olygfa fer. Ro'n i wedi cael diod, wrth gwrs, ac rwy'n cofio'r edrychiada o warth ar wynebau pawb yn y stiwdio wrth iddynt sylweddoli 'mod i wedi bod yn yfed tra 'mod i'n gweithio.

Yn y coleg – gwarchod pawb! – roedd disgwyl i mi sgwennu traethawd estynedig cyn y cawn i gwblhau fy nghwrs! Roedd hwnnw'n swnio'n rhy debyg i waith caled i mi! A phryd, holwn, gawn i amser i yfed ynghanol yr holl brysurdeb academaidd newydd hwn, felly? John Greatorex (ro'n i'n rhannu *digs* hefo fo ar y pryd) ddaeth i'r fei gydag un o'r syniadau gwych hynny sy'n dod ond unwaith bob lleuad lawn. 'Pam na 'nei di iwshio 'nhraethawd i, Wynff? Gei di altro dipyn bach arno fo, newid amball air. Fydd neb ddim callach!'

'Ar be mae o, John?'

'Eighteenth Century Melodrama, Wynff! Fuo rhaid i mi'i sgwennu fo ar gyfer fy nghwrs yn y Normal, yli. Gei di fenthyg o am . . . ym . . . dwy botal o win.'

Ac felly y bu. Newidis ychydig arno, cymoni fan yma, ychwanegu fan draw. Ac er mai'r un arholwr yn union oedd yn marcio'r gwaith, cefais i A+ am y traethawd, o'i gymharu â marc gwreiddiol John, sef B-. Gyda'r cymhwyster hwnnw yn ddiogel dan fy melt, gwenwyn alcoholig yn fy ngwaed, ac euogrwydd fy ymddygiad anonest yn pwyso'n drymach arna i bob dydd, ffwrdd â fi i goleg Cyncoed i gael fy nghymhwyso'n athro trwyddedig!

Y gwirionedd plaen ydy 'mod i'n athro tan gamp! Wel, dowch i mi ddeud o fel hyn. Mi allwn i fod yn ysbrydoledig, hefo'r brwdfrydedd a'r gallu, wrth ddysgu, i ddal sylw'r plant nes eu bod yn bwyta allan o 'nwylo i. Y draffarth o'dd, fedrwn i ddim cynnal y safon na'r brwdfrydedd hwnnw am gyfnod hir – dim ond am ychydig wythnosa. Mae dyfalbarhad wastad wedi bod yn anodd i mi. Deuparth gwaith yw ei ddechrau, meddan nhw! Wel ia, ond mae'n help, hefyd, os fedrwch chi ddal ati! Toeddwn i ddim yn un da iawn am ddal ati. Dyna'r rheswm pam na wnawn i fyth athro. Troi fyny'n yr ysgol ddydd ar ôl dydd? Byth! Ar ben hynny, byddai bod yng nghwmni plant ac athrawon erill dros gyfnodau hir yn rhoi'r cyfle iddyn nhw ddod i'm nabod yn rhy dda. Doedd neb yn cael gwneud hynny. Ro'n i'n cuddio pwy oeddwn i oddi wrth bawb. Ro'n i'n cuddio hynny oddi wrthyf fi'n hun!

P'run bynnag, roedd gen i ragfarn yn erbyn swydd athro. Yn fy meddwl balch i ro'n i wedi tyngu, os cawn i fy hun fyth mewn ysgol yn dysgu, y byddwn i wedi methu fel actor. Roedd methiant a dysgu'n gyfystyr â'i gilydd yn fy meddwl i, felly. A'r unig reswm dros fynd i'r coleg hyfforddi o gwbl oedd y rheol, ar y pryd, bod grantiau gan yr Awdurdodau Lleol ond yn cael eu rhoi i'r rhai hynny oedd am fynychu prifysgolion neu golegau hyfforddi. Doedd colegau drama ddim yn gymwys i dderbyn grant. Ond trwy wneud cwrs athro mewn drama, ro'n i'n cael y gorau o'r ddau fyd: dwy flynedd yn y coleg drama, a blwyddyn, wedyn, yn y coleg hyfforddi. Do'dd gen i ddim bwriad i ddysgu, felly, o'r dechrau. Er i mi gael anrhydedd yn y pwnc. O do! Fel dudis i, ro'n i'n ysbrydoledig, ac yn medru camarwain yr arholwyr gorau, dros gyfnod byr! Mi dwyllis i'r Awdurdod Addysg, hefyd, fel y gwelwch chi.

Ond dim ond llwyddo i ddod i ben â'r gwaith ysgrifenedig mewn pryd wnes i, hefyd. Gydag ond pedair awr ar hugain yn weddill tan yr amser cau, cyn i'r chwe ysgrif ro'n i wedi cael blwyddyn gron i'w cwblhau gael eu trosgwyddo i'r arholwr i'w marcio, ro'n i'n dal heb sgwennu sill. Dechreuis arni am union wyth o'r gloch y bore cynt, a pharhau drwy'r dydd a'r nos yn ddi-dor, gan orffen am saith o'r gloch bore'r diwrnod cau, union awr cyn yr amser penodedig. Do'dd gen i ddim disgyblaeth yn fy mywyd o gwbl. Wrth gwrs, ro'dd ymddygiad fel hyn (oedi'n ormodol cyn gweithredu) yn ychwanegu'n fawr at y tensiwn ro'n i eisoes yn 'i ddiodde. Mae tensiwn yn hanfodol i'r adict. Yn aml iawn, mae'n mynd allan o'i ffordd yn fwriadol i greu'r tensiwn. Mae hynny'n cyfiawnhau cymryd y ddiod gynta o alcohol wedyn, 'dach chi'n gweld. Achos alcohol (neu fwyd, cyffuriau, rhyw a.y.y.b) yw'r unig beth sy'n rhyddhau'r tensiwn hwnnw. Yn eironig iawn, mae pob adict yn defnyddio'r union gyffur y mae'n gaeth iddo, ac sy'n achosi'r tensiwn ynddo fo yn y lle cynta, i ryddhau'r tensiwn hefyd! Y meri-go-rownd gwallgo, dieflig.

Peth arall ro'n i'n 'neud fwyfwy o'dd trio cael rhyw fath o drefn ar betha – fy nhrefn i ar anhrefn fy mywyd. Ro'n i fel yr hen ŵr hwnnw o'dd yn trio gwthio'r afon. Wnaeth hi ddim mynd dim cyflymach, a phetai o wedi stopio gwthio, mi fydda'r afon wedi cyrradd jest 'run fath.

Mae gan rai pobol y gallu i drefnu petha – ma' nhw'n drefnwyr da. Mae hynny, o bosib, oherwydd 'u bod wedi dysgu gadael i bethau gymryd eu siâp naturiol 'u hunain. Os yw trefn, felly, yn beth naturiol, yna mae anhrefn, o bosib, yn rhwbath rydan ni'n ei greu hefo'n ffysian dynol (neu, yn fy achos i, hefo'n alcoholiaeth). Y cwbl lwyddais i wneud drwy drio trefnu 'mywyd yn well, felly, oedd gwneud pethau'n waeth, ac ychwanegu mwy fyth o densiwn i fywyd oedd yn prysur droi'n sgerbwd o fodolaeth.

Jest i mi farw tua'r adag yma – pan o'n i ar ymarfer dysgu yn ysgol Pentrebân, yn ardal y Tyllgoed, Caerdydd. Gadewais y tân nwy ynghyn drwy'r nos heb adael unrhyw ffenest ar agor yn y stafell ro'n i'n rentu hefo Anthony Hibbard, myfyriwr arall, yn Malefant Street, erbyn hynny. Mi fues i'n wael iawn, wedi i mi bron gael fy mygu gan y nwy carbon deuocsid. Dyma'r math o

100

bethau oedd yn digwydd i mi fwyfwy tua'r adag yma. Ma' nhw'n deud bod bywyd yr alcoholig yn anhydrin. Mae petha yn stopio gweithio yn ei fywyd. A heb rywun i ofalu amdano, i'w nyrsio, a thwtio'i fywyd yn faterol ac yn emosiynol, a chlirio'r llanast ar ei ôl o, gall pethau fynd allan o reolaeth yn gyflym iawn. Mewn geiriau erill, byddai'n rhaid i mi ffeindio rhywun i ofalu amdana i!

Gyda phob alcoholig – yn y cefndir yn rhwla – mi welwch chi wraig, partner, mam neu gariad. Enw arall arnyn nhw ydy'r 'galluogwyr', yr *enablers*. Heb gymorth y galluogwyr hyn mae'n amhosib i'r alcoholig gadw unrhyw fath o drefn yn ei fywyd ac yfed 'run pryd. Y nhw sy'n ei alluogi i wneud hynny'n weddol lwyddiannus drwy gymryd y cyfrifoldeb am ei fywyd (a'i ymddygiad) i gyd oddi wrtho. Yn aml iawn mae'r galluogwyr hyn mor sâl â'r alcoholig ei hun. Tra'i fod o ag obsesiwn am ddiod a dod o hyd i'r ddiod nesaf, mae ganddyn nhwtha hefyd obsesiwn am ddiod – drwy drio rhwystro'r alcoholig rhag dod o hyd i'r un nesaf! A rhag ofn i un o'r galluogwyr yma fyth droi cefn arno – y wraig neu'r cariad, fel rheol, sydd wedi dioddef digon ac wedi cael llond bol – mae'r alcoholig yn gwneud yn siŵr fod ganddo rywun arall yn barod wrth gefn i gymryd ei le, jest rhag ofn. Dyma pam fod y rhan fwyaf o alcoholigion priod yn cael, neu wedi cael, perthynas arall y tu allan i'r briodas. Nid am unrhyw resymau carwriaethol (er y bydd o fel rheol yn tyngu o flaen Duw mai'r berthynas arbennig honno ydy'r un bwysicaf iddo 'rioed, yr un sy'n llenwi'r gwagle mawr y tu mewn!), ond er mwyn gwneud yn siŵr na fydd o'n cael ei adael ar ei ben ei hun. Unigrwydd yw realaeth ofnadwy yr alcoholig – ac fe aiff i chwilio am gwmni mewn llefydd amheus, diraddiol, yn hytrach na bod ar ei ben ei hun. Dyna pam mai'r cyngor gora i wragedd, cariadon, mamau a.y.y.b., ydy iddynt dynnu pob system gefnogaeth oddi ar yr alcoholig, a gadael iddo stiwio yn ei lanast ei hun. Hwn ydy'r cariad creulon ma' gofyn iddyn nhw ymarfer – sydd mor groes i'r graen, achos eu bod yn meddwl eu bod yn bradychu'r alcoholig. Ond, drwy weithredu'r cariad creulon 'ma, mae gobaith y gwnaiff yr alcoholig sylweddoli'i gyflwr yn gynt a gwneud rhywbeth amdano.

Cynhaliwyd arolwg o'r holl fyfyrwyr yng ngholeg Cyncoed, bryd hynny, i weld beth oedd eu diddordebau amser hamdden. Fi oedd yr unig un oedd heb hobi o fath yn y byd, mae'n debyg. Dywedodd Kevin O'Connor, un o'r myfyrwyr a threfnydd yr arolwg wrtha i, '*Considering your lack of interest in anything extracurricular, Wynford, I reckon you fit the criteria perfectly: you're going to be an alcoholic at the very least!*'

Ond pan o'n i'n medru rhoi fy meddwl ar bethau, gallwn symud mynyddoedd. Ca'l swydd wedi gorffen yn y coleg o'dd y gamp nesaf. Ac ro'n i eisiau swydd gyda'r BBC. Wnâi dim byd arall y tro. Rhoddais fy holl sylw, felly, ar gyrraedd y nod hwnnw. Yn ffodus, ro'dd stiwdio deledu yn y coleg dan ofal Aled Rhys Williams, a chyda'i gefnogaeth o a Hywel D. Roberts, Pennaeth yr Adran Addysg, a Phrifathro'r coleg, Mr Bewsher, cynhyrchais raglen deledu ddwyieithog ar system gylch y coleg. Rhaglen nodwedd oedd hi, *Gyda'r Hwyr*, a rhaglen oedd yn mentro, am y tro cyntaf, i fyd dwyieithrwydd mewn darlledu. Wrth gwrs, roedd gynnon ni bobl enwog iawn fel myfyrwyr yno ar y pryd, oedd yn help: pobl fel Dewi Pws, y canwr a'r digrifwr, a Gareth Edwards, seren fawr y maes rygbi. Roedd ca'l cyfweliad dwyieithog â Gareth, yn arbennig, cyn rhyw gêm ryngwladol o bwys, yn bownd o ennyn diddordeb pobol o'r tu allan i'r coleg. Clywodd y BBC am y rhaglen, a daeth John Roberts Williams, un o gynhyrchwyr y rhaglen gylchgrawn nosweithiol, *Heddiw*, i weld yr arbrawf, a'i ganmol yn arw. Canlyniad hyn i gyd oedd i mi geisio am swydd gyda'r BBC. Swydd rheolwr llawr cynorthwyol oedd hi, ond ro'dd hi'n un o'r ffyrdd gora, bryd hynny, i gael eich traed i mewn i'r Gorfforaeth Ddarlledu Brydeinig a'r diwydiant teledu, oedd yn ei fabandod.

Ceisiodd dros 300 o bobol am y swyddi – roedd dwy wedi cael eu hysbysebu. Aeth y cyfweliad fel watsh. Ar ôl i mi gerdded i mewn i'r stafell gyf-weld, ac eistedd i wynebu'r pump holwr (nid oedd merched yn chwarae rhannau blaenllaw iawn mewn cymdeithas bryd hynny, er bod 'na eithriadau nodedig hefyd: Norah Isaac, Cassie Davies, Jenny Eirian Davies a Lorraine Davies yn benodol!), gofynnodd un ohonynt a oedd yr haul oedd yn dod trwy'r ffenast yn fy nallu. Wedi i mi ateb yn gadarnhaol, dyma dri ohonyn nhw'n neidio'n syth i'w traed, gan dynnu'r llenni i'm gwarchod rhag y pelydrau cryf. Pan eisteddon nhw, oherwydd bod fy ego allan o reolaeth, meddyliais ar y pryd mai nhw oedd yn cael cyfweliad hefo fi! Yna, wrth i bob un holi'i gwestiwn, byddwn yn ateb yn uniongyrchol i lygaid y gŵr arbennig hwnnw, a fyddwn i ddim yn tynnu fy sylw oddi arno nes byddai wedi ildio'i bŵer i mi, drwy edrych i ffwrdd i gyfeiriad arall, neu i lawr ar ei nodiadau. Wedi iddo wneud hynny, a dim ond wedi iddo wneud hynny, mi fyddwn i'n cyfarch y grŵp i gyd, wedyn, a chwblhau fy atebiad. Ac felly gyda phob un. Sâl, 'te!

Dwi'n deud hyn er mwyn dangos sut mae'r alcoholig yn trio rheoli meddyliau pobol. Mae'n giamstar ar wneud. Drwy bob math o ddirgel ffyrdd, mae'n gallu cael pobol i wneud yn union beth mae o eisiau iddyn nhw 'neud – ei garu neu'i barchu, fel rheol. Anaml iawn, er enghraifft, y byddwn i'n gofyn i rywun wneud rhywbeth i mi. Yn hytrach, awgrymu'r peth fyddwn i – neu wenieithu, canmol, dwrdio, deud celwydd, bwlio, ennyn cydymdeimlad a.y.y.b. – i gael fy ffordd fy hun. Dyna wnes i hefo'r *drug squad* yn y Top Rank. Erbyn i mi orffen rheoli'u meddyliau, roedden nhw'n barod i gynnig lifft adra i mi, a bron yn ymddiheuro am feiddio awgrymu, yn y lle cynta, 'mod i wedi cymryd y cyffuria'n anghyfreithlon! Gwnawn yr un peth hefo meddygon, darlithwyr yn y coleg, ffrindiau, teulu a chymdogion. Ond os byddai rhywrai'n gwrthod cael eu rheoli gen i, yna gwae nhw! Mi fydden nhw ar fy rhestr 'dal dig' i, wedyn – byth i gyboli na gwneud dim byd â nhw, ac i gael eu casáu â chas perffaith hyd ddiwedd amser! Reit aml, mewn rhai pobol, mi ro'n i'n medru synhwyro'u gwrthwynebiad i gael eu rheoli gen i. 'Radag hynny, fyddwn i ddim yn trafferthu siarad hefo nhw, hyd yn oed. Dwi'n siŵr bod 'na lawer o bobol ledled Cymru sydd wedi cael eu hanwybyddu gen i ar ryw adag, ac wedi meddwl, 'Be dwi 'di 'neud iddo fo, tybad?' Wel, mi fyddwch chi'n gwbod rŵan. Roeddech chi'n bobol rhy gryf i mi'ch rheoli!

Mi wnes i ymuno hefo'r BBC ar y cyntaf o Orffennaf 1969, yr un diwrnod â'r arwisgo yng Nghastell Caernarfon. Doedd yr arwisgo yn golygu dim i mi y naill ffordd na'r llall; ro'n i ar y tu allan i deimladau cryfion cenedlaetholgar y cyfnod, a heb chwarae unrhyw ran ym mrwydr fy nghenhedlaeth am gyfiawnder. Heb wybod a oeddwn i o blaid neu yn erbyn yr arwisgo – gan nad oedd gen i farn ar ddim – penderfynais gau fy ngheg a phlesio pawb!

Benthycodd Mam hanner canpunt i mi, er mwyn i mi fedru byw am y mis cyntaf, nes cawn i 'nghyflog. Ychydig o biso dryw yn y môr oedd yr hanner canpunt, gan 'mod i eisoes mewn dyled cyn gorffen yn y coleg. (Doedd hyd yn oed gweithio ar y bysus yn y Rhyl ddim wedi dileu hwnnw, na sicrhau benthyciad o dair mil o bunnau gan gwmni amheus o fenthycwyr-arian Americanaidd.) Roedd Mam eisiau'i phres yn ôl wedi i mi gael fy nghyflog cyntaf o bum deg wyth o bunnoedd ar ddiwedd y mis. Do'dd y cyflog ddim yn ddigon i'm cynnal am fis mewn bwyd a diod. Penderfynais hepgor y bwyd. Symudis i fyw i Ben-y-lan at ryw wreigan od o'dd yn gosod edafedd ar draws y tŷ o un nobyn drws i'r llall ac i fyny'r grisiau, bob tro yr âi allan. Does dim fel cael eich trystio!

Gweithio yn yr adran newyddion o'n i – fi ac Iwan Griffiths, o Gorwen. Ef benodwyd i'r ail swydd, ac roedden ni'n gweithio ran amlaf yn y stiwdio yn Stacey Road – nid nepell o glwb y BBC.

Wel, os o'n i'n gwybod sut oedd yfed yn o lew cyn ymuno hefo'r BBC, roeddwn i raddio yn y pwnc wedi dechra yn Stacey Road! Ro'dd pawb i'w gweld yn yfed yn y BBC, a nid jest yfed, chwaith – yfed i ormodiaeth, fel fi. (Wrth gwrs, roedd yna yfwyr cymhedrol yn gweithio yn y BBC ar y pryd! Dewisais i, sut bynnag, fel pob alcoholig, gymysgu gyda'r yfwyr trwm. Y nhw'n unig oedd fy nghymrodyr yfed i!) Mae gen i ofn bod gormod o lawer o bobl ifanc, talentog, gyda chyfraniadau gwerthfawr i'w gwneud i'r genedl 'ma, wedi marw mewn anwybodaeth o effaith alcohol bryd hynny. Roedd un pennaeth yn mynnu bod holl staff ei adran yn cyfarfod yng Nghlwb y BBC i feddwi bob amser cinio dydd Gwener! Gwae chi os byddech chi'n anufuddhau! Yna ro'dd y clybiau nos, wedyn: y Casino a'r Casablanca, a llefydd eraill mwy amheus yn y dociau, fel y North Star, yn gwahodd ar ddiwedd recordio amball raglen neu ar ddiwadd diwrnod calad o waith.

Ro'dd bri mawr, bryd hynny, ar yr adran Adloniant Ysgafn o fewn BBC Cymru, gyda Meredydd Evans yn bennaeth â gwyledigaeth arni, a phobol fel Jack Williams, Ruth Price, Rhydderch Jones, David a Bryn Richards ac eraill yn gweithio yno. Dyma pryd roedd Ryan a Ronnie yn eu hanterth, *Disc a Dawn* yn boblogaidd, a *Fo a Fe*, a sêr fel Derek Boot, Alun Williams, Bryn Williams a Myfanwy Talog wedi gwneud enw iddynt eu hunain. Roedd bri ar yr Adran Ddrama, hefyd. Yn uchel ei pharch gan Lundeinwyr pwerus y BBC, ro'dd yr adran yn hynod gynhyrchiol yn y ddwy iaith, gyda D. J. Thomas yn bennaeth arni, a Dafydd Griffiths, Myrfyn Owen, John Hefin, George P. Owen, Geraint Morris a Pennant Roberts yn gweithio o'i mewn. A drama o'dd fy niléit i, er bod y BBC yn fy ngorfodi fi i weithio i'r Adran Newyddion a Materion Cyfoes. Roedd eraill o'dd â'u bryd ar gael gweithio i'r Adran Newyddion, sut bynnag, yn cael eu gorfodi i weithio ar ddramâu. Byddai'r BBC yn gwneud hynny er mwyn cael ei gweithwyr i gydymffurfio mae'n debyg; fedra i ddim meddwl am unrhyw reswm arall. Wrth gwrs, ro'dd agwedd fel yna fel dal lluman coch o flaen trwyn tarw gwyllt i mi. Os na fyddai'r BBC yn ildio'n reit fuan, a gadael i mi drosglwyddo i'r Adran Ddrama, byddai'n rhaid i mi feddwl am ryw strategaeth arall. Oherwydd, BBC neu beidio, ym myd drama ro'n i eisiau gweithio!

Y gyrchfan i bawb ar ddiwedd pob recordiad yn y dyddiau hynny fyddai clwb y BBC yn Newport Road. Ro'dd pawb o'dd yn rhywun yn mynychu'r clwb. Pawb, hynny ydy, ond fi.

Yn y cyfamser, ro'n i wedi syrthio mewn cariad dros fy mhen a 'nghlustiau! Angela oedd ei henw, o dras Gwyddelig; ro'dd hi'n byw jest i lawr y ffordd, ym Mhenylan. Ond och a gwae! Ro'dd Angela'n arddel y ffydd Gatholig!

Un penwythnos, yn falch iawn ohoni hi, ac ohono' i fy hun wedi bachu'r ffasiwn gatsh, mi es i â hi adre i Lanllyfni, i mi gael ei dangos â balchder i'm rhieni. Ro'n i'n ymwybodol fod yna awyrgylch reit annifyr yn y tŷ drwy'r penwythnos, ond wnes i ddim meddwl dim – yn sicr, wnes i ddim meddwl fod ganddo unrhyw beth i'w wneud hefo'n hymweliad ni. Bore dydd Sul, sut bynnag, wrth i ni baratoi ar gyfer mynd i'r capal i wrando ar Dad yn pregethu, dyma fi'n dringo'r grisiau i fynd i ddeffro Angela rhag ofn iddi gysgu'n hwyr. 'Paid â'i deffro hi, Wyn!' Roedd 'nhad wedi cynhyrfu'n arw, ac ro'dd o'n amlwg dan straen wrth groesi ata i o'r gegin. 'Be sy, Dad?' holais innau'n bryderus.

'Os doi di â'r hogan 'na hefo chdi i'r capal, heddiw, Wyn – fydda i'n methu pregethu, yli!' A chyda hynny, mi ddychwelodd i'r gegin a chau'r drws yn glep o'i ôl. A dyna'r cyfan. Pregethodd 'nhad bore hwnnw yn ôl ei arfer – ond heb Angela yn y gynulleidfa, a soniwyd dim am y peth wedyn, ac ro'n inna'n gwbod yn well i beidio holi dim, chwaith.

Yn fuan ar ôl i Angela a minnau ddychwelyd i Gaerdydd, mi ddaeth Arwel fy mrawd i'm gweld. Ac ie, neges oddi wrth fy rhieni oedd ganddo fo: bod yn rhaid i'r garwriaeth ddod i ben. Erbyn dallt, roedd gan fy nhad ragfarn yn erbyn y Catholigion; roedd o'n eu casáu am ba bynnag reswm, a pha 'run bynnag, roedd Angela'n siarad Saesneg – wnâi hi ddim mo'r tro o gwbl i fab fenga'r mans! Gan mai plesio Mam a Dad oedd y flaenoriaeth fwya yn fy mywyd i o hyd (er 'mod i'n byw bywyd fyddai'n torri'u calonna), ac er i mi drio pob ystryw posib i'w cael i newid eu meddyliau, bu'n rhaid i Angela a minnau orffen ein perthynas. Ro'n i'n llawer rhy wan i'w gwrthwynebu ar y pryd, ac ro'n i'n flin iawn bod Arwel wedi cael ei ddefnyddio i wneud gwaith budr fy rhieni.

Dicter hunangyfiawn ma'n nhw'n ei alw fo. Ac mae wedi bod yn esgus i filoedd o alcoholigion, dros y blynyddoedd, i yfed eu hunain i farwolaeth. Wnes i ddim llwyddo i ladd fy hun ar ôl i Angela a finna orffan mor ddagreuol hefo'n gilydd – ond do'dd o ddim o ddiffyg trio.

Erbyn hyn, ar ben y boen yn fy stumog, ro'dd fy arennau wedi dechrau brifo, ac ro'dd gen i boen blinedig yn fy iau drwy'r amser, hefyd, oedd yn niwsans. Ond mi ddois i i'r casgliad mai poenau yn y cymalau oedden nhw – effaith chwarae gormod o bêl-droed i dîm Cymry Caerdydd, mae'n siŵr! Fi oedd gôl-geidwad y tîm – a thîm da iawn oedden ni, hefyd, yn curo pawb. Mae'n wyrthiol i mi arbed unrhyw bêl rhag mynd i gefn y rhwyd, deud y gwir, achos fel George Best, ro'n i'n feddw y rhan fwyaf o'r amsar, ac yn gweld dwy a mwy o beli'n dod tuag ata i yn y gôl, a dwywaith gymaint o chwaraewyr ar y cae na ddyliai fod yno, reit aml! Meddyliais y byddai cael gwared o'r boen yn fy arennau ac yn fy iau yn hawdd – er iddi gymryd rhyw flwyddyn i'w weithredu. Ymddeolis i'n gynnar o chwarae pêl-droed! Roedd y boen yn fy stumog yn fater arall, sut bynnag. Ro'dd hwnnw i'w weld yn gwaethygu, ac ro'dd yfed gwirodydd, hyd yn oed, wedi stopio'i wella, am ryw reswm. Dechreuis i feddwl fod cansar arna i. Ymhen blynyddoedd, byddwn yn crio dros beint wrth ddweud wrth bwy bynnag wrandawai fy nghwyn, mai dim ond tri mis oedd gen i'n weddill i fyw. Mi ddechreuis i gynllunio 'nghynhebrwng fy hun – a'r teyrngedau y dylai pobol fod yn eu talu i mi!

Ar y pryd, ro'n i'n gweithio ar raglenni fel *Heddiw*, *Wales Today*, *Week in Week Out*, *Match of the Day* a *Hobby Horse*. Rhaglen i blant am ddiddordebau amser hamdden oedd *Hobby Horse*, hefo Cliff Morgan yn cyflwyno a Dewi Griffiths, cyfarwyddwr nodedig y gêmau rygbi rhyngwladol o Barc yr Arfau, yn cynhyrchu. Ro'n i'n casáu gweithio ar *Hobby Horse* – nid am ei bod yn rhaglen wael: i'r gwrthwyneb, roedd hi'n rhaglen wych iawn o'dd yn ca'l ei darlledu ar y rhwydwaith. Ond ro'dd hi'n cael ei recordio ar ddydd Sul – a byddai pob dydd Sul yn dilyn y nos Sadwrn, a'r rhaglen erchyll arall honno ro'n i'n gorfod gweithio arni, *Match of the Day*!

Roedd dau ohonon ni'n gorfod gweithio'r llawr yn ystod *Match of the Day* – Teg (Tecwyn Hughes), y *scene boy*, a minnau, fel y rheolwr llawr. David Parry-Jones fyddai'n cyflwyno o Gaerdydd. (Mi ddymunis i 'lwc dda' i David Parry-Jones unwaith cyn iddo gyflwyno *Wales Today*. *'I don't need your luck!'*, medda fo wrtha i'n flin. Mi a'th popeth allwch chi ddychmygu yn rong hefo'r rhaglen honno. Dwi'm yn credu iddo fo byth wrthod 'lwc dda' wedi hynny! Ac wedi dangos y prif gêmau ar y rhwydwaith o Lundain, byddai BBC Cymru yn optio allan o'r ddarpariaeth Brydeinig i ddangos pytiau o gêm neu ddwy o'r cynghreiriau Cymreig. Wel iawn, meddech chi, beth sydd o'i le hefo hynny? Dim. Ar wahân i'r ffaith nad oedd gofyn i ni ddechrau gweithio ar y rhaglen tan tua hanner awr wedi naw – a hynny ar nos Sadwrn o bob noson! Roedd y rhaglen yn styrbio'n hyfed ni'n goblyn! Daeth Teg a minnau i ddealltwriaeth er mwyn datrys y broblem – mi fydden ni'n ca'l yfed bob yn ail nos Sadwrn. Câi Teg yfed un nos Sadwrn (a phe bai'r gwylwyr wedi gwrando'n astud, mi fydden nhw wedi clywed sŵn chwyrnu meddw Teg o'r tu ôl i'r set) a byddwn inna'n rhedeg y llawr, hebddo. Cawn inna yfed, wedyn, ar y nos Sadwrn ganlynol wrth i Teg ofalu am bethau. Fy anhawster i, sut bynnag, oedd bod yn rhaid i mi gael diod, fwy neu lai, bob dydd, erbyn hynny – a phob dydd Sadwrn, hefyd, wrth gwrs! Gan na fedrwn i ddechra yfed yn iawn tan ar ôl *Match of the Day* ar yr ambell nos Sadwrn y byddwn i'n gweithio – hanner awr wedi un ar ddeg yr hwyr ran amlaf – byddwn i'n dal yn feddw ar y dydd Sul canlynol wrth i ni ddechra ymarfer ar gyfer recordio'r *Hobby Horse* felltith! Do'dd dim o'dd yn waeth, bryd hynny, na thrio cuddio'r ffaith 'mod i'n feddw! Oedd, un peth! Cerdded drwy ganol dinas Caerdydd ar ddiwrnod gêm rygbi ryngwladol a thrio osgoi chŵd y cefnogwyr meddw ar y palmentydd! Ych-a-fi! Roedd y ffobia hwnnw'n dal yn fyw ac yn gwaethygu, ochr yn ochr â phob dim arall!

Ro'dd pobol erill yn yfed yn drwm, wrth gwrs; dyna o'dd diwylliant BBC Cymru ar y pryd – ro'dd pob dim i'w weld yn cylchdroi o gwmpas alcohol. Ond ro'dd Ronnie Williams o'r bartneriaeth gomedi lwyddiannus, *Ryan a Ronnie*, yn dueddol o yfed mwy na bron pawb arall.

Gwyliais daith boenus Ronnie i waelodion alcoholiaeth yn wrthrychol ac o hyd braich. Fedrwn i ddim caniatáu i mi fy hun fynd yn agosach; roedd yr hyn ro'n i'n ei weld yn fy nychryn yn fawr iawn ac yn fy mhryderu, ond dim digon i'm rhwystro rhag trio gwneud yn union 'run fath ag o, chwaith. Mae patrwm bywyd Ronnie yn glasur o daith yr alcoholig i'w fedd. Mae'r alcoholig yn lwcus os caiff farwolaeth gynnar. Fel yna, mae'n arbed poen mawr iddo fo'i hun ac i'w anwyliaid. Ond yn rhy aml, fel yn achos Ronnie, tydi marwolaeth ddim yn dod yn ddigon buan i ddileu'r boen ddirdynnol honno. 'Radag hynny, mae'n trio lladd ei hun. Yn achos Ronnie, bu'n llwyddiannus. Mi fethais i. Dyna'r unig wahaniaeth rhyngom.

Ar y dechra, dwi'n 'i gofio fo'n ŵr ifanc, smart, yn llawn brwdfydedd a thalent. Fo o'dd yn gyfrifol am ysgrifennu sgriptiau *Ryan a Ronnie* – ei stamp o oedd arnynt. Wrth gwrs, ro'dd ganddo fo gyfraniad unigryw Ryan, wedyn, i'w addasu a'i berffeithio, ond ei gynnyrch gwreiddiol o o'dd y rhan fwyaf o'u deunydd. Ac ro'dd o'n ŵr mor amlochrog ei dalentau, hefyd. Roedd Ronnie'n gyn-fyfyriwr arall o Goleg Cerdd a Drama Raymond, a gallai actio, dynwared, canu, barddoni a bod yn ddoniol iawn. Roedd o'n gyfarwyddwr tan gamp, a gallai wneud i waith cyflwynydd ymddangos mor hawdd â deud pader. Dwi'n ei gofio fo'n gweithio yn *continuity*, stiwdio fechan yn Broadway uwchben Stiwdio Un, lle byddai'r rhaglenni'n cael eu cydlynu. Ef oedd y cyhoeddwr y diwrnod hwnnw wrth i'r rhaglen *Grandstand* gael ei darlledu'n fyw. Awn ato i ddysgu pan o'n i yn y coleg hyfforddi, ac i ryfeddu at ddawn David Coleman fel cyflwynydd. Yn *continuity* roedden ni'n medru gwrando ar yr hyn o'dd yn cael ei ddweud rhwng y cyfarwyddwr yn y stafell reoli a David Coleman ar lawr y stiwdio, wrth i'r rhaglen gael ei darlledu'n fyw. Reit aml, byddai'r cyfarwyddwr yn bloeddio gwybodaeth yn flin i'r derbynnydd bychan oedd yng nghlust David Coleman ond byddai hwnnw'n parhau i gyfarch y camera a gwenu fel petai dim byd o'i le; fydda fo'n cyffroi dim. Ond wedi iddo gyflwyno'r eitem nesaf – criced, neu rasio ceffylau – ac i'r camera dorri i Sain Helen neu Doncaster, gwae'r cyfarwyddwr wedyn! Byddai Coleman yn ei regi a'i ufferneiddio ar dop ei lais, ac yn mynd i stêm mawr wrth daflu papurau o gwmpas y stiwdio'n flin. Yn y cefndir, mi fydden ni'n clywed rhyw ysgrifenyddes yn cyfri i lawr o funud, ond roedd Coleman yn dal i floeddio ac ar gefn ei geffyl. *'Thirty seconds'* meddai'r ysgrifenyddes wedyn, a byddai Coleman erbyn hynny'n bygwth bron lladd y cyfarwyddwr anffodus oedd wedi trosglwyddo rhyw wybodaeth anghywir iddo. *'Ten, nine, eight...'* meddai'r ysgrifenyddes ond byddai Coleman yn ei hanwybyddu. *'And another thing...'*, a ffwrdd â fo ar ryw gŵyn arall, wrth i'w freichiau chwifio yn yr awyr fel melin wynt. *'Three, two, one... cue David!'* Ac, wrth gwrs, ar yr eiliad olaf, byddai David Coleman wedi rhoi gwên fawr ar ei wyneb yn lle'i wg, ac wedi rhoi'r holl anghydweld blin y tu cefn iddo wrth iddo groesawu'r gwylwyr yn gynnes yn ôl i'r rhaglen, a dechrau cyflwyno'r eitem nesaf. Weithiau ro'n i'n meddwl mai sioe oedd y cyfan, a bod David Coleman a'r cyfarwyddwr yn gwybod bod nifer o bobl fel fi a Ronnie yn eu gwylio ar hyd a lled y wlad, mewn stiwdios cyffelyb. Ond sioe neu beidio, roedd yr holl beth yn werth ei weld, ac yn addysg i rywun fel fi o'dd â'i fryd ar fynd i weithio yn Llundain lle roedd popeth i'w weld yn digwydd mor gyffrous ac mor broffesiynol.

Yr eitem nesaf ar *Grandstand* oedd rasio ceffylau o Doncaster, neu rywle, a methwyd dangos y digwyddiad hanesyddol ar faes criced Sain Helen, pan drawodd Gary Sobers bob un pêl o belawd Malcolm Nash am chwe rhediad yn ystod y gêm rhwng Swydd Nottingham a Morgannwg. Er na ddarlledwyd y gêm yn fyw, roedd camerâu'r BBC yn dal i ffilmio. Mwya sydyn, wrth i Ronnie a minna wylio'r sgrîn, digwyddodd y rhyfeddod 'ma o flaen ein llygaid. Aeth dwy ergyd gyntaf Sobers i ganol y dyrfa, y drydedd tua'r pafiliwn a'r bedwaredd dros y sgorfwrdd. Bu rhywfaint o dyndra wrth i Sobers anelu ei bumed ergyd yn syth at ddwylo'r maeswr, Roger Davies. Daliodd Davies y bêl yn ddiogel ond wrth wneud hynny, disgynnodd dros raff ffin y maes, ac ar ôl ychydig drafod cytunodd y dyfarnwr i roi'r chwech i Sobers. 'Betia i chi na fedrwch chi ddim taro hon am chwech hefyd, meddai'r wicedwr, Eifion Jones, yn gellweirus wrth Sobers. Nid atebodd y batiwr talentog o India'r Gorllewin. Yn hytrach, waldiodd yr ergyd olaf oddi wrth Nash i'r stryd y tu allan i'r maes, am chwech arall! Record byd! Welwyd erioed y ffasiwn beth o'r blaen. A dyma lle daeth gallu teledol a dyfeisgarwch Ronnie Williams i'r amlwg. O'i ben a'i bastwn ei hun, rhoddodd raglen gelfydd o hanner awr at ei gilydd yn y fan a'r lle. Cafodd ganiatâd oddi uchod i optio allan o'r rhwydwaith, ac aeth ati i drefnu pethau. Am hanner awr wedi pump, roedd y rhaglen yn cael ei darlledu'n fyw, gyda'r gwylwyr yn cael y fraint o wylio am y tro cyntaf gamp anhygoel Sobers yn gynharach yn y dydd. Ro'n i yno'n gwylio'r cyfan. Ronnie oedd yn cyflwyno, yn cyfarwyddo ac yn cynhyrchu'r cyfan; roedd hi ymhlith un o'r rhaglenni mwyaf slic i mi 'rioed ei gweld. Dyn teledu oedd Ronnie. Roedd o'n meddwl yn nhermau teledu. Ac roedd o'n deall y cyfrwng i'r dim. Anghofia i fyth y prynhawn dydd Sadwrn hwnnw, a Ronnie Williams ar ei orau.

Yn ddiweddarach y noson honno, roedd Ronnie yng nghlwb y BBC yn Newport Road, a sylwais pa mor wylaidd o'dd o ynglŷn â'r holl beth. Chymerodd o ddim clod am y rhaglen. Dwi'n cofio meddwl i mi fy hun, petawn i wedi cynhyrchu'r un rhaglen, mi fyddwn i'n clochdar am y peth i'r entrychiom nes byddai pob iâr ar y domen wedi clywed.

Y tro nesaf i mi sylwi'n benodol ar Ronnie Williams oedd pan oedden ni'n gweithio gyda'n gilydd ar gynhyrchiad o *The Government Inspector* o waith Gogol i'r BBC. Cwyno ro'dd o ar y pryd fod yr ymarferiadau'n mynd ymlaen yn rhy hwyr. Ro'dd clwb yfed y BBC yn Llandaf ar agor ers pum munud, mae'n debyg, ac ro'dd Ronnie'n sychedig. Cytunwyd i orffen ymarfer bob dydd, wedi hynny, mewn pryd i Ronnie gael mynd i'r clwb erbyn amser agor. Ond nid ei gais amhroffesiynol wnaeth i mi sylwi arno'n benodol, chwaith, ond y dull y gwnaeth o'r cais amhroffesiynol hwnnw. Roedd y gwyleidd-dra welais i ym 1968 yn dilyn camp Sobers wedi hen ddiflannu. Ac yn ei le, roedd gŵr rhodresgar, hunanbwysig oedd â pharch at neb ond y fo ei hun. Ac adnabûm rywbeth arall ynddo hefyd; roedd o, fel sy'n digwydd yn aml mewn *double acts*, yn ŵr oedd yn cael ei boeni gan genfigen.

Dros y blynyddoedd, wedyn, dilynodd y patrwm alcoholaidd arferol: mynd o un swydd i'r llall, ac o greisus i greisus, gan golli hunan-barch a pharch ei gydweithwyr a'i anwyliaid. Erbyn y diwedd, ac yntau'n fethdalwr a phrin yn gallu rhoi dau air deallus at ei gilydd, roedd o wedi cyrraedd y stad drist honno o ymennydd gwlyb lle mae'r meddwl wedi'i niweidio'n barhaol gan alcohol. Does dim ffordd yn ôl o'r fan honno. Dyna'r uffern waethaf ohonyn nhw i gyd. Fel cabaitsh, fwy neu lai, yn dda i ddim, ond gyda'r corff yn gwrthod yn lân ag ildio i farwolaeth. Dwi'n siŵr fod Ronnie yn dal i feddwl hyd y diwedd un (a dyma ddiawledigrwydd y salwch), y gallai yfed yn gall ryw ddydd. Dyhead ynfyd pob alcoholig ydy hynny! Bu farw wrth ei law ei hun, ei unig ymwared o salwch nad oedd o'n gwybod oedd arno.

Bu Ronnnie farw er mwyn i mi ac eraill gael byw. Oherwydd os bu esiampl i mi 'rioed o ba mor ddifaol yw alcoholiaeth, ac o ganlyniadau erchyll meiddio'i gymryd yn ganiataol, yna bywyd a marwolaeth Ronnie Williams yw hwnnw. Diolch iddo am f'atgoffa i bob un dydd sobr o 'mywyd i am ddichellgarwch y salwch. Heddwch i'w lwch.

Ers peth amser, ro'n i wedi bod yn chwarae hefo'r syniad o wneud ffilm ar waith fy nhad. Wn i ddim a oedd o'n ymdrech anymwybodol ar fy rhan i wneud iawn i 'nhad am yfed ac am feiddio herio'i awdurdod hefo Angela – roedd hynny'n ystyriaeth, siŵr o fod. Ond fy mhrif reswm dros wneud y ffilm, sut bynnag, oedd er mwyn rhoi cyfle i rai o 'mhenaethiaid weld be fedrwn i wneud, achos do'dd rhedeg y llawr yn Stacey Road ddim yn mynd i argyhoeddi neb o'm gallu i gyfarwyddo a dyna, wedi'r cyfan, ro'n i eisiau'i wneud ar ôl cael blas ar wylio Morrus Barry yn cyfarwyddo ar *One of the Family*. Roedd amser yn brin, sut bynnag, fel bob amser, ac ro'n i'n ddiamynedd, ac eisiau symud ymlaen i bethau uwch cyn cropian. Ro'n i'n credu'n gydwybodol erbyn hynny, gyda llaw, y byddwn i'n marw'n ifanc o gansar – tri deg fan uchaf; felly do'dd gen i ddim llawer o amsar yn weddill i wneud fy marc yn yr hen fyd 'ma. Ac ro'dd gwneud fy marc yn bwysig iawn i mi. Sut arall fedrwn i gyfiawnhau fy modolaeth? Dwedodd Garam Thomas, ffrind i mi, y byddai'n medru dod o hyd i'r offer pwrpasol: y camera, yr offer sain a'r goleuadau, o'r coleg yng Nghasnewydd. Y cwbl oedd rhaid i mi'i wneud oedd dod o hyd i stoc o ffilm 16mm ar gyfer y camera – yr eitem ddryta, bryd hynny, 'mwyn tad!

Daeth Barry Thomas, gŵr camera o Abergwaun, a'i fêt, y recordydd sain, Barry Davies, i'r adwy. Roedd Barry'n gweithio ar *Heddiw*, a phryd hynny ro'dd pob eitem y tu allan i'r stiwdio'n cael ei ffilmio; do'dd y camera fideo symudol ddim wedi'i berffeithio eto. Reit aml, ar ôl cwblhau eitem i *Heddiw*, byddai gan Barry Thomas ychydig o droedfeddi'n wast ar ddiwedd rîl o ffilm. Addawodd gadw'r rhain i mi, ac ymhen dim amser, roedd gen i ddigon o stoc i ffilmio chwartar cynta'r ffilm.

Aeth Garam a finna i'r gogledd i ffilmio, ac i'm cartref yn Gwelfor, Llanllyfni. Mi o'dd Dad ar 'i ora yn ystod y ffilmio. Adroddodd ei hanes cynnar yn Do'ddelan, ei waith yn y chwaral a'r profiadau arweiniodd ato'n cyfansoddi'r gwahanol gerddi o'i eiddo. (Mae llawer o ddeunydd y ffilm i'w weld yn ei unig lyfr barddoniaeth a gyhoeddwyd wedi'i farwolaeth, *Y Ffiol*.) Dwi'n meddwl bod Dad yn licio'r ffaith 'mod i wedi dadansoddi'i gerddi fo yn y fford y gwnes i. Yn sicr, roedd ei agwedd tuag ata i wedi i ni gwblhau'r ffilmio yn wahanol iawn i'r hyn roedd o pan ddechreuon ni. Ro'n i'n meddwl 'mod i wedi plesio 'nhad o'r diwedd. A dwi'n meddwl ei fod yntau wedi sylweddoli fod yna dipyn mwy o sylwedd i mi nag yr oedd wedi'i ddychmygu'n wreiddiol.

Ro'dd ffilmio'r *Machlud* (dyna deitl y ffilm – yn deillio o un o'r prif gerddi) yn drobwynt yn y berthynas rhwng Dad a fi. Dim ond wedi hynny y dechreuon ni agosáu at ein gilydd fel tad a mab. Cyn hynny, roeddwn i ofn fy nhad – rhyw barchedig ofn – ac ro'dd y berthynas yn un bell, oeraidd braidd, heb fawr o sgwrsio rhyngom. Wedi hynny, mi ddechreuon ni rannu llawer mwy am ein gilydd, ac wrth ein gilydd. Daeth 'nhad i barchu fy marn ar bethau, ac roedd siomedigaethau fy methiannau cynnar i yn yr ysgol i'w gweld yn poeni llai arno. Cyfansoddodd englyn i mi:

Danfon i'r llanc dy wynfyd – hedd y doeth,
O Dduw da, ac iechyd,
Maddau feiau ei fywyd,
Arwain ef i'r iawn o hyd.

Ar y pryd, do'dd gan yr un o ddyheadau 'nhad i mi yn yr englyn y gobaith lleiaf o ddod yn wir. I mi, er ei fod o'n englyn penigamp, ro'dd o'n un o'r englynion hynny o'dd yn bras ffitio pob achlysur – ond heb ffitio yr un ohonyn nhw'n iawn. Yn ddiarwybod i mi, sut bynnag, ro'dd fy nhad, yn glyfar iawn, wedi gosod nodau pendant i mi i'r dyfodol. Nodau y byddwn i'n dechrau ymgyrraedd atynt flynyddoedd yn ddiweddarach ym 1992.

Pan lwyddis i yn y cwrs coleg a'm cymhwyso'n athro ym 1969, fe sgwennodd fy nhad lythyr caredig, cariadus iawn ata i gan ddymuno'n dda i mi, a dweud y gallwn i wneud unrhyw beth y dymunwn wneud gyda'm bywyd o hynny 'mlaen. Yr unig anhawster oedd 'mod i'n gwbod yn iawn ym mêr fy esgyrn nad o'dd hynny'n bosib. Ymhell o fod yn rhydd i wneud unrhyw beth y dymunwn ei wneud hefo mywyd, ro'n i'n mynd yn fwy caeth i gemegolion yn ddyddiol, ac i batrymau byw y byddai ef yn ei ffieiddio pe gwyddai amdanyn nhw. Ac ro'dd hynny'n fwrn arna i hefyd. Ro'dd gen i ofn am fy mywyd y byddai 'nhad yn dod i wybod am yr hyn sydd yn y llyfr yma.

Ni orffennwyd y ffilm! Mae'r hyn a wnaethpwyd ohoni, diolch i Arwel, yn y Llyfrgell Genedlaethol yn Aberystwyth ar gof a chadw, ac wedi'i diogelu rhag i safon y print ddirywio'n waeth. Ond felly roeddwn i, bryd hynny – yn barod, yn frwd ac yn eiddgar i ddechrau ar unrhyw brosiect. Ond cyn cyrraedd y tro cynta'n y ras, byddwn wedi diffygio, a'r brwdfrydedd wedi mynd yn ffliwt. Doedd dyfalbarhad ddim yn rhinwedd ynddo' i.

Yng Nghaerdydd, roedd petha wedi mynd i'r eithaf. Byddai Arwel yn holi'n aml pan welai fi'n ymlwybro'n feddw tuag adra, neu'n baglu dros y cadeiria yng Nghlwb y BBC, 'Pam wyt ti'n yfed cymaint, Wyn?' Heb ateb, meddyliwn mai dyna o'dd pobol yn ei wneud – ro'dd pawb yn yfed. Y gwir, wrth gwrs, o'dd mai dim ond fi a'm tebyg o'dd yn yfed i eithafion. Ro'dd pobol yn siarad amdana i, ac yn cyfeirio at fy ngoryfed, gan wneud jôc o'r peth. Ond ro'dd o'n brifo – gweld y'ch hun yn ymddwyn yn groes i'r graen ac i bob safon moesol a chymdeithasol, a heb fedru gwneud y lleiaf peth i rwystro'ch hun rhag gwneud hynny. Ymunwn innau yn y jôc, hefyd, gan gymryd yr holl beth yn ysgafn – hogyn yn ffeindio'i draed o'n i, yn ca'l amsar da, hwyl diniwed, ac yn y blaen. Ond nid jôc mohono yn y bôn – nid pan 'dach chi'n poetshio'ch trowsus, ddim yn cofio chwydu i mewn i gyri poeth, ac yn gwlychu dillada'ch gwely.

'Gwneud daearyddol' ma' nhw'n ei alw fo, '*doing a geographical*' ys dywed y Sais! Roedd hi'n amsar i minna ddiflannu o Gaerdydd, diflannu rhag y gwawdwyr hy oedd yn gwneud hwyl ar ben fy medd-dod, a rhag yr enw drwg ro'n i'n prysur ennill i mi'n hun. Os awn i i rywle arall, ymhell i ffwrdd, mi gawn i ddechra o'r dechra eto ond, y tro yma, mi wnawn i bethau'n iawn. Wnawn i ddim gwneud yr un camgymeriada, na chymysgu gyda'r un math o bobol y tro nesa. Byddai pethau'n wahanol yn fy nghartref newydd, lle bynnag y byddai hynny. Mae pob alcoholig yn gwneud hyn – rhedeg i ffwrdd oddi wrth ei broblemau. Roedd gen i ffrind o'r enw Bryn, ac aeth i dri deg a thri o wahanol wledydd mewn pum mlynedd i drio rhedeg i ffwrdd oddi wrth ei broblemau. Yr unig drafferth, wrth gwrs, oedd bod Bryn yn mynd â fo'i hun hefo fo bob tro – a fo'i hun oedd y broblem!

Ro'n i wedi rhoi fy mryd ar fynd i weithio yn Llundain hefo'r BBC – ro'n i'n mynd i goncro'r byd go iawn tro 'ma! Ond gwrthodwyd pob cais, ac mi ddois i i'r casgliad trist na fyddai'r diawled ddim yn adnabod talent tasa fo'n neidio i fyny a'u brathu nhw ar eu trwynau! Yr un ffug-falchder oedd i 'mherswadio i i edrych am waredigaeth y tu allan i'r gorfforaeth!

Gweithio ar ryw raglen Saesneg o'n i ar y pryd, ac roedd hi'n ras wyllt, fel mae hi bob amser yn ystod rhaglen fyw. Yn sydyn, baglodd y gŵr camera 'ma ar fy nhraws wrth ruthro hefo'i gamera o un rhan o'r stiwdio i'r llall, '*Get out of my bloody way!*' medda fo'n flin, gan ychwanegu o dan ei wynt, '*You're only in this job because of your family connections, anyway!*' Petawn i wedi ymbwyllo 'chydig, a meddwl yn gall, mi fyddwn i wedi sylweddoli'n syth nad oedd gan fy '*family connections*' i ddim oll i'w wneud â'm swydd i yn y BBC. Doedd gan fy nhad ddim unrhyw fath o ddylanwad yng nghoridorau pŵer Llandaf. Yn wir, dwi'n amau a oedd llawer o'r penaethiaid wedi clywed amdano, hyd yn oed. Ond roedd yr honiad gan y gŵr camera wedi fy mrifo. Roedd rhywun yn clywed o hyd, bryd hynny, mai '*jobs for the boys*' oedd hi hefo'r BBC. Wel, nid hefo fi! A châi'r diawl bach yma ddim sarnu penodiad, ro'n i'n deimlo, oedd wedi'i haeddu, ac wedi'i ennill drwy broses agored a theg. 'Mi ddangosa i iddo fo!' meddyliais. Mae pob alcoholig wedi dweud hynny yn ei ddydd, coeliwch chi fi! Dyna pryd mae rheswm a synnwyr yn gadael ei gorpws o, fel rheol, ac mae'r alcoholig, druan, ar drugaredd ei ewyllys hunanol, dinistriol ei hun, wedyn.

Ro'n i y math o blentyn fyddai'n cyfaddef mewn dosbarth i drosedd nad o'n i wedi'i chyflawni! Os byddai athro yn dod i mewn i'r dosbarth a chyhuddo rhywun o ddwyn, gan ofyn i'r dihiryn gyfaddef a sefyll ar ei draed, mi fyddwn i'n teimlo mor annifyr fel y byddai'n rhaid i mi sefyll – os na fyddai rhywun arall wedi cyfaddef yn gyntaf – a chymryd y bai fy hun. Felly gyda honiad y gŵr camera. Gan nad oedd o'n wir, dylwn fod wedi'i anwybyddu. Ond na, yn fy meddwl alcoholaidd i, rhoddais ddehongliad gwahanol ar bethau, a'i droi â'i ben i waered: mwya sydyn, roedd yr honiad yn wir! Ar sail y dehongliad anghywir hwnnw mi wnes i drio am ysgoloriaeth gan Gyngor Celfyddydau Cymru i'm hyfforddi'n gyfarwyddwr theatr yn y Midlands Arts Centre, Cannon Hill Park, yn Birmingham, ac yn Theatr y Northcotte, yn Exeter! Siawns y byddai'r gŵr camera'n medru gweld wedyn – mai gallu ac nid *family connections* oedd yn fy ngyrru i!

Roedd gen i hawl i gymryd blwyddyn sabothol meddai fy mhennaeth, Ken Hawkins, ond ddiwrnod union cyn i mi adael Caerdydd i ddechrau gweithio gyda'r cyfarwyddwr theatr, Phylip Hedley, yn Birmingham, cefais alwad ffôn i fynd i weld Ken Hawkins yn ei swyddfa. Roedd o wedi gwneud camgymeriad, mae'n debyg. Dim ond gan aelodau o staff graddfeydd P.A. (Production Assistant, sef y cyfarwyddwyr) i fyny roedd yr hawl i gymryd blwyddyn sabothol. Cefais ddewis ganddo: i anghofio am yr ysgoloriaeth ac aros hefo'r BBC, neu ymddiswyddo o'r BBC. Heb betruso dim – oherwydd ffug-falchder oedd yn rheoli erbyn hynny – ymddiswyddais yn y fan a'r lle.

Un peth sy'n sicr, oni bai 'mod i wedi gadael pan wnes i, mi fyddwn i wedi troi allan i fod yn un ystadegyn trist arall ar restr rhy faith o lawer o aelodau staff y BBC sydd wedi marw o alcoholiaeth.

Roedd rhywun, mae'n amlwg, yn edrych ar fy ôl i.

GWNEUD ENW I MI FY HUN AC YNA MARW'N 30 OED!
(1971–1984)

Wedi i mi sicrhau gwasanaeth meddyg lleol fyddai'n fodlon rhoi presgripsiwn tawelyddion i mi, cefais ystafell laith i aros ynddi ym Moseley, ardal dlotaf Birmingham. Ro'n i'n byw yn y stryd nesaf i ardal y puteiniaid ar y chwith i mi, ac ardal dlawd y bobol dduon a'r Caribïaid, ar y dde. Do'n i ddim yn rhagfarnllyd mewn unrhyw ffordd, ond i rywun o Lanllyfni yn Nyffryn Nantlle, roedd y gwahaniaeth mewn diwylliant yn ddigon i ddychryn a syfrdanu dyn. Fy rheswm dros aros yno, wrth gwrs, oedd y rhent isel; dim ond ychydig gannoedd o bunnoedd o'dd gwerth yr ysgoloriaeth i dreulio naw mis yn Birmingham a thri mis yn Exeter, a byddai'n rhaid i mi fod yn ofalus o 'mhres os oeddwn i oroesi yn y ddwy ddinas fawr. Ac ystafell wael ges i ym Moseley, hefyd – roedd y gwlybaniaeth yn llifo'n stribedi o afonydd bach gwyrdd i lawr y waliau oedd wedi llwydo, ac oni bai am dân nwy bychan yn y gornel, a charthen fawr drwchus ro'dd Mam wedi'i gwneud i mi, byddwn i wedi rhynnu i farwolaeth, neu farw o'r niwmonia.

Unigrwydd o'dd y peth gwaetha un am fy nghyfnod i yn Birmingham. Byddwn yn crio fy hun i gysgu bob nos yn difaru gwneud be wnes i mor fyrbwyll, yn gadael y BBC. Do'dd gen i fawr ddim ffrindia – ac eithrio'r ychydig yn y capel Cymraeg. (Ro'dd hi'n bwysig mynd i fan'no er mwyn cadw'r ochr ragrithiol ohona i'n byrlymu!) Arferwn fynychu'r tafarndai lleol i chwilio am gwmni, ond ymosododd criw o lanciau lleol arnaf, un noson, gan ddwyn fy waled a thorri 'nhrwyn. Yn y theatr, y diwrnod canlynol – hefo'n wyneb wedi chwyddo ac yn ddu-las – dwedais 'mod i wedi baglu ar y palmant. Pam na fedrwn i ddeud y gwir, wn i ddim. Efallai oherwydd y byddai wedi golygu gorfod cyfaddef 'mod i'n feddw ar y pryd, neu heb gwmni, ac yn byw yn y ffasiwn hofel o le. Fedrwn i ddim caniatáu i neb weld yr ochr fregus ohona i, 'dach chi'n gweld. Gwisgwn fwgwd am fy wyneb rhag i hynny ddigwydd – nid yn llythrennol – ond roedd gen i wedd wahanol ar gyfer pawb, ac ymarweddiad gwahanol: dibynnu pwy o'dd yn siarad hefo fi, a'u pwysigrwydd a'u defnyddioldeb i mi.

Yn y gwaith ro'n i'n ansicr ac yn ofnus. Teimlwn nad o'n i'n deilwng o gael bod yno. Gwyddwn, yn groes i'r gwir, mai trwy ddichell yr o'n i wedi sicrhau'r nawdd yn y lle cynta. Creu argraff dda ar y panelwyr o'dd yn cyf-weld wnes i, yn ôl fy arfer; gwyddwn fod y sylwedd, tasen nhw ond wedi holi'n ddyfnach, yn ddiffygiol. Dwedodd y prifathro hynny wrtha i – 'mod i'n ddiffygiol a ddim yn haeddu llwyddo – a 'nhad, wedyn, wrth i mi'i siomi mor aml, a'r ddynes gas honno yn y rihyrsal yn Llansannan yr holl flynyddoedd hynny'n ôl. Ac ro'dd yr hen ddraig gyfarwydd yn ategu popeth ac yn effro bob dydd a thrwy'r nos hir, pan na fedrwn i gysgu, ac yn hisian ei negyddiaeth: 'Ti'n dda i ddim, ti'm yn haeddu llwyddo, ti'n ddiffygiol fel person!' Ro'dd arna i ofn i Philip Hedley, y cyfarwyddwr, ddarganfod hyn amdana i – nad o'n i'r hyn ro'n i'n 'neud allan i fod a 'mod i yno trwy dwyll.

Ro'dd yna nifer o actorion arbennig yn y Midlands Arts Centre ar y pryd, ond fi o'dd yr actor gora ohonyn nhw i gyd. Oherwydd ro'dd yn rhaid i mi guddio'r holl amheuon hyn y tu ôl i fwgwd o broffesiynoldeb a brwdfrydedd, a rhoi'r argraff – yn llwyddiannus gan amlaf – 'mod i'n bopeth nad o'n i ddim.

'Radag honno, ro'dd y system Rep yn boblogaidd iawn yn y theatrau ar hyd a lled Lloegr. Byddai actorion yn ca'l eu clyweliad ar ddechrau'r tymor, a byddent yn aros gyda'r cwmni wedyn am ryw naw mis o'r flwyddyn. Yn ystod yr amser yna, byddai'r actor yn cael cyfle i ddatblygu'i ddawn a chwarae pob math o wahanol gymeriadau. Roedd gan y gwahanol gyfarwyddwyr rinweddau amlwg, hefyd, a byddai'r actorion yn dewis gweithio gyda Philip Hedley yn y Midland Arts Centre, yn Birmingham, er enghraifft, oherwydd bod ei ddull o gyfarwyddo – y dull democratig, Joan Littlewoodaidd – yn apelio atynt, ac yn eu gorfodi i ddatblygu sgiliau amgenach na'r arfer. Wedyn, byddai'r un actorion yn symud i'r Northcotte Theatre yn Exeter, dyweder, oherwydd bod gwaith Jane Howel yno ar raddfa ehangach, gyda chast mawr a chyllid mwy, a gwell gobaith o gael eu gweld gan y prif adolygwyr o Lundain – fyddai'n arwain at waith y tu allan i'r system Rep, o bosib, ac at enwogrwydd, pwy a ŵyr.

Ac ro'dd amryw o sêr y dyfodol yno yr un pryd â mi: Robert Lindsey, sy'n enwog am ei ran yn *Hornblower* gyda Ioan Gruffydd (a hen foi iawn o'dd o, hefyd), Bob Peck, chwaraeodd y brif ran yn y gyfres gwlt, *Edge of Darkness*, Linda Bellingham, sef y fam yn yr hysbysebion Oxo, a Roy Marsden, y ditectif Adam Dalgliesh yng nghyfresi teledu poblogaidd P. D. James, i enwi ond rhai. Ond ro'dd un arall yno, hefyd, mwy talentog na'r lleill i gyd: Rhys McConnerchie, os cofia i'n iawn. Ro'dd o ben ac ysgwydd yn well na'r lleill. Welais i ddim byd tebyg iddo fel actor, ac eto, wedi i mi adael y Midlands Arts Centre, chlywais i ddim sôn amdano wedyn. Ro'dd un tebyg iddo yn y Coleg Cerdd a Drama yng Nghaerdydd yr un pryd â mi – actor o Wyddel o'r enw Fred Taggart. Ro'dd ganddo'r llais mwyaf melfedaidd yn bod ac ro'dd o'n actor tan gamp. Ond wedi cwblhau'r cwrs, diflannodd yntau, a tydw i ddim wedi clywed na siw na miw amdano fo ers hynny. Mae mwy i lwyddo yn y busnes actio 'ma na jest meddu ar dalent, mae'n amlwg.

Mae cyfarwyddo yr un fath; mae'n rhaid wrth ymroddiad, brwdfrydedd a disgyblaeth ar ben y dalent gynhenid, ac oriau maith o waith caled, wedyn, os am obeithio llwyddo. Ond pan mae'ch meddwl chi yn y dafarn agosaf ac ar y ddiod nesaf, mae'n anodd goblyn canolbwyntio ar yr anghenion hyn. Eto, mi wnes i 'ngorau, a dysgu llawer oddi wrth Philip Hedley, o'dd yn gr'adur hynod ac yn un hawdd iawn gwneud ag o. Mae yntau, erbyn hyn, yn enw mawr ym myd y theatr yn Lloegr ac yn gyfarwyddwr artistig ar y Theatre Royal, Stratford.

Yn ystod yr wythdegau, gwelais Philip ar y stryd yn Rhydychen. Erbyn hynny, ro'dd pethau wedi dirywio'n arw.

Newydd ddod allan o sinema o'n i – wedi mynd yno i drio sobri ar ôl yfed fodca yn y bore. Ro'n i'n dal yn feddw, ac yn teimlo gormod o gywilydd i stopio i siarad hefo fo. Yn lle hynny, edrychais drwyddo, yn y gobaith y byddai'n meddwl iddo weld rhywun oedd yn reit debyg i mi, ond nad fi oeddwn i. Mi weithiodd! Wedi edrych arna i'n syn, mi drodd ei gefn arna i a cherdded i ffwrdd. Flynyddoedd yn ddiweddarach, a minnau'n aelod o ryw bwyllgor Equity yn Llundain, gwelais ef drachefn. Erbyn hynny, ro'dd gen i'r gwrhydri i siarad hefo fo, ac i ymddiheuro iddo am fy ymddygiad y diwrnod hwnnw yn Rhydychen. Dwn i ddim a oedd o'n deall, nac yn derbyn fy ymddiheuriad i. Nid dyna oedd yn bwysig. Y ffaith i mi ymddiheuro, dyna oedd yn bwysig, bod y weithred wedi'i gwneud, a bod fy ochr i o'r stryd wedi'i glanhau. Yn y gweithredu mae'r gwella.

Mae 'na duedd yndda i, weithia, i roi fy hun i lawr yn ormodol. Wrth geisio disgrifio'r salwch ichi, mae peryg i mi gyfleu'r syniad 'mod i'n ddiffygiol ym mhopeth ro'n i'n drio'i wneud. Ddim o'r fath beth! Ro'dd alcohol wedi'n rhyddhau i o'r holl rwystredigaethau o'dd yn fy nal i'n ôl, ac ro'dd o'n dal i weithio i mi – ddim i'r un graddau ag o'r blaen – ond ro'dd o'n dal i weithio i mi. Mae'r alcoholig, fel rheol, yn berson talentog, galluog iawn – mae gofyn iddo fod, er mwyn ennill arian i fwydo'r ddraig sychedig! A dyma sy'n baradocsaidd. Ar y dechrau mae'r ddiod yn hyrwyddo'r alcoholig, ac yn ei helpu i gyflawni pethau'n well. Dyna sut mae'n caethiwo – drwy addo cymaint a chyflawni mwy. Mae o fel ffrind da sydd, yn sydyn, yn troi'i gefn arnoch chi, a'ch bradychu yn y modd mwya ffiaidd, dan din. Yn y cyfnod yma, sut bynnag, ro'dd alcohol yn dal yn ffrind da i mi. Ro'dd o'n dal i roi'r 'Wow!' hollbwysig hwnnw yn fy enaid i. Ac fel cyfarwyddwr dan hyfforddiant, felly, mi flodeuis i ar yr wyneb; er bod yr ofnau a'r amheuon yn crynhoi'n fygythiol oddi tanodd. Peidio rhoi clust iddyn nhw o'dd y gyfrinach. Tyllu fy hun yn ddyfnach i ymwadiaeth.

Darparu ar gyfer plant a phobol ifanc o'dd gwaith y Midlands Arts Centre. Fe'i sefydlwyd o gynta gan John English a'i wraig,

Molly Randele, oedd yn ffrindiau mynwesol i Raymond Edwards, ac yn ddau o garedigion mawr y theatr yn Lloegr. Raymond, mewn gwirionedd, gysylltodd gynta gyda nhw ar fy rhan, a threfnu 'mod i'n cael mynd yno am gyfweliad. Dysgais lawer am y ddarpariaeth y dylid ei chynnig i blant a phobl ifanc; yn bwysicach, dysgais beth na ddylid ei gynnig. Gwaith newydd wedi'i gomisiynu'n arbennig ar gyfer y cwmni fyddai'n cael ei gynhyrchu yno, a dysgais hyn o wylio'r llwyddiannau a'r methiannau: bod rhai pobol yn gallu sgwennu ar gyfer plant, bod y gallu rhyfedd hwnnw ganddynt i fynd i mewn i'w byd nhw a siarad yr un iaith â nhw, a bod eraill, y mwyafrif, yn methu gwneud hynny. A tydi o ddim yn rhwbath y medrwch chi'i ddysgu i rywun, chwaith, mewn dosbarthiadau nos neu gwrs sgwennu. Mae o un ai gynnoch chi, neu tydi o ddim. Dyna'r peth mwyaf un ddysgais i yn Birmingham, sef bod y gallu hwnnw i fynd i mewn i fyd plant a'i feddiannu'n gyfan gwbl, gen i.

Mewn rhyw barti diwedd cynhyrchiad yn y theatr, un noson, mi wnes i gyfarfod â merch ifanc, a daethom yn dipyn mwy na ffrindiau – er mai platonig o'dd y berthynas. Ro'dd gan Jemma gartref yn un o ardaloedd mwyaf cyfoethog y ddinas. Dyn hel sgrap o'dd 'i thad ac er ei fod yn anllythrennog, ro'dd o'n filiwnydd sawl gwaith drosodd, ac ro'dd o eisiau adeiladu llyfrgell grand fel estyniad i'w ystafell filiards yn y llofft.

Ar y pryd roedd 'nhad wedi bod yn tacluso'i stydi, ac wedi bod yn rhoi trefn ar ei fusnes. Wrth edrych yn ôl, dwi'n medru gweld rŵan mai paratoi ar gyfer ei farwolaeth roedd o. Mae dyn yn gwneud hynny'n reddfol, weithiau, heb yn wybod iddo'i hun. Ac ro'dd ganddo focseidia o hen lyfra, yn esboniada o oes y blaidd, ac yn hunangofianna mwy diflas na'r llyfr hwn, hyd yn oed!

A fyddai gan dad Jemma wrthwynebiad i lenwi'i lyfrgell â llyfrau Cymraeg, tybed? Ddim o gwbl meddai hwnnw. Sioe oedd y cyfan. Do'dd ganddo ddim bwriad i ddysgu darllen yn ei oed o. Cyn belled â bod y llyfrau'n edrych yn dda ar y tu allan, dyna'r cwbwl o'dd yn bwysig iddo fo!

Doedd gen inna ddim bwriad i ddyweddïo hefo Jemma, chwaith. Ond dyna be ddigwyddodd, yn dilyn parti gwyllt, un noson, hefo cyfarwyddwr gwallgo *Monty Python's Flying Circus*, yng nglwb y BBC yn Birmingham. Ar y pryd ro'dd o'n swnio'n syniad da. Jemma o'dd yn awyddus i ga'l gneud, am ryw reswm, ac ro'n i yn y busnes o blesio – yn enwedig pan o'n i'n feddw! Bora wedyn, wrth gwrs, ro'dd o'r syniad mwyaf gwallgo dan haul. Beth ddwedai Mam a Dad? 'Radag honno ro'dd mwy o bwyslais yn ca'l ei roi ar ddyweddïad na heddiw, gyda'r ddau deulu'n dathlu, a rhoi cyhoeddiad yn y papurau newydd, a chyflwyno anrhegion at y *bottom drawer* i'r pâr hapus. Roedd o'n gam pwysig iawn ar daith bywyd, ac nid yn rhwbath i'w gymryd yn ysgafn fel hyn. Ces i sioc arall: ro'dd Jemma eisiau cyfarfod fy rhieni! Duw a'm gwaredo! Byddai Mam wedi ca'l cathod bach o'i gweld. Dowch i mi ddeud o fel hyn: ro'dd Jemma'n blentyn y chwedegau, a fydda hi ddim wedi gweddu i weithio yn nhafarn y Vic, heb sôn am fod yn ferch-yng-nghyfraith i weinidog parchus Salem. Byddai'i hiaith a'i hedrychiad wedi gweddu'n well, yn hytrach, i un o glybiau nos amheus Soho! Ond fedrwn i ddim deud 'na' wrthi am ryw reswm, na thynnu allan o'r cytundeb gwallgo. Ro'n i'n ca'l fy sgubo i ffwrdd gan amgylchiada, ac ar drugaredd Jemma a'i thad wrth iddyn nhw gynllunio'n agored ar gyfer y briodas grandia welodd Birmingham erioed! Byddai'n rhaid i mi ddianc. Yr ofn penna, yn y cyfamser, o'dd i dad Jemma sôn rhywbeth am y 'dyweddïad' wrth fy nhad i, wrth i'r ddau fargeinio dros bris y llyfrau i'w lyfrgell felltith. Pe digwyddai hynny, barnais, fe laddwn fy hun yn hytrach na wynebu'r canlyniadau!

Digwyddodd dau beth i'm hachub. Wrth adrodd fy stori drist yng nghlwb y BBC yn Birmingham un noson, cefais gynnig lloches rhag Jemma gan Islwyn Maelor Evans a'i wraig, Jean, yn eu cartref nhw ar gyrion y dref. Yn ail, derbyniais wahoddiad gan Wilbert Lloyd Roberts i gyfarwyddo'r ddrama gomisiwn yn Eisteddfod Genedlaethol Bangor a'r Cylch!

Roedd Islwyn Maelor Evans a'i wraig yn gweithio yn y BBC

yn Birmingham. Gwelwn hwy pan awn i wylio *Fo a Fe* yn cael ei recordio yn y stiwdio bob wythnos. (O fan'na dwi'n siŵr y deilliodd cân y Tebot Piws, 'Dwi ddim ishio mynd i Birminghaem'! Ro'dd pawb yn casáu teithio yno o Gaerdydd bob wythnos.) A phan gynigiodd Islwyn a Jean le i mi aros yn eu cartref, atebwyd dwy weddi yr un pryd: un i ga'l gadael ardal Moseley a'i lleithder unig, a'r llall: i ga'l dianc rhag Jemma – unwaith y byddwn i wedi ca'l y gwrhydri i dynnu allan o'r dyweddïad ffôl.

Roedd Islwyn a Jean yn gymeriadau egsentrig a dweud y lleia! Welis i'r ffasiwn beth na chynt na chwedyn, na'r ffasiwn berthynas ag oedd rhyngddynt, chwaith! Ond o'r holl bobol, nhw oedd y ffeindia'n fyw. A chefais, yn fy arhosiad byr hefo nhw, deimlo peth o wres a rhin y croeso Cymreig go-iawn. O'r diwedd ro'dd gen i ffrindia yn y ddinas fawr ddrwg – a'r fath ffrindia, hefyd!

Yn y trên ar y ffordd i Fangor, ro'n i'n edrych ymlaen yn eiddgar at gael cyfarwyddo'r ddrama gomisiwn, *Rhyfedd y'n Gwnaed* gan John Gwilym Jones. Dyma 'nghyfle i o'r diwedd, ac ro'n i'n awchu'r siawns i gael chwarae fy rhan yn natblygiad pellach Cwmni Theatr Cymru, a chydweithio gydag un o'm harwyr i, Wilbert Lloyd Roberts. Ro'n i wedi aros yn hir am y cyfle, ac ro'n i'n barod amdano. Onid dyma, wedi'r cyfan, oedd pwrpas mynd i'r Coleg Drama yn y lle cyntaf? Ac onid yr union wahoddiad hwn fyddai'n rhoi'r cyfle i mi gladdu'r gorffennol drwg a dechrau o'r dechrau ar ddalen newydd, gyffrous yn fy hanes? Un peth oedd yn sicr, fedrwn i ddim parhau i yfed fel yr oeddwn i'n 'neud. Byddai'n rhaid i mi reoli'r yfed o hynny 'mlaen, a pheidio gadael i neb weld nac amau dim 'mod i'n yfed, chwaith. Efallai y rhown y gorau i'r ddiod yn gyfan gwbl am sbel, meddyliais. Byddai hynny'n rhoi cyfle i'm stumog ddod ati'i hun yn ogystal. *'Bangor, here I come!'* Ac ro'n i'n aros gartra, hefyd, hefo Mam a Dad. Dyna'r hufen! Y mab afradlon yn dychwelyd yn fuddugoliaethus o'r wlad bell. Ac yn gyfarwyddwr gwadd ar y ddrama gomisiwn, dim llai!

Cyn cau'n llygaid tua ochr Crewe diolchais 'mod i wedi

medru osgoi crafangau Jemma, hefyd. Nid y fi ddudodd wrthi, chwaith – fedrwn i ddim deud 'na' wrthi. Mae alcoholics yn methu deud 'na' wrth neb! Jemma galliodd yn sydyn a sylweddoli beth o'dd hi'n mynd i'w gael yn ŵr, ma'n siŵr. Hi dorrodd y dyweddïad!

Roedd gweithio ar y dramâu yn brofiad cymysg. Dysgais lawer – yn sicr am sut i beidio trin un actor. Roedd Frank Lincoln a Gaynor Morgan-Rees yn wych, ac *Un Briodas* o'dd y ddrama ora a'r cynhyrchiad gora o'r tair drama fer yn *Rhyfedd y'n Gwnaed*. Ro'n i'n flin iawn, sut bynnag, fod cynhyrchydd o'r BBC wedi recordio'r actorion un penwythnos a darlledu'r ddrama fel ei chynhyrchiad hi ei hun. Roedd hynny'n rhywbeth o'dd i ddigwydd i mi'n aml dros y blynyddoedd. Byddwn i wedi treulio wythnosau yn dadansoddi drama mewn dyfnder, ac yna byddai'r cynhyrchydd 'ma o'r BBC yn dod a benthyca'r cyfan a'i hawlio fel ei chynhyrchiad hi ei hun.

Dwy Stafell o'dd yr ail ddrama, gydag Alun Ffred Jones, Dewi Jones, Siân Miarcznska ac Enid Parry yn y cast. Myfyrwyr o Adran Gymraeg Prifysgol Bangor oedd y rhain, ac ro'n nhw yno oherwydd bod John Gwilym wedi mynnu'u cynnwys yn y cynhyrchiad – nhw, wedi'r cyfan, oedd hufen ei gwmni drama yn y coleg. Gwyddwn, ar y pryd, fod nifer o actorion proffesiynol yn genfigennus iawn fod myfyrwyr yn cael chwarae'r prif rannau yn y ddrama gomisiwn, a do'dd gen i ddim amheuaeth y byddai'r cynhyrchiad wedi bod yn un gwahanol o ddefnyddio actorion mwy profiadol. Ond ro'dd John Gwilym Jones wedi mynnu, a dyna ddiwedd ar y mater! Nid bychanu cyfraniad y myfyrwyr ydy dweud hyn, sut bynnag. I'r gwrthwyneb, rhoesant berfformiadau ardderchog yn ystod wythnos yr Eisteddfod, ac aethant ymlaen, wedyn, ar ôl gadael y coleg, i gyfrannu'n sylweddol i fyd y ddrama Gymraeg – Alun Ffred Jones, yn arbennig, fel un o'r cyfarwyddwyr a'r cynhyrchwyr mwyaf dylanwadol yn hanes datblygiad cynnar S4C, a chyd-grëwr y campwaith *C'mon Midffîld*, wrth gwrs.

Ches i fawr o drafferth yn gweithio hefo John Gwil ar y cyfan, er y byddai wedi hoffi cynhyrchu'r sioe ei hun, hefyd – gwnaeth

125

hynny'n amlwg! Os byddai'n anghydweld â rhyw ddehongliad arbennig, sut bynnag, derbyn galwad ffôn oddi wrth y Dr Tom Parry fyddwn i. Am ryw reswm, Tom Parry, Cadeirydd Cwmni Theatr Cymru ar y pryd a chyn-Brifathro Prifysgol Cymru, Aberystwyth, fyddai'n trosglwyddo'r neges. 'Gwranda, Wynford, ma' gen i ofn bod John yn anghydweld â dy ddehongliad di ar dudalen dau ddeg pump o *Dwy Stafell*; roedd o ar y ffôn funudau'n ôl . . .' Ro'dd y ddau'n gyfeillion mawr, wrth gwrs, ond ro'n i'n ca'l y teimlad, weithiau, y byddai Tom Parry wedi bod yn hapusach petai John Gwil wedi medru rhoi'r neges ei hun. Ein dulliau o gyfarwyddo oedd mor wahanol am wn i – dyna o'dd asgwrn y gynnen. Ro'dd John Gwil yn hoffi 'perfformio' i'w actorion. 'Fel hyn yli, boi bach . . .!' Yna, byddai'n dangos i'r actor sut oedd siarad a symud, gan ddisgwyl i hwnnw'i efelychu. Y dull 'democrataidd' o gyfarwyddo a ddefnyddiwn i. Cael yr actor i ddarganfod drosto'i hun y gwirionedd a'r gerddoriaeth yn y darn oedd y flaenoriaeth gen i. Fyddwn i ddim, hyd yn oed, yn trafferthu dweud wrth yr actorion lle i sefyll ar y llwyfan, gan wybod y byddai hynny'n dod yn naturiol wedi i'r cymeriadau a'r dehongliad cywir gael eu darganfod. Mae hyn yn gofyn am ffydd ac ymddiriedaeth ar y ddwy ochr.

Sut bynnag, yn achos Dylan Jones, un o'r actorion yn y drydedd ddrama, *Tri Chyfaill*, do'dd hynny ddim i'w gael. Cerddodd Dylan allan droeon yn ystod yr ymarferiadau, ac amharodd hynny gryn dipyn ar fy mwyniant i o'r cyfnod paratoi. Gwyddwn 'mod i ar dir ansad drwy'r amser; ro'dd fy salwch i'n dweud hynny wrtha i. Roedd wedi'i wreiddio mewn negyddiaeth ac yn mynnu dweud wrtha i nad o'n i'n haeddu llwyddo. Roedd ymateb Dylan yn cadarnhau hynny, ac yn creu tensiwn mawr y tu mewn i mi wrth i mi geisio ymgodymu hefo fo yn cwestiynu ac yn herio pob dim. Ansicrwydd o'dd yn gyfrifol – ar y ddwy ochr. Mae ansicrwydd mewn actor yn ddifaol iddo fo'i hun ac i bawb arall sy'n ceisio gweithio gydag o ac, wrth gwrs, mae'n tanseilio holl hygrededd y cynhyrchiad. Yn fy achos i, fe yrrodd yr ansicrwydd fi i chwilio am solas yn y dafarn agosaf – er gwaetha 'mhenderfyniad ar y trên. Yn fuan wedyn gadawodd Dylan y theatr a'r proffesiwn a mynd i ddysgu. Am flynyddoedd wedyn beiwn fy hun am hynny; teimlwn mai fi oedd wedi'i ddadrithio. Erbyn hyn, wrth gwrs, rwy'n gwybod yn well; nid fy nghyfrifoldeb i yw teimladau na phenderfyniadau neb arall.

Gyda Dylan yng nghast y ddrama *Tri Chyfaill*, roedd Trefor Selway a Gray Evans, dau y mae gen i'r parch mwyaf tuag atynt, a dau sy'n parhau i gydweithio gyda mi heddiw. Lle bydden ni heb wasanaeth pobol fel hyn, wn i ddim; mae'u hymroddiad nhw i'r ddrama Gymraeg wedi bod yn aberthol.

Roedd rhan Wilbert Lloyd Roberts yn hyn i gyd yn allweddol, wrth gwrs. Ro'dd Wilbert yn ddyn doeth anghyffredin yn ei ymwneud â phobol. Gallai dynnu'r colyn allan o unrhyw anghydfod. Mewn maes lle mae'r ego'n rhy flaengar o beth coblyn, yn aml iawn, mae'r ddawn honno'n amhrisiadwy. Eisoes roedd ei Gwmni Theatr Cymru wedi sefydlu'i hun yn llwyddiannus. Yn y blynyddoedd cynnar, denodd rai o'r actorion gorau i'w stabl: John Ogwen, Gaynor Morgan-Rees a Beryl Williams, ac ro'dd ganddo gynllun hyfforddi ffyniannus iawn gyda Meic Povey (oedd eisoes ar y staff), Dafydd Hywel, Dylan Jones, Gray Evans a Gwyn Parry yn ymuno yn y flwyddyn gyntaf, a Mici Plwm, Sharon Morgan, Dyfan Roberts, Margaret Esli, i enwi rhai'n unig, yn ymuno wrth i'r cwrs ehangu a datblygu i'r ail a'r drydedd flwyddyn. Dyn o weledigaeth oedd Wilbert. Ac ni phylodd y weledigaeth honno drwy'i oes. Mae o ddirfawr gywilydd i ni ein bod wedi troi'n cefnau arno pan wnaethom (er fod hynny'n anorfod o ystyried ei amharodrwydd i rannu cyfrifoldeb â neb arall). A heddiw, gyda sefydlu Theatr Genedlaethol Cymru, rydan ni'n ailosod seiliau Wilbert i'r dyfodol. Ro'dd o wedi'i ddallt hi bryd hynny, a phwysigrwydd magu cysylltiadau hefo'r gwahanol gymunedau Cymraeg i feithrin cynulleidfaoedd oedd y flaenoriaeth ganddo. Heb gefnogaeth y cymunedau hynny, dadleuai, ni ddôi llwyddiant i unrhyw theatr Gymraeg, waeth pa mor uchel ei safon. Hynny, yn gymysg â mynd â'r theatr at y bobol, rhoi iddyn nhw amrywiaeth iach o ddramâu i ysgogi'r meddwl, a hyfforddi'i staff a'i actorion i'r safonau uchaf, fyddai pedwar pen ei bregeth. Ac fe'i pregethodd gydag arddeliad tra buodd o.

Flynyddoedd lawer yn ddiweddarach a Morfudd Hughes, yr actores, a minnau'n sefydlu Theatr y Dyfodol i gynhyrchu *Siwan* gan Saunders Lewis a'i theithio drwy Gymru, daeth Wilbert atom i'n helpu i baratoi'n cais i Gyngor Celfyddydau Cymru am grant. Buom yn llwyddiannus, yn ôl y disgwyl, a sicrhawyd nawdd sylweddol i lwyfannu'r cynhyrchiad. Wrth ein llongyfarch, ychwanegodd Mike Baker, Cyfarwyddwr Drama Cyngor Celfyddydau Cymru ar y pryd, fod y panel drama yn ystyried bod y cais yn un perffaith, ac yn batrwm o sut y dylid mynd ati i ofyn am nawdd. Doedd y meistr ddim wedi colli'i grefft!

Ar ryw b'nawn Sul braf yn ystod cyfnod ymarfer *Rhyfedd y'n Gwnaed*, es am dro i Ddinas Dinlle – fy hoff lecyn i ar yr holl ddaear yma! 'Radag hynny, ro'dd y traeth dan ei sang, a miloedd o bobol yn torheulo ar hyd ei filltir hir o linyn main. Erbyn heddiw, wrth gwrs, mae'r niferoedd wedi disgyn. I mi, tydi hynny ddim yn beth drwg; o leiaf mae mwy o ofod i mi'i fwynhau a llai o ddwndwr i foddi'i ddistawrwydd. Dyna pryd gwnes i gyfarfod Meira. Roedd hi yno gyda'i theulu a rhyw gariad iddi o Sir Fôn, ac wedi i mi oedi i gael sgwrs fer â hi am yr hen ddyddiau – arferem ennill ar ganu penillion – a'i gwahodd i'n gweld yn ymarfer yn y Tabernacl ym Mangor os dymunai, es ar fy ffordd heb feddwl dim mwy am y peth. Cyd-ddigwyddiad od, sut bynnag, oedd bod fy nhad wedi sgwennu ata i ond ychydig wythnosau'n gynt, yn dweud iddo gyfarfod Meira a'i mam wrth iddynt weini arno yn ystod te ar ddiwedd cyfarfod o'r Henaduriaeth yng nghapel y Fron, a'i bod yn anfon ei chofion ata i.

Un noson, yn fuan wedi'n cyfarfyddiad yn Ninas Dinlle, cefais alwad ffôn yn Gwelfor. Meira oedd yno, ac roedd hi eisiau trefnu i ddod draw i Fangor i weld yr ymarferiadau. Feddyliais i ddim y byddai wedi cysylltu; rhywbeth wrth basio oedd fy ngwahoddiad. Ond hyd heddiw, dwi'n ddiolchgar iddi am dderbyn. Oherwydd ar ein hail gyfarfyddiad, taniwyd tân cariad rhyngom, tân oedd mor anferthol fel y byddai'n goresgyn pob anhawster oedd i ddod. Wyddai Meira ddim ar y pryd fod ei chariad newydd yn alcoholig. Cuddiais hynny'n llwyddiannus oddi wrthi. Wn i ddim a fyddai'r wybodaeth wedi newid pethau rhyngom pe gwyddai. Ond un peth sy'n sicr, ro'dd fy alcoholiaeth i i droi Meira'n arwres yn llygaid pawb – nid yn lleiaf fy rhai i – ac i ganfod ynddi rinweddau fyddai'n ei chodi i dir sancteiddrwydd, dim llai.

Dechreuis yn y Northcott Theatre yn Exeter yn syth wedi'r 'Steddfod. Wedi i mi ffeindio meddyg fyddai'n fodlon gofalu amdana i drwy roi cyffuriau i mi, a stafell weddol rad i mi fy hun (hanner canpunt a chostau trên ges i am gyfarwyddo *Rhyfedd y'n Gwnaed*, felly ro'dd pres yn brin!) bwriais iddi i flasu *scrumpy* (y seidar cryf) am y tro cyntaf, yn y tafarndai lleol ac ar hyd arfordir Dyfnaint. Ro'dd fy stumog wedi gwaethygu'n arw yn ystod fy arhosiad yn y gogledd – dechreuais feddwl, efallai, fod gen i friw ar fy stumog. Roedd y *scrumpy*, sut bynnag, i wneud pethau'n ganmil gwaeth.

Gweithio ar y *Caucasian Chalk Circle* gan Brecht o'n i. Yn ystod perfformiad cynta'r ddrama, taniwyd canon ar y llwyfan a disgynnodd talpyn helaeth o'r to, yn galch i gyd, ar ben rhai o'r gynulleidfa. *'Don't panic, everybody!'* meddai un llais o'r awditoriwm. *'Is there a doctor in the house?'* gofynnodd un arall. Fedrwn i ddim peidio chwerthin am eu pennau – yn galch drostynt ac yn eu gwisgoedd ffurfiol! Mi gymerodd hi ugain munud go dda cyn y llwyddwyd i ailddechrau'r perfformiad.

Cyflogwyd yr actor Bob Hoskins i ddod i lawr o Lundain i bortreadu Azdak. Do'dd Bob Hoskins ddim yn enwog y tu allan i fyd y theatr ar y pryd – ond ro'dd o'n mynd i fod yn enwog, roedd hynny'n amlwg i bawb! Aeth hi'n frwydr ffyrnig o bersonoliaethau rhyngddo ef a Roy Marsden, o'dd yn portreadu Shashava, i weld pa un o'dd bennaf yn y cynhyrchiad. Hen beth diflas ydy peth felly. Dau, mewn gwirionedd, yn dangos eu hunain oedden nhw, ac ers hynny dwi wedi casáu pawb sy'n dangos eu hunain. Ond efallai, wedi meddwl, mai cenfigennus ohonyn nhw o'n i. O ble roedden nhw'n ca'l yr holl hyder 'ma, tybed, nad oedd gen i? Onid oedd ganddyn nhwythau ddraig y tu mewn yn eu tanseilio, fel fy un i?

Dyma un o'r rhesymau pam na welwch chi fyth alcoholig sy'n gwella yn dangos ei hun ac yn mynd yn ben mawr. Rwy'n pwysleisio'r 'sy'n gwella', oherwydd pan nad ydyn nhw'n gwella, alcoholigion yw'r gwaethaf ar wyneb daear am ddangos eu hunain. Mae'r ego allan o reolaeth yn aml iawn ganddynt, ac mae'n gallu achosi niwed mawr, nid yn unig rhwng pobol a'i gilydd, ond rhwng gwledydd y byd a'i gilydd. Mae'r ego allan o reolaeth wedi achosi rhyfeloedd cyn hyn. Wrth gwrs, mae'r alcoholig, sy'n dal i yfed fel corwynt, yn difetha a dinistrio popeth o'i flaen. Nid felly'r alcoholig sy'n gwella. Mae'n gwybod bod y cyfan sydd ganddo trwy ras Duw yn unig. Nid ei alluoedd e'i hun ond galluoedd Duw sy'n ei gadw'n sobr. Does dim byd gwell i greu gwyleidd-dra a chadw dyn yn ei iawn le, na'r wybodaeth syml honno. Ac mae'r ddraig, hefyd, wrth gwrs. O yndi! Hyd yn oed pan mae'r alcoholig yn gwella, mae'r ddraig yn gwmni parhaol iddo ar daith bywyd – y gwahaniath mawr rŵan, sut bynnag, ydy nad yw'r alcoholig sy'n gwella yn gwrando arni.

Ro'n i'n uchelgeisiol o hyd. Ar dân i lwyddo. Dyna pam 'nes i gysylltu hefo Jean-Louis Barrault yn Ffrainc. Roedd o wedi'i ddiswyddo o'i waith fel cyfarwyddwr artistig y Theatr Genedlaethol yn Ffrainc (Théatre de France) yn dilyn chwyldro'r myfyrwyr yno ym 1968, pryd y cynigiodd o loches iddyn nhw yn adeiladau'r theatr. Roedd o'n dod drosodd i Lundain gyda'i wraig, Madeleine Renauld, yr actores, i berfformio'i gynhyrchiad chwyldroadol o Rabelais yn yr Old Vic. Es i Lundain i'w weld. Roedd gen i'r parch mwyaf tuag ato ac at ei waith meim yn arbennig. Tybiwn y gallwn i ddatblygu arddull gyffrous y'n hun, o gydweithio gydag o, a fyddai'n fy ngalluogi i gyflwyno'r Mabinogion, dyweder, drwy'r defnydd o feim a llefaru. Bu'r cyfarfod yn un buddiol dros ben, a chytunodd i'm cymryd i o dan ei adain. Cawn ymuno ag ef yn Ffrainc wedi i mi sicrhau mwy o nawdd i ariannu'r fenter gan y Cyngor Celfyddydau.

Yn y cyfamser, daeth Meira i lawr i aros ata i i Exeter. Ro'dd hi wedi bod yn sgwrsio hefo dyn o'r enw Mici Plwm ar y trên. Ro'dd o'n teithio i Gaerdydd, mae'n debyg, i gyflwyno *Disc a Dawn* ar y BBC. Ro'dd ei wallt, meddai, yn cyrra'dd ei benliniau, bron, ac ro'dd o'n fy nabod i'n dda, gan 'i fod o'n gweithio fel trydanwr i Wilbert a Chwmni Theatr Cymru. Ychydig a feddyliais i ar y pryd mai Mici fydda fy nghydymaith i ar ran nesa'r daith, oherwydd gwrthodwyd fy nghais am fwy o nawdd gan Gyngor Celfyddydau Cymru. Dywedwyd wrtha i am ddychwelyd i Gymru i chwarae'n rhan. Efallai y byddwn i wedi parhau â'm breuddwyd i gael gweithio gyda Jean-Louis Barrault, oni bai i rywbeth arall, a'm sgytwodd yn fawr, ddigwydd wedi i mi ddychwelyd i'r gogledd.

Ro'n i erbyn hyn yn cyfarwyddo ymarferiadau o *Rhyfedd y'n Gwnaed* ar gyfer taith o gwmpas Cymru, gan fod actorion proffesiynol wedi'u cyflogi yn lle'r myfyrwyr. Dyma pryd y ces i weithio gyntaf oll gyda Dewi Pws, Dyfan Roberts, Marged Esli a Sharon Morgan – a Gwyn Parry, hefyd, os cofia i'n iawn, yn lle Frank Lincoln. Do'dd Frank, am ryw reswm, ddim yn rhydd i wneud y daith.

Dewi Pws o'dd yr un gafodd fi i drwbwl yn ystod taith arall. Ro'n i'n teithio Cymru gyda *Harris*, drama arall ro'n i wedi'i chyfarwyddo, gan Islwyn Ffowc Elis. Deud y gwir, do'dd Dewi Pws ddim i fod yn y ddrama. Dod i'w gwylio, wnaeth o, fel aelod o'r gynulleidfa yn y de. 'Ga i fynd ar y llwyfan i roi sypréis i Huw Ceredig?' gofynnodd.

Cofio fi'n sôn am fethu dweud 'na'? Wel, yn ystod golygfa lle roedd tyrfa fawr ar y llwyfan yn gwrando ar Howell Harris (Huw Ceredig) yn pregethu, pwy ymddangosodd ar y llwyfan o dan ryw glogyn lliwgar, ond Dewi Pws! Wrth gwrs, taflwyd Huw Ceredig yn llwyr, a dechreuodd aelodau erill y cast chwerthin yn afreolus. Difethwyd y perfformiad hwnnw gan Dewi a'i giamocs, a minnau wedi bod mor ffôl â rhoi fy nghaniatâd iddo fynd ar y llwyfan. Sut bynnag, er mawr syndod i mi, dim ond fi oedd i wynebu'r canlyniadau! Ces i fy riportio i Equity, undeb yr actorion, *'for unprofessional behaviour'*!

Erbyn hyn, roedd Meira wedi ca'l 'i thraed o dan bwrdd, fel ma' nhw'n deud yn y gogledd, ac ro'dd y garwriaeth wedi derbyn sêl bendith brwdfrydig Miss World. Ro'dd ein perthynas wedi dwysáu'n arw dros yr wythnosau, ac ro'dd fy rhieni, yn amlwg, yn falch mai Meira o'dd fy nghariad. Dwedodd Rowenna rwbath wrtha i i'r un perwyl. 'Edrych di ar ôl Meira, Wyn – mae'n hogan neis. Mae'n llawar rhy neis i chdi!' Ro'n innau'n falch fod gen i Meira hefyd, yn enwedig o sylweddoli'r hyn oedd ar y gorwel: marwolaeth fy nhad. Yn fwy na dim, ro'n i'n falch bod Dad wedi cyfarfod fy narpar wraig cyn iddo farw – a'i bod hi'n plesio.

Ro'dd fy nhad wedi dechra ymddwyn yn od. Yn ôl Mam cerddodd heibio'n drws ffrynt ni, a cherdded i mewn i dŷ Mr R. J. Roberts drws nesa. Ro'dd o hefyd wedi gyrru o chwith wrth fynd o amgylch y gylchfan ar y ffordd i Sir Fôn wrth ymweld â Rowenna a Rheinallt a'r plant.

Mynd am brawf llygaid wnaeth 'nhad, a gwelodd yr optegydd yng Nghaernarfon fod rhywbeth mawr yn bod yng nghefn ei lygad. Mae optegwyr craff yn gallu sylwi, mae'n debyg, yn ôl cyflwr cefn y retina, os oes rhywbeth o'i le yn yr ymennydd. 'Ma' gan y'ch tad glot neu dyfiant ar yr ymennydd dwi'n siŵr,' meddai hwnnw'n bryderus. 'Ewch ag o i weld y doctor, a dudwch wrtho fo be dwi'n ddeud!' Canlyniad hyn i gyd fu mynd â nhad i Ysbyty Walton yn Lerpwl, lle cafodd driniaeth lawfeddygol ar ei ben. Erbyn dallt, ro'dd o'n ddall ar ochr chwith ei lygaid, a dyna sut y gyrrodd o mor beryglus o ddiofal o amgylch y gylchfan, a cherdded i mewn i dŷ R. J. Roberts heb sylwi – roedd o'n ddall bost ar ochr chwith ei olwg.

Y peth anodda i ni'r plant ar y pryd – a fi o'dd adra gyda'n rhieni drwy'r amser 'radag hynny, gan mwyaf – o'dd cadw'r gyfrinach. Am ryw reswm penderfynwyd peidio dweud wrth Mam am wir gyflwr 'nhad. Ac am wythnosa wedyn, buon ni'n cerdded fel petai ar blisgyn wyau – yn rhuthro i mewn i ward ddiarth i rybuddio'r nyrsys nad oedd Mam yn gwybod, neu'n ei chelu rhag y meddygon o'dd yn trafod ei gyflwr yn agored. Erbyn heddiw, wrth gwrs, mae'n bolisi gan yr ysbytai i ddweud y gwir wrth y teulu am gyflwr y claf a'i ragolygon; mae hynny'n well o beth coblyn. Oherwydd ma' celu gwirionedd yn andwyo teuluoedd, ac yn amharu ar iechyd dyn, gan roi straen diangen ar bawb sy'n cynnal y ffars. Y gwirionedd oedd fod Mam yn gwybod y gwir am 'nhad, fel yr o'dd 'nhad ei hun. Roedd ganddo gansar ar y sgyfaint gyda thyfiant eilaidd ar yr ymennydd. Braint unigolyn yw wynebu a delio â'i farwolaeth ei hun. Mae dwyn y fraint honno oddi wrtho yn un o'r pechodau mwya sy'n bod. Oherwydd, yn aml iawn, trwy boen a gwewyr mae dyn yn cyrraedd y stad wynfydedig honno o oleuedigaeth. Efallai mai dyna'i gyfle olaf i ddod i adnabod ei Dduw.

Os yw cyfrinachedd yn rhywbeth i'w osgoi, felly, ym maes afiechyd, y mae hefyd yn elfen sy'n caniatáu i alcoholiaeth ffynnu. Mae pawb yn dawnsio o'i gwmpas, yn trio cadw'r alcoholig rhag gwylltio – rhag rhoi esgus arall iddo yfed. A does neb y tu allan i'r teulu yn ca'l gwbod dim. Os gofynnwch chi i deulu'r alcoholig sut ma' petha fe gewch yr atebiad fod popeth yn berffaith, yn hynci-dori. Am ryw ryfedd reswm tydi'r teulu ddim am adal neb i fewn ar y gyfrinach. A neb chwaith, o bosib, a allai'u helpu, sy'n bwysicach. Ai cywilydd sy'n gyfrifol yn ogystal â'r ymwadiad? Yn sicr tydi agwedd cymdeithas ddim yn helpu.

Os gwelwch chi rywun yn ca'l trawiad ar y galon ac yn syrthio'n anymwybodol ar y stryd, fe welwch chi bawb yn rhuthro draw ato i'w gynorthwyo – fel sy'n iawn. Ond os gwelwch chi alcoholig yn syrthio'n anymwybodol ar yr un stryd, bydd yr un bobol yn camu drosto a'i anwybyddu. Efallai y gallai'r dyn gafodd drawiad fod wedi osgoi hynny, o bosib, drwy fyw bywyd iachach, cadw'n heini neu beidio smygu. Dyw'r un dewis ddim gan yr alcoholig. All o wneud DIM i rwystro'i hun rhag yfed. Mae ar drugaredd y ddiod. Hunan-laddiad yw unig ymwared yr alcoholig o'i boen, ac ma' llawar, gwaetha'r modd, yn llwyddo i wneud hynny. Byddai newid agwedd cymdeithas tuag at alcoholiaeth yn ddechrau da i wrthsefyll y frwydr fawr sy'n wynebu gwareiddiad. Oherwydd anghofiwch am Al-Qaeda, y Taliban a Saddam Hussein;

alcoholiaeth a'r ddibyniaeth ar gyffuriau a'r holl afiechydon caethiwus eraill yw gwir derfysgwyr ein hoes fodern ni; nhw sy'n mynd i lorio'n gwareiddiad.

Mae dwy ffaith sy'n reit wybyddus am alcoholiaeth, sut bynnag: mai dim ond yr alcoholig all helpu'i hun, a bod rhaid iddo dderbyn y ffaith ei fod o'n alcoholig cyn y gall o obeithio gwella. Gwir. Ond os yw hynny'n wir am alcoholiaeth, pam nad yw'n wir am bob afiechyd arall? Dwi wedi gweld pobol yn gwella o gancar na ellid ei drin drwy ddefnyddio rhaglen wellhad yr alcoholig. Does dim un salwch sydd y tu hwnt i'w gyrraedd. Trïwch o gyda chur yn eich pen. Dwedwch wrthych eich hun: 'Mae gen i gur yn fy mhen. Mae o'n iawn i gael cur yn fy mhen. Dwi'n derbyn fod gen i gur yn fy mhen!' ac ewch ymlaen â'ch gwaith. Ymhen dim mi fydd y cur pen wedi diflannu. Mae hynny'n simplistig, mi wn. Ond yr un egwyddor ydy o, fwy neu lai, er fod rhaid i'r alcoholig garthu'r gorffennol a gwneud iawn i'r rhai mae o wedi'u niweidio, a thyfu'n ysbrydol – fel mae'n rhaid i ni i gyd. Ac wrth gwrs, fel profodd Pedr, mi fedr dyn gerdded ar ddŵr – ond bod rhaid iddo wrth ffydd! Mae rhaglen wellhad yr alcoholig wedi cael ei disgrifio fel rhodd Duw i'r ugeinfed ganrif. Gobeithio y bydd yr unfed ganrif ar hugain yn deffro'n reit fuan i'w alluoedd gwyrthiol cyn iddi fynd yn rhy hwyr.

Ro'dd hi'n ddiwrnod oer iawn pan gerddais i i mewn i hen gapal y Tabernacl ym Mangor i ddechra paratoi ar gyfer y pantomeim Cymraeg proffesiynol cyntaf, *Mawredd Mawr!* Croesawyd fi gan Beryl Hall, y ddigrifwraig a'r gantores, a'i gŵr, George, a'u ci, Ben. Mae'n debyg nad oedd y gwres canolog yn gweithio'r diwrnod hwnnw oherwydd rhyw nam ar y cyflenwad trydan, ac ro'dd gweld panad poeth o goffi wedi'i wneud â llaeth, yn cael ei dywallt i gwpan, yn groeso cynnes ac annisgwyl i actor a chyfarwyddwr oer a thlawd fel fi. Ond dim o'r fath beth! Nid coffi i mi oedd o, ond coffi i Ben y ci! A dyna lle roedden ni wedyn, yn bymtheg a mwy o actorion a dawnswyr, yn rhynnu wrth drio cadw'n gynnes, a heb drydan i ferwi dŵr i wneud panad, hyd yn oed, yn gwylio'r ci 'ma'n llymeitian 'i goffi poeth fel rhyw *brima donna* o'n blaenau. Bydden ni i gyd wedi bod yn hapus i ladd Ben y diwrnod hwnnw dwi'n meddwl! I dalu'r pwyth yn ôl cawsom afael ar ryw hylif i rwystro cŵn rhag poeni geist oedd yn cwna. Arferem chwistrellu'r hylif 'ma ar gadair Ben jest cyn i Beryl ei alw draw i ganu gyda hi ar y llwyfan. Byddai Ben yn gwrthod ufuddhau iddi wedyn.

Achosodd yr hylif gryn drafferthion i Beryl a George, ei gŵr, wrth iddyn nhw drio dyfalu beth o'dd, yn sydyn, yn achosi ymddygiad rhyfadd Ben. Dwedodd rhywun wrthi, mae'n rhaid, oherwydd yn fuan wedyn dechreuodd y storïau rhyfedda ymddangos ym mhapur newydd *Y Cymro*, gyda Beryl yn cyhuddo pawb a phopeth o gynnal fendeta yn ei herbyn. 'Wyt ti'n gwbod rhwbath am y blydi spray 'ma, Wynff?'

'Pwy, fi Beryl?'

'Na!' ac fe fyddai'n newid ei thôn, 'fasat ti byth yn gneud peth mor amhroffesiynol a dan din!'

Dewi Pws a Dyfan Roberts, fel Siencyn a Ianto, a Iona Banks, fel y wrach, oedd sêr y sioe, gyda Beryl yn frenhines i'r brenin, Dylan Jones. Rhan fechan iawn oedd gen i fel Fferi Nyff y Dylwythen Annheg. Lyn Jones, y cynhyrchydd, a chadeirydd newydd Theatr Genedlaethol Cymru erbyn hyn, oedd yn cyd-gyfarwyddo'r pantomeim gyda mi – ac oherwydd 'mod i'n brysur yn rhoi'r sioe at ei gilydd, welodd 'run o'r cast y cymeriad Fferi Nyff yn ei gyfanrwydd, nes i ni gyrradd y *dress rehearsal* ddiwrnod cyn y perfformiad cynta yn Neuadd John Phillips, Coleg y Normal, Bangor. Er nad o'dd Nyff yn dweud fawr ddim drwy'r pantomeim, ro'dd o ar y llwyfan yn ymateb i bopeth, bron, o'r dechra i'r diwedd. Ac, wrth gwrs, yn yr ymateb mae'r hiwmor BOB amser! Dros nos, felly, ac yn gwbl annisgwyl, daeth Fferi Nyff i fod yn seren y sioe. Tylwythen Annheg oedd Nyff. Ro'dd rhwbath wedi mynd o'i le yn ystod rhyw swyn neu'i gilydd, ac fe'i ganwyd i'r byd – yn llabwst dros chwe throedfedd, gydag un aden drwsgl ar ei gefn, twtw o gwmpas ei ganol, teits amryliw am ei goesa main, sgidia troi-fyny, a mop o wallt cyrliog melyn, a cheg oedd wedi'i gorbaentio hefo minlliw coch. Roedd amheuaeth ynglŷn â'i rywioldeb, hefyd – a siaradai'n ferchetaidd, gyda llais uchel, main wrth ffeilio'i ewinedd ag un llaw a chwifio ffon hud â'r llall. Ro'dd ganddo wastad fag anferth am ei wddf, hefyd, ac yn y bag yma byddai pob math o drugareddau. 'Fel mae'n dig-wydd!' fyddai'i gri o hyd, a byddai Nyff yn tynnu'r pethau rhyfedda fel cwningen o het i achub y dydd.

Er nad oedd Fferi Nyff yn dweud rhyw lawer fel cymeriad ar y dechrau, yn fuan iawn wrth i'r daith fynd rhagddi, dechreuais ychwanegu ambell linell yma a thraw – a dim un ohonyn nhw wedi'u sgriptio. Nid oedd hyn at ddant pawb – yn arbennig Iona Banks oedd yn chwarae rhan y wrach hyll, ac yn genfigennus, braidd, fod Nyff yn cael y chwerthiniadau i gyd. Aeth at Wilbert i gwyno, un diwrnod ac, yn naturiol, daeth Wilbert i gyfleu'r gŵyn i mi. 'Cadwch at y sgript, Wynford,' medda Wilbert yn ei ffordd ddi-stŵr arferol, 'ac mi fydd popeth yn iawn wedyn, fachgian!'

Wel, os dyna oedd cyfarwyddyd Wilbert, dyna fyddai'n rhaid i mi 'neud! Felly, yn ystod perfformiad y p'nawn ym Mhafiliwn y Rhyl ar ryw ddiwrnod mwll a gwlyb o Ionawr oer, cadwais at y sgript! I dorri stori hir yn fyr, gorffennodd y sioe gryn hanner awr o flaen ei hamser, gan adael cynulleidfa Sir Ddinbych, bryd hynny, yn gwlychu ac yn rhynnu ar y prom wrth aros i'w bysiau gyrraedd. Cafwyd sioe fflat iawn y prynhawn hwnnw, ac ro'dd pawb yn mynd o gwmpas gyda wynebau hir, oherwydd addewais roi'r un perfformiad, golygedig, yn sioe'r nos hefyd – a hyd ddiwedd y daith! Ro'n i'n benstiff fel mul, ac yn teimlo fod Wilbert wedi ildio'n rhy hawdd i gŵyn Iona Banks – ac ar draul rhywbeth oedd yn gweithio'n llwyddiannus iawn.

Erbyn amser te, sut bynnag, ro'dd Wilbert wedi ailfeddwl, a chafodd air hefo Meira, o'dd yn gwerthu rhaglenni yn ystod y sioe gan ei bod ar wyliau o'r ysgol yn Llandudno lle ro'dd hi'n dysgu. Roedd Wilbert yn ofn deud wrtha i fy hun, medda fo, rhag i mi wylltio! 'Ond dudwch wrth Wynford y ceith o roi'r llinellau i gyd yn ôl at berfformiad heno, Meira – tydi'r pantomeim ddim cystal o bell ffordd hebddyn nhw!' Felly yr achubwyd Fferi Nyff, ac aeth ymlaen i ddiddanu miloedd ar filoedd o Gymry dros dair blynedd, ac mewn dau bantomeim tra phoblogaidd arall, *Dan y Don* a *Gweld Sêr*.

Y sgriptio, fel bob amser, o'dd cyfrinach llwyddiant y sioeau cynnar hyn. Hynny a'r ffaith nad oedden nhw'n ddynwarediad o ddim byd Saesneg. Wilbert oedd yn bennaf cyfrifol amdanynt, a llwyddodd i greu hiwmor oedd yn gynhenid Gymreig. Dyma sy'n gweithio orau yng Nghymru bob tro. Nid oes fyth eithriadau. Mae ganddon ni ein harddull a'n ffyrdd unigryw ein hunain o edrych ar y byd. Dyna sy'n creu'n harwahanrwydd. Ac yn ein harwahanrwydd mae'n hunigrywiaeth. Collodd pantomeimiau diweddaraf y Cwmni eu hapêl am yr union reswm yma – aethant i ddynwared arddull y pantomeimiau Seisnig a'u giamocs ystrydebol, blinedig.

Roeddwn i'n teithio gyda'r pantomeim cyntaf, *Mawredd Mawr!*, pan fu farw 'nhad. Chwech wythnos yn gynharach, roedd wedi dychwelyd o Lerpwl yn ddyn newydd. Gallai weld yn iawn, ac aeth ati gydag afiaith i gywiro proflenni yr unig lyfr barddoniaeth o'i eiddo, *Y Ffiol*. Y diwrnod y gwaethygodd yn sydyn, rhuthrodd Sionyn, ei gi, o dan gar ac fe'i lladdwyd o ar y stryd fawr y tu allan i'r tŷ. Mae cŵn yn adnabod yr arwyddion. Gwyddai Sionyn pan fyddai car 'nhad yn dychwelyd i'r garej yn y cefn. Byddai'n anwybyddu sŵn y car pan fyddwn i neu rywun arall yn ei yrru. Ond os byddai 'nhad y tu ôl i'r llyw, doedd dim taw ar ei groeso. Gwyddai Sionyn y diwrnod hwnnw, hefyd, fod 'nhad ar farw – a do's gen i ddim amheuaeth bod yn well ganddo ddifa'i hun na wynebu hynny. Wrth i 'nhad lithro i mewn ac allan o anymwybyddiaeth, dyma John Roberts, gweinidog Moriah, Caernarfon, yn ei gysuro drwy ddweud, 'Cofia, Bob, mae'r afael sicraf fry!'

Fel bwled, fe'i lloriwyd o gan fy nhad, 'Cofia dithau hynny, John!' Hyd yn oed yn ei awr wannaf, fu ei ffydd erioed cyn gryfed.

Roedd colli'r Parch. Robert Owen Llanllyfni nid yn unig yn golled fawr i ni fel teulu, roedd o hefyd yn dolc i'r gymuned gyfan. Ac ar yr 8fed o Fawrth, 1972, llosgwyd ei weddillion yn amlosgfa Bae Colwyn. Fedrwn i ddim galaru'n iawn. Cymerwyd y gallu hwnnw oddi arna i gan y tawelyddion a'r alcohol. Roedd fy synhwyrau wedi'u mygu, fy ngallu i deimlo wedi'i afradloni. Byddai'n 1992 cyn y gallwn i ddechrau galaru'n iawn am fy nhad, a 1993 cyn y gallwn i ddechrau'i garu o'n iawn fel yr ydw i'n ei garu heddiw.

Fel sy'n arferol i wragedd gweinidogion sydd wedi colli'u gwŷr, bu'n rhaid i Mam adael Gwelfor ar ôl chwe mis. Wrth lwc, gallodd fy mrawd a'n chwaer brynu bynglo bychan iddi yn Llanfairpwll, Sir Fôn – ac yno byddai fy nghartref innau, hefyd, nes byddwn i'n priodi.

Gyda Meira yn gariad i mi, gallwn reoli fy yfed yn weddol. Ond unwaith y byddwn i ffwrdd oddi wrthi ar daith, byddwn yn colli rheolaeth yn syth ac yn meddwi. Roedd fy stumog yn achosi poen dirdynnol i mi erbyn cyfnod y pantomeimiau, ac alcohol oedd yr unig beth oedd yn lleddfu rhyw 'chydig arno. Erbyn y bore, sut bynnag, fel popeth arall, byddai'r boen yn waeth gan fy ngorfodi i ddechrau ar y meri-go-rownd gwallgo drachefn. Meri-go-rownd gwallgo oedd yn achosi bod fy ymddygiad, hefyd, yr un mor wallgo.

Cefais fy ngwahardd, unwaith, o'r Fishguard Bay Hotel yn Abergwaun. Wrth ddychwelyd yn flin i'r gwesty un noson, ro'n i'n gas tuag at Richard Williams (Dic Doc), y rheolwr llwyfan, am rywbeth oedd wedi mynd o'i le yn ystod y perfformiad. Rhedodd yntau'n ddagreuol i'w stafell i bwdu. Wedi i mi gael mwy i yfed, a dechrau edifarhau am fod mor gas wrtho, penderfynais fynd i chwilio amdano i ymddiheuro iddo. Curais ar ei ddrws, 'Dic? Agor y drws 'ma. Dwi'n sori, yli, am be ddudis i.' Disgwyliais yn amyneddgar, ond atebodd o ddim. 'Dic? Os na 'nei di agor y blydi drws 'ma, mi fydda i'n 'i gicio fo lawr!' Atebodd o ddim yr eildro, chwaith. Hyd yn oed wedi i mi gyfri i ddeg, wnaeth o ddim ateb. 'Reit!' Ac yn fy nhempar, rhois fy nhroed yn syth drwy'r drws a'i falu'n deilchion. Ond och a gwae! Nid stafell Dic oedd hi, ond stafell un o'r merched! Heb betruso dim, rhedais yn syth i'r llawr nesa, ac at ddrws yr ystafell gywir tro yma, meddyliais. 'Dic? Agor y blydi drws 'ma. Dwi'n sori, yli, am be ddudis i!' Erbyn hyn ro'n i mewn tymer tymestl, ond atebodd y diawl bach ddim y tro yma, chwaith. 'Dic?' Penderfynais gyfri deg unwaith eto. '. . . wyth, naw, deg!' Ond ro'dd y cythral yn benderfynol o beidio ateb. 'Reit!' Ac yn fy nhempar rhois fy nhroed drwy'r drws hwnnw, hefyd, gan ei falu yr un mor deilchion â'r llall!

Er i mi gynnig talu i drwsio'r drysau, ac er i mi ymddiheuro'n llaes – a cheisio cyfiawnhau fy ymddygiad drwy ddweud fod teimladau Dic Doc yn llawer pwysicach na theimladau unrhyw ddrysau pren, fe'm gwaharddwyd o'r Fishguard Bay Hotel y bore wedyn, a rhag aros yn yr un gwesty â'r criw yn Abertawe, hefyd, lle roedden ni'n perfformio nesaf. Penderfynais fynd i aros at fam Dewi Pws yn Nhrebôth, Treforus. *'Hands off cocks – on with socks!'* meddai honno wrth ddeffro Dewi a minnau o'n trwmgwsg un bore. Roedd hi'n braf gwybod nad fi oedd yr unig un gwallgo ar y blaned! Gyda llaw, ffeindis i fyth 'stafell Dic Doc i ymddiheuro iddo'n iawn!

Daeth Mici Plwm aton ni i actio rhan y brenin Garalong Hirgoes yng nghynhyrchiad y Cwmni Theatr o *Dan y Don*. O'r foment y gwelson ni'n gilydd, daethom yn ffrindiau agos. Ro'dd gynnon ni'r gallu rhyfedd 'ma i wybod meddyliau'n gilydd, a byddai Mici Plwm wedi rhag-weld fy ngofynion ymhell cyn i mi feddwl amdanynt. Gwnaethom dipyn o act o'r peth, yn enwedig wrth i mi roi'r colur ar fy wyneb, a pharatoi i berfformio rhan Fferi Nyff bob nos. Byddai Mici fel gwas bach i mi, yn hwyluso'r broses, ac yn gweini arna i fel pe bawn i'n frenin. Doedd dim rhyfedd i mi gymryd ato! Roedden ni fel dau enaid hoff cytûn – er na wyddwn i ddim oll am ei gefndir. Roedd y rhan honno o'i fywyd wedi'i chau i mi. Roeddem i weithio wyth mlynedd gyda'n gilydd cyn i mi hyd yn oed ddod i wybod (trwy ddamwain) ei fod o wedi'i fagu mewn cartref plant. Roedd cyfrinachedd, am ryw reswm, yn bwysig iddo yntau hefyd.

Arferwn yfed yn ystod pob sioe. Erbyn diwedd y perfformiad bob nos mi fyddwn i'n feddw. Y gamp i mi oedd rheoli lefel yr alcohol, fel 'mod i ar lan medd-dod mwyn, ac nid ynddo! Ran amlaf llwyddwn i wneud hynny. Roedd Toni ac Aloma'n canu yn y pantomeimiau cynnar. Roeddynt yn hynod boblogaidd a gwyddai Wilbert y byddai'r ddeuawd yn atynfa i gannoedd weld y sioeau. Yn dilyn y sioeau, yn enwedig pan oeddem yn teithio, byddai partïon gwyllt yn y gwahanol westai wedi i ni ddychwelyd gyda'r nos. Aml i waith gorffennais y noson yn gwisgo *hot-pants* Aloma! Ro'dd hynny'n destun cenfigen mawr i Meira – ond efallai y rhydd o syniad ichi pa mor denau a llwglyd yr olwg ro'n i ar y pryd!

Dyma'r adag y newidis i o yfed fodca i yfed brandi. Ar ochr y llwyfan, bob nos, byddai gan Mici Plwm a fi wydraid yr un o fodca yn aros amdanom ar ben cadair. Un noson, sut bynnag, roedd rhywun wedi'u taro drosodd, ac roedd y fodca wedi byta drwy'r farnis ar y gadair, a'i staenio'n wyn. 'Arclwy! Os ydy o'n gneud hyn i'r gadair, Wynff!' medda Mici Plwm mewn dychryn, 'be ddiawl mae o'n 'neud i'n stumoga ni?' Newid i yfed brandi oedd fy ateb parod i. A dyna wnaethon ni hyd ddiwedd y daith!

Mae un ymddygiad o'm heiddo wedi troi'n dipyn o glasur. Yn ystod perfformiad o'r anterliwt *Tri Chryfion Byd* gan Twm o'r Nant yn y Playhouse yn Lerpwl, baglodd Elfed Lewis, o'dd yn chwara rhan y ffŵl, a brifo'i ben-glin. Aethpwyd ag e i'r ysbyty agosaf, a chan fod Elfed yn un am boeni'n ormodol, braidd, am ei iechyd, gwnaed ffỳs fawr o'r peth. Pan welod Charles Williams ei goes wedyn, dywedodd fod 'mwy o fandejis ar ben-glin Elfed Lewis nag oedd ar Tutenkhamwn!' Y diwrnod canlynol, roedden ni'n perfformio yn neuadd ysgol Morgan Llwyd, yr Wyddgrug, ac roedd Elfed yn dal mewn tipyn o boen. Cyn dechrau'r perfformiad, felly, dyma Lyn Jones, y rheolwr, yn cyhoeddi'n syber i'r gynulleidfa, 'Oherwydd bod un o'r actorion wedi cael anaf i'w goes, ni fydd y perfformiad heno fel y byddai'r cwmni'n dymuno.'

Cefais syniad sydyn. Gan nad oedd Lyn Jones wedi enwi Elfed Lewis fel yr actor oedd wedi brifo'i goes, a chan na fyddai neb ddim callach mai Elfed oedd o, gan ei fod wedi penderfynu eistedd ar flocyn pren ar ganol y llwyfan yn lle neidio o gwmpas fel y byddai'n arfer gwneud, beth am i bob actor fynd ar y llwyfan yn gloff? Ond daeth y syniad yn rhy hwyr; roedd y perfformiad eisoes wedi dechrau.

Fi, sut bynnag, oedd yn chwarae rhan Angau ar ddiwedd yr anterliwt, ac roedd gen i ddarn hir gyda Cariad, o'dd yn ca'l ei chwarae gan Marged Esli. Penderfynais fynd ar y llwyfan yn gloff! Roedd fy ymddangosiad dramatig i, mewn clogyn du a chyda mwgwd penglog dros fy wyneb, i ddigwydd o gefn y llwyfan. 'Pwy ydyw hon yn rhwysg ei chryfder, sy'n ymddyrchafu ar ei chyfer?' Herciais yn araf tuag at Marged Esli oedd ar flaen y llwyfan, gan lusgo 'nghoes ar fy ôl yn boenus.

Yn arwrol, rywsut, cadwodd Marged i fynd. 'Ym mhob peth sydd â bywyd ynddo, mae elfen Cariad yn concwerio.' Erbyn diwedd ein darn byr gyda'n gilydd, dirywiodd y cloffni yn fy nghoes dde i'r fath raddau fel prin y gallwn symud heb wneud ymdrech fawr a thuchan yn ingol. Fy llinellau olaf oedd, 'Gan hynny, gweled pawb yn gall, does ffafr i neb, y naill na'r llall . . .' Chlywais i ddim smic o'r gynulleidfa drwy'r darn – roedd eu sylw i gyd wedi'i hoelio ar yr actor 'cloff'. 'Meddyliwch mewn pryd, mai lle cwympo'r pren, fydd ei drigfa'n syth, heb byth gael pen.' Yna, wedi oedi 'chydig er mwyn effaith, gadewais y llwyfan, gan lusgo'r goes 'boenus' hefo'n nwy law ar fy ôl. A'r fath gymeradwyaeth! Mi allech chi'n hawdd dybio fod Lawrence Olivier newydd orffen perfformio. Arhosodd a thyfodd y stori dros y blynyddoedd – ond faddeuodd Marged Esli ddim i mi tan yn ddiweddar. Dyna'r union fath o beth fyddai Fferi Nyff yn 'neud. Ypstêjio pawb a dwyn y sylw i gyd oddi ar yr actor arall. Hollol hunanol, wrth gwrs, a chwbl anfaddeuol ac annisgybledig – ond ro'dd o'n hwyl fawr ar y pryd!

Prinder actorion, goeliech chi fyth, oedd problem fawr y theatr yng Nghymru ar y pryd. Ychydig iawn o actorion fyddai'n fodlon cysegru'u bywydau i'r gwaith bryd hynny. Oedd, roedd digonedd o actorion amatur ar gael, a llawer o actorion oedd yn fodlon gweithio'n rhan-amser, ond fedrech chi ddim rhedeg theatr broffesiynol gyda'r math yma o actorion. Fedrech chi ddim gadael i un o'ch actorion fynd adref i odro, dyweder, neu ddychwelyd i'r ysgol i roi gwers. Roedd angen ymroddiad llawn-amser. Y bygythiad pennaf i'r theatr oedd diffyg sicrwydd mewn swydd. Roedd swyddi pawb yn ddiogel bryd hynny, a dim ond ychydig prin, fel fi, oedd wedi mentro i fyd ansicr yr hunangyflogedig. Sut oedd denu actorion i'r theatr, felly? Ro'n i o'r farn y dylid targedu myfyrwyr, a gwneud hynny yn ystod eu hail flwyddyn yn y coleg. Roedd gadael y peth tan y flwyddyn olaf yn rhy hwyr; byddent wedi'u colli erbyn hynny i feddylfryd y swyddi diogel. Na, rhoi profiad gwerth chweil iddynt ar ddiwedd eu hail flwyddyn fyddai orau, gan obeithio y byddai'u mwynhad gymaint fel y byddent yn fodlon mentro, wedyn, ar ddiwedd eu cyrsiau, i fyd actio a gwneud gyrfa lawn-amser ohoni. Felly y sefydlwyd y Theatr Ifanc. Teithiais o amgylch colegau Cymru yn dewis dau ddeg pump o actorion ar gyfer y fenter. Y ddrama roeddwn i'n gobeithio'i chynhyrchu yn Eisteddfod Genedlaethol Hwlffordd oedd *Y Rhai a Lwydda* gan Bernard Evans. Roedd Bernard yn gynhyrchydd yn Adran Ysgolion y BBC yng Nghaerdydd ar y pryd, ac roedd ei ddrama'n trafod datblygiad cynnar undebaeth yng Nghymru, pan oedd William Crawshay yn tra-arglwyddiaethu yn y gweithiau dur ym Merthyr yng nghyfnod Dic Penderyn.

Cafwyd perfformiadau da allan o'r myfyrwyr yn yr Eisteddfod yn Hwlffordd, a threfnwyd taith fer o gwmpas Cymru, wedyn, yn ystod eu gwyliau hanner tymor o'r colegau. Dwi'n cofio gorfod cymryd drosodd chwe rhan yn ystod un perfformiad ar y daith honno. Roedd rhyw anhwylder stumog wedi taro pawb wrth berfformio yn Theatr Felinfach. Dwi'n cofio'r actor John Pierce Jones, druan, yn gorfod rhuthro o'r llwyfan i gyfogi ar hanner ei araith! Ar un adeg ro'n i'n chwarae dau gymeriad 'run pryd ar y llwyfan – a'r cyfan gan geisio dygymod hefo'n ffobia am daflud i fyny! Oedd ryfedd 'mod i'n dibynnu ar alcohol am gynhaliaeth, 'dwch?

Bu'r fenter yn llwyddiant digamsyniol. Dewisodd y mwyafrif llethol o'r actorion aros ymlaen a gwneud gyrfa ohoni yn y proffesiwn. Yn eu plith roedd Mei Jones, John Pierce Jones,

Gwen Elis, Malcolm (Slim) Williams, Ian Saynor, Elliw Haf, Siôn Eirian, Dilwyn Young Jones, Osian Wyn Jones, Emyr Glasnant, Iona Jones ac Euros Lewis, heb sôn am yr ychydig fel Wynfford James, Selwyn Jones a Nic Parry aeth ymlaen i feysydd eraill, a'r criw technegol, wrth gwrs. Ar ddiwedd y daith, gofynnwyd i mi baratoi adroddiad i Gyngor Celfyddydau Cymru yn awgrymu'r ffordd ymlaen i'r Cwmni newydd. Argymhellais y dylai ddatblygu'n annibynnol ar Gwmni Theatr Cymru – yn bennaf er mwyn cael amrywiaeth polisi artistig a rhag unbennaeth Wilbert, a welwn yn prysur ddatblygu'n broblem. Er ei wychter, nid oedd Wilbert yn fodlon rhannu unrhyw gyfrifoldeb â neb, ac roedd hyn, i mi, i'w weld yn peryglu dyfodol y cwmni gan nad oedd neb yn cael ei feithrin ganddo i gymryd drosodd. (Cofiwch chi, fyddwn innau ddim wedi ymddiried dim i mi'n hun – ro'n i'n annibynadwy; ond roedd yna eraill ar wahân i mi, yn rhengoedd Theatr Cymru ar y pryd, oedd â chyfraniad mawr i'w wneud i ddyfodol y theatr yng Nghymru.) Pan gyflwynais yr adroddiad ar y Theatr Ifanc i swyddog o'r Cyngor, ar ddiwedd perfformiad o *Roedd Catarina o Gwmpas Ddoe* gan Rhydderch Jones yn Ysgol Botwnog, taflwyd yr adroddiad, yn llythrennol, yn ôl yn fy wyneb. Roedd hi'n amlwg i mi fod yna densiynau o dan yr wyneb ym myd y ddrama Gymraeg hyd yn oed bryd hynny!

TELIFFANT A HEROIN
(1972–1984)

Y Dr Meredydd Evans, Pennaeth Adran Adloniant Ysgafn y
BBC yng Nghaerdydd ofynnodd i mi ddechrau gweithio ar
Teliffant. Rhaglen wallgo i blant oedd hi i fod – felly, roedd o
wedi dod i ofyn i'r person iawn! Do'dd gan neb unrhyw syniad
ynghylch ffurf y rhaglen ar y cychwyn, dim ond bod y creadur
'ma, y Teliffant, yn bodoli ar ochrau Llyn y Bala yn rhywle, a
bod rhaid i mi fynd hefo criw camera i chwilio amdano. Byddai
eitemau eraill yn cael eu cyflwyno yn y stiwdio gan Sharon
Morgan, Huw Ceredig ac Eiry Palfrey mewn rhyw gymysgwch
o raglen jôcs cnoc-cnoc, sgetshys, a jôcs wedi'u hanfon i mewn
gan y plant. Ro'dd fy nghyfraniad cynta i ar ffilm oherwydd
'mod i'n teithio gyda'r pantomeim ar y pryd. Ond wedi i
hwnnw ddod i ben ymunais â'r gweddill yn y stiwdio yng
Nghaerdydd. Ac felly y byddai pethau wedi bod, oni bai i Eiry
Palfrey adael ac i Olwen Rees gymryd ei lle, ac i Huw Ceredig
ga'l cynnig swydd arall a gofyn am ga'l ei ryddhau o'r rhaglen
am chwe wythnos.

Cofiais am Mici Plwm yn syth, ac ymunodd e â'r tîm nes
byddai Huw yn dychwelyd. Ro'n i wedi hen sylweddoli'r
potensial tra bûm i'n cydweithio ag o ar y pantomeim: fi'n dal ac
yn rhy denau, yntau'n fach ac yn grwn – y bartneriaeth gomedi
glasurol berffaith. Erbyn hynny, hefyd, ro'n i wedi dod i'r
casgliad y dylid newid patrwm y rhaglen yn gyfan gwbl. Do'dd
y fformat presennol ddim yn tynnu'r gorau allan o'r actorion.
Ro'dd o y math o fformat deud jôcs y gallai unrhyw gyflwynydd
go lew ei wneud; ro'n i eisiau rhywbeth amgenach. Bryd hynny
do'dd dim o'r fath beth â rhaglen gomedi sefyllfa i blant, ac ro'n
i'n awyddus i ddatblygu *Teliffant* i'r cyfeiriad hwnnw. Yr
anhawster oedd nad o'dd neb arall yn cyd-weld â mi. Roedd y

cynhyrchwyr, Rhydderch Jones a Bryn Richards, yn benderfynol o gadw'r rhaglen fel ag yr oedd. Cynt y cwrdd dau fynydd oedd hi! A dechreuodd brwydr rhyngom, gyda mi'n benderfynol o'i hennill.

Cyhuddir alcoholigion, yn aml iawn, o fod yn wan, heb fawr o rym ewyllys yn perthyn iddyn nhw. 'Tasa gynnyn nhw fwy o *will power*, mi fasan nhw'n medru stopio yfed!' medda pobol amdanyn nhw. Ond nid prinder grym ewyllys yw problem yr alcoholig – gormodedd ohono sydd ganddo! Yn fy achos i, mi fyddwn i'n llyncu chwisgi y peth cynta'n y bore, ac yna'n ei daflud i fyny. Mi gymrwn i gegaid arall, wedyn, a thaflud hwnnw i fyny, hefyd. Ond mi barhawn – mor benderfynol o'n i – nes byddai'r chwisgi'n aros i lawr, a wedyn gallwn yfed am weddill y diwrnod, 'nôl fy arfer. Peth felly yw grym ewyllys. Ac ro'dd gen i ddigonedd ohono, fel y darganfu Rhydderch a Bryn Richards. Yn y diwedd ces i fy ffordd fy hun gyda'r rhaglen drwy ddyfal donc, a daeth Olwen Rees yn Oli Olwyn, Myfanwy Talog, o'dd wedi ymuno â ni erbyn hynny yn lle Sharon, yn Myff Taglog, Mici Plwm yn Plwmsan y Twmffat Twp, a finna yn Syr Wynff ap Concord y Bòs.

Syr Wynff ap Concord, gyda llaw, oherwydd bod yr awyren Concorde yn cael ei datblygu yn Ffrainc ar y pryd, a bod tebygrwydd mawr rhwng trwyn yr awyren honno a 'nhrwyn i! Ro'dd y ddau ar dipyn o sgi-wiff!

Ymunodd Glyn Foulkes o Bwllheli hefo ni fel Taid. Meddyliais fod hynny'n ddoniol iawn. Dyna lle roedd Glyn wedi bod yn ymarfer drwy'i oes yn taflu'i lais ac yn peidio symud ei wefusau, a phan ddaeth aton ni, rhoddwyd e y tu ôl i ddresel, fel nad o'dd neb yn 'i weld! Taid, y ddol, ac nid Glyn fyddai'r seren, o hynny 'mlaen! Byddai Trefor Lewis, y consuriwr medrus, yn ymddangos yn rheolaidd ar y rhaglen. Ond erbyn hynny roedd gan bob rhaglen, ar ei newydd wedd, ei stori ddoniol, benodol, ei hun, gyda dechrau, canol a diwedd. Roedd hi'n anoddach, felly, cyfiawnhau ymddangosiad Trefor wrth i'r patrwm ymsefydlu.

Cyrhaeddodd Plwmsan gyda'i frawd bach mewn un bennod –

mwnci oedd o wedi'i wisgo 'run fath â Mici, mewn trwsus brown a bresus, crys-T melyn, a chap ar ei ben. Ro'n i i fod i'w gamgymryd am Plwmsan! Ond, yn sydyn, wrth i mi ddeud, 'Ah! Helô bawb a how-di-dŵ?' mi ddychrynnodd y mwnci, a llamu i dop y set. Yn benderfynol o gario 'mlaen, cydiais yn dynn yn ei gynffon a pharhau gyda'm darn i gamera. Ro'dd y mwnci yr un mor benderfynol o gael dianc, sut bynnag, ac mi ddechreuodd o bi-pî ar fy mhen i. Wedi iddo sylweddoli nad o'dd hynny'n mynd i dycio dim, dechreuodd bw-pŵ ar fy mhen i, wedyn! Rŵan, ro'n i'n dipyn o drŵpar bryd hynny, ond do'n i ddim yn wirion, chwaith. Gollyngais ei gynffon, a chyda sŵn gyddfol, fel rhyw ha-ha cellweirus, diflannodd y mwnci i blith y lampau yn nho'r stiwdio, gan wrthod yn lân â dod i lawr.

Bu'n rhaid gohirio'r recordiad, wedyn, gan nad oedd hi'n ddiogel i ni barhau. Anfonodd Bryn Richards, y cynhyrchydd ar y pryd, Oli Olwyn a Myff Taglog i'r adran wisgoedd i chwilio am wisgoedd anifeiliaid. Dyna lle roedden nhw, wedyn – un wedi'i gwisgo fel mochyn, a'r llall fel buwch – yn ceisio temtio'r mwnci i lawr o'r to drwy wneud synau'r anifeiliaid hynny! Yn y cyfamser, wedi ca'l diod, mi es i i'r stiwdio newyddion, lle ro'dd Handel Morgan yn paratoi i ddarllen y newyddion un o'r gloch ar y radio. Dwedais wrtho am y mwnci, a dyma ddarlledwyd ar ddiwedd y newyddion: 'Oherwydd trafferthion gydag un o'r actorion, methwyd â recordio'r rhaglen boblogaidd *Teliffant* heddiw yn stiwdio'r BBC yng Nghaerdydd! Ac yn olaf, dyma'r tywydd . . .' Clywodd Meira'r newyddion yn ei chartref yn y gogledd. 'Oh mai God!' meddai honno wrth welwi'n sydyn. 'Be ma' Wyn wedi'i 'neud rŵan, eto?'

Ar y dydd Mawrth canlynol, aeth Mici a minnau ar y rhaglen fyw, *Telewele*, i egluro i Hywel Gwynfryn beth o'dd wedi digwydd hefo'r mwnci ar y Sadwrn blaenorol. Ro'dd o yno eto, wedi'i wisgo fel Mici yn ei drowsus brown a bresus, hefo crys-T melyn amdano a chap ar ei ben. Ac wrth i mi ddeud, 'Ah! Helô bawb a how-di-dŵ!' fel o'r blaen, mi ddychrynnodd y mwnci a diflannu i blith y goleuadau am yr ail waith!

Roedd fy ngwaith gorau ar *Teliffant* yn cael ei wneud yn

ystod recordiad bore Sadwrn; erbyn y prynhawn, byddwn yn rhy feddw i wneud unrhyw beth o werth. Bob wythnos, yn gynnar ar fore Mercher, teithiwn o'r gogledd i Gaerdydd, ac ymarfer, wedyn, tan y dydd Gwener, cyn recordio'r rhaglen ar y dydd Sadwrn yn stiwdios newydd y BBC yn Llandaf. Mi ddwedodd cyn-weithiwr o'r cyfnod wrtha i'n ddiweddar, fod gan bawb ofn gweithio hefo fi ar ôl cinio – byddwn wedi newid fy nghymeriad o fod yn berson gweddol hawddgar yn y bore, mae'n debyg, i fod yn deirant hunanobsesiynol, beirniadol o bawb arall, erbyn y p'nawn. Awn i glwb y BBC am ginio gwlyb o fodca a chwrw, a byddai gennyf wastad fodca dros ben wrth ddychwelyd i'r stiwdio ar gyfer gweddill y diwrnod. Wn i ddim sut wnaeth y cast a'r criw fy ngoddef – do'n i ddim yn berson dymunol iawn yn ystod y cyfnod yna. Ac wn i ddim sut y gwnes i osgoi cael fy restio, chwaith, am yrru'r car dan ddylanwad alcohol. Oherwydd bob nos Sadwrn wrth ddychwelyd i'r gogledd (pan fedrwn ennyn digon o frwdfrydedd i gychwyn ar y daith), byddai gennyf chwarter potel o fodca neu chwisgi wrth fy ymyl ar sedd wag y teithiwr. Cefais fy stopio gan yr heddlu unwaith ar gyrion Caerdydd. Roedd hynny yn ystod argyfwng olew 1973, a'r wythnos tridiau-o-waith o dan brifweinidogaeth Edward Heath. Roedd 'na waharddiad ar yrru ar fwy na phum deg pum milltir yr awr er mwyn arbed tanwydd, ac ro'n i'n gor-yrru pan ges i fy stopio. Cerddodd dau heddwas ataf yn fygythiol, ac ro'n i'n rhag-weld fy hun yn ca'l fy restio – nid yn gymaint am or-yrru ond am fod yn feddw. Ond, wedi'n atgoffa i o'r gwaharddiad cenedlaethol ar or-yrru, a'm dyletswydd fel dinesydd i gydymffurfio, pwyntiodd un ohonynt at y botel chwisgi hanner-gwag wrth f'ymyl, a chwerthin, *'And I wouldn't drink any more of that stuff, either, if I were you mate. Off you go.'* Ac felly y gadawyd i mi barhau ar fy nhaith bell, beryglus, i'r gogledd – pryd y gallwn fod wedi cael damwain a lladd fy hun a rhywun arall yn ddigon hawdd. Fu'r ddeddf gyrru-ac-yfed erioed yn ataliad i mi rhag gyrru o dan ddylanwad alcohol. Bodloni'r ysfa i yfed oedd yn cymryd y flaenoriaeth bob tro. Oherwydd, fel bron pob alcoholig, pan fyddai'n dod yn ddewis rhwng yfed neu yrru, naw gwaith allan o ddeg, mi fyddwn i'n gwneud y ddau. Mae'n amhosib deddfu yn erbyn salwch o'r fath, dybiwn i – gydag ysfa i yfed sy'n herio rheswm.

Yn y cyfamser, ro'n i wedi dechrau gweithio gyda Wil Aaron ar y rhaglen gwis, *Stesion Cantamil*, i HTV. Roedd gan y gyfres hon ddilyniant mawr o wylwyr, ac ro'dd hi'n waith cyson a rheolaidd i mi dros y blynyddoedd. Oherwydd prysurdeb gwaith, sut bynnag – gyda *Teliffant* a Chwmni Theatr Cymru – bu'n rhaid i mi roi'r gorau iddi wedi tair cyfres, a daeth Eleanor Jones i mewn i'w chyflwyno yn fy lle. Ond cyn belled â bod HTV yn y cwestiwn, cyflwynydd rhaglenni cwis fyddwn i wedyn am weddill fy nyddiau. Yr hen focsys bach annifyr, cyfarwydd hynny eto! Unwaith rydych chi'n ca'l eich gweld mewn un cyswllt, dyna'ch tynged chi, wedyn, i orfod dychwelyd i wneud yr un hen beth drosodd a throsodd. Mae HTV yn parhau i ddod ata i a gofyn i mi gyflwyno cwisiau iddynt, hyd yn oed heddiw! Ac wrth gwrs, dyna'r broblem fawr gyda chastio actorion. Mae gofyn bod yn fentrus i gastio'n dda. Yn erbyn teip yw'r ffordd orau'n aml – ond nid bob tro. Ac yn y 'nid bob tro' mae'r grefft. Dwi'n parhau i weld rhaglenni Cymraeg a allai lwyddo yn cael eu difetha oherwydd castio gwael. Dros beint oedd y ffordd glasurol o gastio yn y BBC 'stalwm. Ac fel pob peint, i'r un lle aeth eu cynnyrch yn y pen draw! Fi sy'n castio 'ngwaith i gyd erbyn hyn. Mi bydda i'n trafod gyda'r cynhyrchydd a'r cyfarwyddwr, wrth gwrs, ond fy mhenderfyniad terfynol i ydy o. Dwi wedi dysgu o gamgymeriadau pobol erill mai yn y castio mae cyfrinach llwyddiant rhaglen gomedi dda. Hynny a sgript dda, wrth gwrs!

Ar y trydydd ar hugain o Ebrill 1973, priodwyd Meira a fi yng Nghapel Cesarea Philippi, yn y Fron jest islaw'r Nefoedd yn Llandwrog Uchaf. Roedd hi'n bwrw glaw, os cofia i'n iawn, ac roedd HTV yno gyda chamera i ffilmio'r digwyddiad. Fy nghyfaill, Frank Lincoln, o'dd y gwas priodas, ac un tan gamp o'dd o hefyd. Erbyn hynny, roedd Frank yn ystyried dod â'i yrfa actio lwyddiannus i ben. Mewn byd anwadal, mae'n debyg bod ei reolwr banc wedi awgrymu'n gryf iddo y dylai fynd am swydd saffach, gyda chyflog rheolaidd. Mae ennill bywoliaeth yn anodd iawn i actor o Gymro – er nad hyn yw barn y cyhoedd. Yn fy achos i, fyddwn i fyth wedi medru para i actio dros y blynyddoedd heb fod Meira mewn swydd athrawes, ac yn derbyn cyflog rheolaidd. Hyd yn oed wedyn, roedden ni'n gorfod byw o'r llaw i'r genau a byth mewn sefyllfa i gynilo a chael celc wrth gefn. Rwy'n tybio mai dyna ydy hanes y rhan fwyaf ohonom. A chyflog cymharol fychan mae'r actor druan yn ei ennill, p'run bynnag – canran fychan iawn, iawn, o gyllid unrhyw raglen deledu ydy cyflogau'r actorion; i'r ochr dechnegol ac i'r ôl-gynhyrchu y rhed y dŵr gan mwyaf – a phob lwc iddyn nhw. Ond mae actio'n alwedigaeth, gymaint bob tamed â'r weinidogaeth. Ac fel hefo'r weinidogaeth, fel dudodd 'nhad, mae'n rhaid ichi fod yn ffŵl neu o ddifri i fynd i mewn iddi!

Y Parchedig John Roberts, un o bregethwyr mwyaf Cymru, wnaeth ein priodi, gyda'r Parch W. H. Owen, Brynaerau, ffrind arall i'r teulu, yn ei gynorthwyo. Roedd Meira'n edrych fel brenhines, a fedrwn i ddim aros i fynd â hi i Bodfach Hall, Llanfyllin, lle roedden ni'n mynd i fwrw'n swildod. (Fedrwn i ddim fforddio nunlle gwell! Beth bynnag, ro'n i'n gorfod gyrru i Gaerdydd i recordio 'mhen deuddydd!) Swper gan gangen o Ferched y Wawr y Bala rwystrodd ni rhag gwneud hynny, sut bynnag. Roedden nhw yn y gwesty yn eu degau yn dathlu rhyw achlysur ac, wrth gwrs, roedden nhw'n nabod Fferi Nyff, a'r boi 'na ar *Stesion Cantamil* . . .! Pan gyrhaeddon ni'n gwely dwbwl, pedwar-postyn, o'r diwedd, ro'dd Meira'n cysgu ar ei thraed, bron, ac wedi ymlâdd yn llwyr. Dathlais ein noson gynta o briodas yn llawn gobaith, gan yfed o botel siampên wrth ei hymyl. Byddai pethau'n wahanol o hyn ymlaen. Addewais hynny i mi fy hun, ac i'r ferch berta ohonyn nhw i gyd, oedd yn cysgu mor ddiniwed wrth f'ymyl.

Cefais wahoddiad gan yr Eisteddfod Genedlaethol i gynhyrchu rifiw yn 'Steddfod Rhuthun. Ro'dd gen i syniad be i'w wneud, ac es i weld Dafydd Glyn Jones a Bruce Griffiths, dau o'm harwyr. Dwi wastad wedi ystyried y ddau yma ymhlith y doniolaf o blant dynion ac mae'u gallu i sgwennu comedi, wrth gwrs, yn rhywbeth i'w ryfeddu. *Jiwbili Jiwbilant, Agent Eithriadol a Dienyddiwr Swyddogol yr Hen Gorff* fyddai teitl y rifiw. Byddai'r brif sgetsh am weinidog gwallgo, Jiwbili Jiwbilant, o'dd yn ceisio achub y Sul Cymraeg rhag mynd i ddilyn ffordd y Sul Cyfandirol. Dyna ichi syniad o naws y noson, ac ro'dd Geraint Jarman wedi cytuno i sgwennu caneuon dychanol i mi, ac ychydig o ddarnau crafog o farddoniaeth. Ar gyfer y noson honno y sgwennodd o'r gân enwog, 'I've Arrived!' 'Wedi teithio o America, yn ôl i Gymru am yr haf, i'r 'Steddfod Genedlaethol, ydw i! O ma' hi'n braf ca'l bod yn ôl yng ngwlad fy ieuenctid ffôl, lle dysgais sut i fyw a bod yn ffrî. O! I've arrived, I've arrived . . .' a.y.y.b. Dwi'n sôn am honno'n benodol oherwydd i mi deimlo nad oedd y gerddoriaeth roedd Geraint wedi'i chyfansoddi ar gyfer y geiriau yn ddigon bywiog. Mi gyfansoddais i, gyda help Arfon Wyn, gerddoriaeth newydd yn ei le! Dwi'n gwrido wrth feddwl i mi wneud y ffasiwn beth!

Wrth i'r cast, o'dd yn cynnwys Dyfan Roberts, Maureen Rhys, Frank Lincoln a minnau, ac Ian Saynor fel y rheolwr llwyfan, ddychwelyd i Neuadd y Dre, Dinbych, i barhau gyda'n hymarfer olaf cyn y perfformiad, croesawyd ni'n ôl gan aelodau o'r frigâd dân. Roedd gwres o un o'r lampau wedi rhoi llenni'r llwyfan ar dân, mae'n debyg! Ac oni bai i aelod craff o'r cyhoedd sylwi ar y mwg wrth basio, mi fyddai Neuadd y Dre Dinbych wedi llosgi i'r llawr y diwrnod hwnnw. Achubwyd y dydd rywsut; rhoddwyd yr hen lenni'n ôl, a bu'r sioe ei hun y noson honno'n llwyddiant digamsyniol, gyda Dafydd Glyn a Bruce Griffiths yn chwerthin yn uwch na neb. Ceisiodd yr eisteddfod ddod ag achos yn f'erbyn i, wedyn, i ad-dalu miloedd o bunnau am gost y llenni a ddifethwyd gan y tân. Wrth lwc, medrais brofi nad o'dd y llenni wedi ca'l eu trin yn iawn rhag tân ymlaen llaw, fel o'dd yn ofynnol. Ond tamed i aros pryd oedd hyn ar ran yr Eisteddfod Genedlaethol: o fewn cwta flwyddyn, byddent yn bygwth fy ngwneud i'n fethdalwr!

Awn i'r capal yn rheolaidd; ro'n i'n gwybod y geiriau, ond

heb adnabod y gair. Mae traddodiad yn beth mawr yng Nghymru, ac ro'n i wedi arfer mynd i'r capal – byddai peidio mynychu wedi bod yn sen ar goffadwriaeth fy nhad, p'run bynnag. Dyna sut y cefais fy ethol yn flaenor yng nghapel y Fron! Gwyddwn 'mod i'n byw bywyd rhagrithiwr, erbyn hynny. Roedd brwydr yn mynd ymlaen, tu mewn i mi, drwy'r amsar, rhwng y da a'r drwg. Wrth i f'alcoholiaeth i waethygu, daeth y drwg i orchfygu'r da yn amlach na pheidio. Ond er gwaetha popeth, ro'dd gen i grebwyll, o hyd, o sut y dylwn i fyw – ro'dd gen i gydwybod. Gormod o gydwybod a deud y gwir. Hwnnw fyddai'n achosi'r euogrwydd a'r cywilydd o'dd yn fy nghorddi gymaint. Ro'n i'n yfed i ladd hwnnw, i ladd pob atgof o'r math o fywyd ro'n i'n ei fyw.

Wrth gwrs, ro'dd Mam yn falch 'mod i wedi ca'l fy ethol yn flaenor. Ro'dd y teulu cyfan yn falch. O gofio traddodiad capelyddol teulu 'nhad a'r cefndir anghydffurfiol Cymraeg y magwyd o ynddo, ro'n i, mwya sydyn, yn dilyn yr un traddodiad. Fedrwn i ddim gwrthod y gwahoddiad i fod yn flaenor. Fedrwn i ddim deud wrth Mam, 'Gwrandwch, Mam, dwi ddim byd tebyg i be 'dach chi'n feddwl ydw i. Tydw i ddim hyd yn oed yn credu mewn Duw!' (Dwi'n cofio cwestiynu bodolaeth Duw, unwaith. Ces i andros o row gen 'y nhad. 'Wt ti'n credu yn y'n Duw ni a dyna ddiwadd ar y matar, Jac-y-Do!') Beth sy'n rhyfedd yw, mai dyna'r math o berson ro'n i eisiau bod, beth bynnag! Ro'n i eisiau i bobol fy mharchu i, fel bydden nhw'n parchu blaenor. Ro'n i eisiau i bobol feddwl yn uchel ohona i. Dyna pam y derbyniais i'r swydd – roedd o'n rhoi ychydig o hunanwerth i mi ar adag pan nad o'dd gen i ddim fy hun. Wrth i'n safonau moesol ddirywio hefo pob meddwad, ro'dd unrhyw beth o'dd yn gwneud i mi deimlo'n dda amdanaf fy hun i'w drysori. Yng nghapal Tal-y-sarn, felly, yn ystod cyfarfod o Henaduriaeth Arfon, cefais fy ordeinio'n flaenor. Yn fy araith fer soniais am englyn fy nhad i mi, a'i ddyheadau ar fy nghyfer. Soniais i ddim am fy ffydd – oedd ddim yn bod – na chwaith am y math o fywyd roedd alcoholiaeth, erbyn hynny, yn fy ngorfodi i fyw. Cadwais y rheini i gyd dan orchudd cyfrinachedd. Dros y blynyddoedd nesaf, sut bynnag, byddai mwy a mwy o bobol yn dod i wybod y gwir amdanaf. Ond arhosais yn flaenor, er gwaetha popeth – a pharhau i chwilio am Dduw. Do'n i ddim yn sylweddoli ar y pryd nad Duw o'dd ar goll, ond fi!

Idris Roberts, y newyddiadurwr, gyflwynodd fi i fyd radio. Ro'dd o angan rhywun i ddarllen a chyflwyno'r rhaglen newyddion amsar cinio iddo. Cymrais at y gwaith fel pysgodyn i ddŵr. Eisoes roedd Hywel Gwynfryn wrthi'n torri tir newydd ar y radio yng Nghaerdydd gyda'i raglen fore Sadwrn, '*Helô, Sut 'Dach Chi?*', ac ro'n i am ddilyn ei esiampl a gwthio'r ffiniau ychydig ymhellach ym Mangor. Roedd Eurof Williams yn rheolwr stiwdio ifanc ar y pryd, a dechreuon ni'n dau weithio gyda'n gilydd yn recordio jingles, a rhoi pytiau o raglenni at ei gilydd yn y gobaith y byddai'r penaethiaid yn eu clywed, ac yn rhoi cyfle i ni gynhyrchu'n rhaglenni'n hunain i'w darlledu. Cawson ni gyflwyno'r rhaglen bop, *Ymbarél*, bob haf tra oedd rhaglen Hywel yn cael seibiant – a chynhyrchwyd sawl campwaith dros y blynyddoedd – *Ymbarél dros Edward H* oedd un rhaglen estynedig, nodedig.

Rhaid ichi gofio nad o'dd Radio Cymru yn bod ar y pryd, dim ond optio allan o'r rhwydwaith cenedlaethol Seisnig, yr *home service*, fyddai BBC Cymru am ychydig o oriau prin o ddarlledu yn y Gymraeg bob wythnos, yn ddramâu ac yn rhaglenni newyddion, gan mwyaf. Datblygiad diweddarach oedd darlledu oriau lawer o raglenni Cymraeg, a dechreuwyd ar hynny drwy ledaenu'r ddarpariaeth foreol i fyny at amser cinio, bob dydd. Yn sgil hynny, cynhyrchwyd pump o raglenni newydd bob bore. Roedd Hywel â'i raglen newydd o ar ddydd Llun, a minnau, gyda'm rhaglen newydd innau, *Enfys*, ar ddydd Gwener, ac yn y canol ro'dd pobol fel Alun Williams ac R. Alun Evans. Yn anffodus, nid Eurof Williams gafodd y swydd o gynhyrchu *Enfys* – er i ni gydweithio ar y peilot – ond Alwyn Samuel, cynhyrchydd o'r hen ysgol, oedd â'i gefndir a'i ddiddordebau yn ddwfn yn y 'pethe' a chanu gwerin a phenillion. O'r cychwyn, felly, ro'n ni'n cloffi rhwng dwy stôl, gyda'r rhaglen, o dan ei ofal ef, yn tueddu i fod yn gylchgrawn canol-y-ffordd, heb fod ynddi unrhyw un o'r elfennau modern yr oeddwn i wedi gobeithio'u cynnwys.

Tua hanner ffordd drwy'r gyfres gyntaf o *Enfys*, cefais wahoddiad i gael sgwrs gyda Phennaeth Rhaglenni'r BBC, Geraint Stanley Jones, yn ei swyddfa yng Nghaerdydd. Cawsom drafodaeth eang, gefnogol, am nifer o bynciau a rhaglenni, a soniais wrtho am y rhaglen *Enfys*, a 'mhryder nad oedd Alwyn a fi'n cydweddu i'n gilydd. Addawodd edrych i mewn i bethau. Canlyniad y sgwrs fu penodi Huw Jones o Gwmni Recordiau Sain, bryd hynny, i gyflwyno'r rhaglen yn fy lle. Y tro cyntaf i mi erioed ga'l y sàc. A digwyddodd hyn heb i neb ddweud yr un gair wrtha i. Darllen amdano yn y wasg wnes i!

Daeth y gwahoddiad i gyfarwyddo *Nia Ben Aur*, yr opera roc Gymraeg gyntaf, allan o'r gwyll. Clywais fod fy enw i ac enw Rhydderch Jones o'r BBC yn cael eu trafod yng nghyd-destun y cynhyrchiad, ond feddylis i erioed y byddai'r trefnwyr wedi gofyn i mi gymryd y cyfrifoldeb o'i chyfarwyddo. Pan gyrhaeddodd y gwahoddiad, felly, ro'n i'n teimlo'n freintiedig iawn. Ro'dd yna fynd mawr ar y byd pop yng Nghymru bryd hynny, gydag unigolion fel Endaf Emlyn, Meic Stevens, Dafydd Iwan, Mary Hopkins, Heather Jones a Huw Jones eisoes yn sêr, ac ro'dd grwpiau wedi dod i gystadlu â nhw, Sidan, Hergest, y Tebot Piws a Ac Eraill, i enwi rhai'n unig, oedd yn teithio led-led Cymru yn diddanu mewn nosweithiau llawen ar y pryd. Aelodau o'r grŵp Ac Eraill fu'n gyfrifol am gyfansoddi'r caneuon a'r geiriau i'r opera roc. Ro'n nhw eisoes wedi rhyddhau'r brif gân, 'Nia Ben Aur', ar ddisg, ac ro'dd hi wedi cydio'n syth yn nychymyg y gynulleidfa. Ro'dd yna edrych ymlaen na fu'r rotsiwn beth, felly, at yr unig berfformiad o'r opera, *Nia Ben Aur*, oedd i ddigwydd yn hwyr ar y nos Iau ym mhafiliwn enfawr Eisteddfod Genedlaethol Caerfyrddin a'r Cylch, 1974.

Llongyfarchais y Pwyllgor Drama ar eu gweledigaeth a'u hysbryd anturus yn ein cyfarfod cyntaf. O'r diwedd câi'r ifanc gyfle i arddangos eu doniau, ac i chwarae rhan sylweddol yng ngweithgarwch yr Eisteddfod oedd, tan hynny, wedi tueddu i esgeuluso'r genhedlaeth iau. Ar flaen y gad gyda'u cefnogaeth i'r fenter oedd Norah Isaac a Sulwyn Thomas.

Yr unig anhawster a gafwyd wrth baratoi oedd y sylweddoliad trist nad oedd y Pwyllgor Drama wedi llawn sylweddoli beth oedden nhw wedi'i gomisiynu. Nid cyngerdd syml mohono, ond sioe gerddorol, wedi'i chyfarwyddo gydag actorion, cantorion, dawnswyr, llefarydd, cerddorfa, offer sain drudfawr, a goleuadau gwerth miloedd ar filoedd o bunnau. Ar ben hynny, byddai angen set a gwisgoedd, amser ymarfer sylweddol mewn canolfan ymarfer yng Nghaerdydd, a digon o gyllid i dalu cyflogau a chostau i dros dri deg o berfformwyr, a degau o dechnegwyr, coreograffwyr a cherddorion proffesiynol. Sylweddolais yn fuan nad oedd digon o gyllid i gynhyrchu *Nia Ben Aur*. Aethpwyd ati i gyfaddawdu, wedyn, gan dderbyn cynnig hael Wilbert Lloyd Roberts i roi'r holl adnoddau a staff technegol i mi am ddim. Amcangyfrifwyd y byddai'r cynhyrchiad, wedi cyfraniad Wilbert, yn weddol agos at y cyllid gwreiddiol yr oedd yr Eisteddfod wedi'i gynnig i ni, ond doedd fy rheolwr banc i ddim yn berffaith hapus. Mynnodd ef fod cymal yn cael ei ychwanegu at y cytundeb ar y funud olaf. Heb y cymal hwnnw, oedd yn fy niogelu i'n bersonol rhag unrhyw gyfrifoldeb petai'r costau'n mynd yn uwch na'r disgwyl, byddai'r 'Steddfod wedi llwyddo i 'ngwneud i'n fethdalwr.

Heather Jones o'dd yn portreadu Nia Ben Aur ei hun, gyda Clive Harpwood yn chwarae rhan Osian, yr un sy'n syrthio mewn cariad â hi ac yn ei dilyn i Dir na n-Og. Y Brenin Ri fyddai Dewi Pws, ac roedd aelodau Sidan, Hergest, Y Tebot Piws, Ac Eraill, yn y corws, gyda Gruffudd Miles o'r grŵp Y Dyniadon Ynfyd Hir-Felyn-Tesog, yn llefarydd. Hefin Elis o'dd y cyfarwyddwr cerdd – ac ro'dd ei gyfrifoldeb yn fawr, a byddai Gray Evans yn gyfarwyddwr cynorthwyol i mi ar y cynhyrchiad.

Aeth popeth fel watsh yn ystod yr ymarferiadau yng Nghanolfan yr Urdd, Conway Road, Caerdydd. Os rhywbeth, yr unig gamgymeriad wnes i oedd ca'l y cynhyrchiad yn barod ychydig yn rhy gynnar. Deuai degau o bobl i mewn yn ddyddiol i'r ymarferiadau i ryfeddu at y canu a'r llwyfannu, ac ro'dd sibrydion ar led fod *Nia Ben Aur* yn mynd i fod yn dipyn o sioe. Yr unig anhawster ro'n i wedi'i gael hyd hynny oedd gydag ymddygiad un aelod o'r cast. Roedd Gruff Miles yn yfed yn ormodol! Fy hun, celwn fy yfed i. Awn allan ar y grisiau y tu allan i'r ystafell ymarfer, a llyncu potel chwarter o fodca bob p'nawn, ond llwyddais i reoli'n yfed yn o lew, fel nad o'dd neb arall yn sylwi. Ro'dd Gruff, ar y llaw arall, yn methu gwneud hynny. Erbyn dallt, ro'dd o wedi cyrraedd y gwaelodion gyda'i yfed, fel bod unrhyw ymdrech i'w reoli'n amhosibl. Erbyn y perfformiad ei hun, byddai wedi colli'i lais bron yn gyfan gwbl, a byddai ei ymddygiad, erbyn hynny, yn achosi pryder mawr i bawb.

Wedi i ni gyrraedd yr Eisteddfod, sut bynnag, dechreuodd bethau ddatgymalu, braidd. Yn un peth, roedd cyngerdd y gerddorfa yn y pafiliwn wedi mynd dros amser, a bu'n rhaid clirio ar eu holau nhw cyn medru mynd ati i adeiladu'n set ni. Ro'dd llais Gruff yn bryder, wrth gwrs, a'r gwaith anoddaf o'dd cadw llygad arno fo i wneud yn siŵr nad o'dd o'n yfed gormod. Fi wnaeth hynny! Be gaech chi'n well na cha'l un alcoholig yn cadw llygad ar un arall? Gwyddwn am ei driciau i gyd cyn iddo hyd yn oed feddwl amdanyn nhw! Ond, fel y gŵyr pawb erbyn hyn, yr hyn ddifethodd yr unig berfformiad hwnnw o *Nia Ben Aur* oedd y problemau gawson ni gyda'r offer sain.

Er mwyn medru clywed yr hyn o'dd yn digwydd ar y llwyfan mewn horwth o le fel y pafiliwn, ro'n i wedi llogi *radio mikes*. Y rhain oedd y dechnoleg ddiweddaraf ym myd sain ar y pryd. Ar wahân i fod yn ddrud, roedd yn rhaid cael trwydded gan y Swyddfa Bost i'w defnyddio, gan fod peryg iddynt amharu ar offer yr heddlu a'r ambiwlans a.y.y.b. Wrth i'r perfformiad fynd rhagddo, sut bynnag, fesul un ac un, aeth y meicroffonau hyn i lawr. Roedd Wilbert, Gray a fi'n eistedd mewn syndod gyda'n gilydd yn y sedd flaen, a do'dd dim y gallai'r un ohonon ni ei wneud i rwystro'r drychineb rhag digwydd. Ro'dd o'n un o

155

brofiadau tristaf fy mywyd i, gweld rhywbeth oedd mor gelfydd un funud, yn dadfeilio'n ddarnau o flaen fy llygaid. Mi gariais i siom y noson honno am flynyddoedd wedyn yn fy nghalon, ac amharodd yn fawr iawn ar fy ngyrfa i. Wedi'r noson honno, gan feio fy hun am yr hyn ddigwyddodd, mi drois fy nghefn, fwy neu lai, ar gyfarwyddo. Ac eithrio ambell daith ysgolion a chynhyrchiad o *Gymerwch Chi Sigarét?* i Theatr yr Ymylon, tydw i ddim wedi teimlo'r awydd i gyfarwyddo yn y theatr ers hynny. Dim ond rŵan, dros un mlynedd ar ddeg i mewn i'm sobrwydd a chyda dyfodiad a chyffro sefydlu Theatr Genedlaethol Cymru, rydw i'n teimlo'r angen i ga'l dychwelyd at gyfarwyddo ac ailafael ynddi. Mi gymerodd hi tan ryw ddwy flynedd yn ôl, felly, i mi ddod dros drychineb noson gyntaf, ac olaf, *Nia Ben Aur.*

Ond felly mae'r salwch yn gweithio – drwy ddal dig, a pheidio gadael i brofiadau negyddol fel hyn fynd. O dipyn i beth mae'r cwlwm yma o ymddygiad yn tynhau am wddw'r alcoholig. Drwy gael profiadau fel *Nia Ben Aur*, mae'r alcoholig yn darganfod esgus arall dros gau'r drws ar yr opsiynau sy'n agored iddo; rheswm arall dros osgoi'i gyfrifoldebau, a rhedeg i ffwrdd. A bai pawb arall ydio o. Y 'Steddfod, y gŵr a logodd yr offer sain, Gruff Miles, y gerddorfa, fy nhad a mam am roi genedigaeth i mi – mae'n hawdd ychwanegu at y rhestr. O dipyn i beth, mae'r alcoholig yn caethiwo'i hun fel na fedr symud, mewn cell o'i wneuthuriad ei hun. A'r cena drwg sy'n cydlynu'r holl drasiedïau hyn yn fwriadol yn ei erbyn ydy – Duw!

Er gwaetha popeth, mae'r cynhyrchiad hwnnw o *Nia Ben Aur* wedi aros yn ymwybyddiaeth y Cymry. Dros y blynyddoedd mae'r cynhyrchiad wedi magu statws cwlt, gyda'r rhai oedd yn y pafiliwn y noson honno'n teimlo eu bod yn rhan o ryw ddigwyddiad pwysig, hanesyddol. Ac mi oedd. Dyna'r trobwynt ym myd adloniant ysgafn i'r ifanc. Symudodd yr holl fusnes, wedi hynny, o dir amaturiaeth i fyd proffesiynoldeb. Gwawriodd talentau mawr iawn ar ein byd, gyda phobol fel Caryl Parry Jones (o'dd yn ferch ysgol ar y pryd ac yn canu yn *Nia Ben Aur* fel aelod o'r corws) yn arwain y gad gyda'i galluoedd perfformio a cherddorol rhyfeddol. Datblygodd Edward H. Dafis o'r profiad, gyda Clive Harpwood, Dewi Pws, John Griffiths a Hefin Elis (i gyd yn *Nia Ben Aur*) yn sgubo'r wlad gyda'u cerddoriaeth newydd a'u hasbri. Delwyn Siôn, Geraint Gruffudd, hefyd, a llawer, llawer mwy. Ro'dd cyfle'r ifanc i ga'l eu cymryd o ddifri yn hwyr yn cyrraedd Cymru. Cyrhaeddodd, heb os nag oni bai, yn ystod y perfformiad hwnnw o *Nia Ben Aur*. Sylweddolodd pobol, mwya sydyn, fod mwy o dalentau yn perthyn i ni fel cenedl nag yr oedden ni wedi'i ddychmygu cyn hynny. Ac nid yr hen stêjars oedden nhw, chwaith. Pobol ifanc oedd y rhain, pobol ifanc o'dd yn fodlon cysegru'u gyrfaoedd i ddatblygu adloniant ysgafn o'r radd flaenaf yn yr iaith Gymraeg. Roedd yma arf ychwanegol, cryf i'r ddadl gynyddol am sianel Gymraeg i Gymru.

Ysywaeth, ro'n i wedi gor-wario ar y cynhyrchiad – rai miloedd, os cofiaf yn iawn. Do'dd o ddim yn ffigwr anferthol o gwbl, sut bynnag – o fewn ychydig bunnoedd i'm hamcangyfrif gwreiddiol i o wir gost y cynhyrchiad. Ond, wrth i mi fynd am driniaeth lawfeddygol i'm stumog yn ysbyty'r C&A ym Mangor, roedd yr Eisteddfod, drwy John Roberts ei Threfnydd, yn mynnu 'mod i'n bersonol yn ad-dalu'r gorwariant iddynt. Byddai hynny wedi 'ngorfodi i i fynd yn fethdalwr – oherwydd, fel y rhan fwyaf o alcoholigion, erbyn hynny ro'dd gen i ddyled bersonol anferthol. Byddai cost ychwanegol *Nia Ben Aur* wedi'n llorio i'n gyfan gwbl yn ariannol. Yn ffodus, wrth gwrs, roedd fy rheolwr banc wedi mynnu cynnwys y cymal ychwanegol hwnnw o'dd yn fy niogelu i rhag y math yma o ddigwyddiad. Yn rwgnachlyd, felly, bu'n rhaid i'r Eisteddfod Genedlaethol dderbyn hynny, a thynnu'i bygythiad yn ôl. Ond derbyniais lythyr reit gas oddi wrth John Roberts, ar ran y Pwyllgor Drama, yn gosod y bai a'r cyfrifoldeb am y gor-wariant i gyd ar fy ysgwyddau i, ac yn datgan eu siom ynof. Erbyn hyn, wrth gwrs, rwy'n derbyn y cyfrifoldeb hwnnw ond, ar y pryd, gwelwn fy hun yn ca'l fy nefnyddio fel bwch dihangol braidd, a daliais ddig yn erbyn yr Eisteddfod fel sefydliad am flynyddoedd wedyn, gan i mi deimlo 'mod i'n ca'l y bai i gyd ar gam. Tydw i ddim wedi gweithio'n uniongyrchol i'r Eisteddfod Genedlaethol ers hynny – ond nid o'm dewis i fy hun.

Duodenal ulcer! Dyna oedd o medda'r arbenigwr yn ysbyty'r C&A ym Mangor. Os oeddech chi'n rhywun 'adag hynny, neu'n bwriadu bod yn rhywun 'adag hynny – mi fydda ganddoch chi *duodenal ulcer*. Ac ro'dd gen i un anferth, yn ôl y dystiolaeth feddygol, reit ar waelod fy stumog! Awgrymodd yr arbenigwr ddim mai yfed gormod o alcohol o'dd wedi'i achosi, chwaith. Feiddiai o ddim, oherwydd ro'n i eisoes wedi rhoi'r bai ar y pwysau a'r tensiynau o'dd arna i yn fy ngwaith. Ar ben hynny, ro'dd yr holl deithio ro'n i'n ei wneud – 'nôl a 'mlaen, bryd hynny, ddwy waith yr wythnos o'r de i'r gogledd. 'Ma' ganddoch chi job reit annifyr, felly!' medda'r arbenigwr yn llawn cydymdeimlad wrth stwffio'i fys i fyny fy mhen-ôl. 'Oes', meddwn inna'n trio bod yn glyfar, 'a tydi'ch un chitha fawr gwell!'

Erbyn hynny, ro'n i wedi colli pwysau'n aruthrol. Do'n i ddim ond croen am asgwrn; arferai Plwmsan smalio chwarae'r delyn ar fy asennau, ac fe ddychrynodd Mam yn fawr iawn pan welodd hi fi ar y teledu unwaith heb gôt a chrys-T Syr Wynff amdana i. Edrychwn fel rhywun o Belsen. Yn y cyfamser, ro'dd Meira druan yn gorfod gwylio hyn i gyd yn digwydd. Gwelai fi'n niweidio'n hun gydag alcohol a chyffuria erill, ac ro'dd hi'n ddi-rym i'm rhwystro. Ar wahân i swnian, do'dd dim arall y gallai wneud. Ond roedd hynny fel taro ei phen yn erbyn wal frics – hi'n unig oedd yn cael ei brifo. Chafodd ei swnian hi fawr o effaith arna i – ar wahân i roi esgus arall i mi yfed mwy a chymryd mwy o dabledi. Ar y pryd, ro'dd Meira'n meddwl y gallai fy newid i, a thrwy hynny fy rhwystro i rhag yfed – dyna gred pob cymar i alcoholig. Dyna sut mae'r salwch yn cydio mewn teulu. Y gwirionedd yw na allai wneud dim i'm rhwystro ac, yn lle derbyn hynny, dechreuodd dwyllo'i hun nad o'n i'n yfed cymaint â hynny, mai wedi blino o'n i ac nid wedi meddwi, bod pob dyn yn meddwi weithiau, p'run bynnag, a'i fod o'n beth naturiol i'w wneud. Yr hen gyfarwydd ymwadiad – y

158

denial bondigrybwyll! Nid yn unig ro'n i'n dweud wrtha i'n hun nad o'dd dim byd yn bod arna i, roedd Meira, bellach, wedi dechrau ategu hynny! Bingo! Dyna'r unig ffordd, yn aml iawn, y gall priod neu gymar i alcoholig ddygymod â'r sefyllfa wallgo. Does dim byd yn bod ar neb, mwya sydyn! Mae pawb yn berffaith! Dim craciau i'w gweld yn y mur o gwbl – ar wahân i'r pwysau a'r tensiynau gwaith o'dd ar ei gŵr, wrth gwrs. Hynny, cytunodd Meira, a'r holl deithio 'nôl a mlaen o'r de i'r gogledd o'dd wedi achosi'r *duodenal ulcer!*

Bûm yn wael iawn ar ôl y driniaeth ac, yn groes i'r disgwyl, ni wellodd y boen yn fy stumog. Bu'n rhaid i mi gymryd tabledi cryfach i ladd hwnnw. Daeth y meddyg teulu i'm gweld un diwrnod ac awgrymu y dyliwn i gymryd rhyw donic bach i adfer ychydig o liw i'm hwyneb. 'Pa fath o donic, doctor?' holais innau'n ddiniwed.

'Potelaid o Guinness neu Mackesons!' meddai hwnnw heb feddwl dim, na deall y salwch oedd arnaf. O fewn pythefnos, ro'n i'n yfed fel o'r blaen, gydag un botelaid o stowt y dydd wedi mynd yn ddeg a mwy. Yn ogystal, dechreuais fragu cwrw fel hobi – dim ond i ladd amser, wrth gwrs!

Cynyddodd y pwysau ariannol arnaf i ddechrau gweithio eto. Roedd T. Glynne Davies, y bardd a'r newyddiadurwr, wedi'i benodi'n olygydd newyddion yn y gogledd, gyda chyfrifoldeb am y rhaglen newyddion *Bore Da*. Ef oedd yn arfer cyflwyno'r rhaglen honno, ac roedd o am i mi gymryd drosodd oddi wrtho o ddydd Llun tan ddydd Mercher, er mwyn iddo ef fedru canolbwyntio ar ei gyfrifoldebau newydd. (Am weddill yr wythnos, byddwn yng Nghaerdydd yn ymarfer ar gyfer recordio *Teliffant*.) Ond cyn i mi ailddechrau gweithio, daeth y newyddion trist am farwolaeth Gruff Miles. Ro'n i wedi bod yn disgwyl newyddion o'r fath byth ers i mi orffen gweithio gydag o ar *Nia Ben Aur*. Fedrai'r cr'adur ddim parhau fel ro'dd o heb i ryw fath o drychineb ddigwydd yn fuan yn ei fywyd – roedd rhywun yn ymwybodol iawn o hynny. Fe'i lladdwyd, erbyn dallt, mewn damwain car erchyll gyda chyfaill iddo. (Gallai fod wedi digwydd i mi'n hawdd, ond am ras Duw!) Collwyd talent aruthrol arall i alcoholiaeth, ac er i mi weld yr arwyddion i gyd yn nioddefaint ac ymddygiad olaf Gruff, methais yn llwyr â gwneud y cysylltiad rhwng yr hyn a gyfrannodd at ei farwolaeth o a'r cyflwr oedd yn prysur dynhau'i afael am fy nghorn-gwddw innau.

Roedd T. Glynne a minnau'n gyfeillion agos. A ninnau'n or-hoff o'r ddiod, arferem gyfarfod bob amser cinio yn yr Union ar lannau'r Fenai i ymlacio wedi gorffen darlledu *Bore Da*. Ro'n i'n mwynhau cyflwyno'r rhaglen ar y dechrau, ond roedd codi mor gynnar yn chwarae hafoc hefo'n stumog. Fedrwn i ddim bwyta cyn darlledu; ro'dd fy nerfau'n rhacs erbyn hynny, p'run bynnag, ac ro'dd cyflwyno'n fyw ar yr aer yn straen dychrynllyd arna i. Deffro yn y bore o'dd y broblem arall – yn enwedig a minnau'n mynd i glwydo'n feddw bob nos ac o dan ddylanwad y tawelyddion cryfion ro'n i'n eu llyncu fel *smarties*. Yn fuan, dechreuodd yr holl gamddefnydd yma o alcohol a chyffuriau amharu ar fy lleferydd. Dechreuodd heb i mi sylwi, bron – rhyw duedd bychan at atal-dweud, a weithiau, cawn fy hun yn methu ynganu ambell air. Dim byd i boeni'n ormodol amdano – ro'n i'n gorfod geirio'n fwy gofalus nag arfer, dyna'r cwbwl, rhag i mi lithro. Gwaethygodd pethau'n gyflym, sut bynnag, a 'mhen dim ro'n i'n methu'n lân â dweud rhai geiriau o gwbl wrth ddarlledu. Dyna lle byddwn i wedyn, yn cydio'n dynn yn fy ngên hefo 'nwy law, o flaen y meicroffon, ac yn gorfodi fy ngheg i ffurfio'r geiriau ro'n i i fod i'w llefaru. Aeth yr holl beth yn hunllef, hefo fi'n swnio, ar adegau, fel rhywun o'dd yn siarad ar dâp oedd wedi'i arafu. Rhois y gorau i gyflwyno *Bore Da* pan ddaeth diffyg arall i'm poeni – fy nyslecsia. Cofio? Methais ddarllen un stori newyddion wrth i'r geiriau ddawnsio o flaen fy llygaid, a drylliwyd fy hyder yn gyfan gwbl o ganlyniad.

Daeth creisis arall i gymylu'r dyfroedd wrth i 'mywyd i brysur ruthro allan o reolaeth. Cefais fy nghyhuddo gan swyddog o'r Dreth Incwm o fod wedi celu rhai o'm henillion. Ro'dd rhywun wedi ffonio'n ddienw i achwyn amdana i – yr un cyfaill, o bosib, riportiodd fi i'r swyddog addysg yng

Nghaernarfon flynyddoedd ynghynt am weithio ar y rhaglen deledu *Nos Wener* tra o'n i'n fyfyriwr. Wedi archwiliad hir, cafwyd fi'n ddieuog o'r cyhuddiad yn f'erbyn. Ond wrth dyrchu drwy saith mlynedd ola 'nghyfrifon, cosbwyd fi am drosedd arall ac aeth yr apêl am hwnnw mor uchel â'r Swyddfa Gartref yn Llundain. Fi o'dd un o'r rhai cyntaf i fod yn hunangyflogedig yn y diwydiant teledu a theatr yng Nghymru ar y pryd a dyfarnwyd, am y tro cyntaf erioed, fod disgwyl i ni dalu treth ar ein costau – yr holl arian ar betrol a chostau gwestai yng Nghaerdydd a llefydd erill – yn ogystal ag ar ein henillion. Dychrynodd hyn y diwydiant drwyddo, yn enwedig y BBC a HTV gan fod ganddynt ddegau lawer o weithwyr staff oedd yn derbyn costau uchel fel rhan o'u gwaith. Gwrthodwyd yr apêl yn Llundain, sut bynnag, a chefais ddeg diwrnod i dalu'r ddyled a oedd, gyda llog, dros chwe mil o bunnau – swm aruthrol ar y pryd, pan ydach chi'n ystyried mai saith mil a hanner o bunnau oedd pris ein cartref newydd yn Stad y Bryn, Bontnewydd. Llwyddais i sicrhau benthyciad o'r banc, a hynny'n gwneud fy sefyllfa ariannol i'n fwy bregus fyth! Dyna'r adag, fel ymdrech i'm cysuro, y dywedodd fy rheolwr banc, Trefor Lloyd Jones, wrtha i, 'Ni bu nos mor dywyll, Wynford, nad oedd sêr!' Flynyddoedd yn ddiweddarach ysgrifennais gân o dan yr un teitl yn y gystadleuaeth 'Cân i Gymru' ar S4C, a dod yn ail.

Erbyn hyn roedd Meira wedi dod i'r casgliad mai'r unig beth fyddai'n fy stopio i rhag yfed fyddai i ni gael plentyn. Ond, wrth i bopeth arall yn fy mywyd fynd o'i le, doedd fawr o obaith i hynny ddigwydd. Teimlwn fod yna gynllwyn yn f'erbyn i, a bod y cread yn chwara rhyw gêm ddieflig i'm tanseilio'n gyfan gwbl. Fedrwn i ddim gweld mai fi o'dd awdur fy nhynged. Bai pawb arall o'dd o – petai Meira ond yn peidio bod mor flin hefo fi, petai'r BBC ond yn rhoi mwy o waith i mi, petai'r rheolwr banc ond yn peidio swnian am bres o hyd. Ro'n i'n wirioneddol gredu y medrwn i roi'r gorau i yfed pe gellid bodloni'r amodau hyn. Ro'n i'n ca'l fy nghnoi gan genfigen, hefyd, gyda phawb arall i'w gweld yn cael pethau'n hawdd. Mi ddechreuais i ddeisyfu yr hyn oedd gan bobol erill – eu gwragedd, eu llwyddiant, eu prydferthwch, eu ffrindiau a'u gallu i gymysgu'n rhwydd. Ro'n i'n cymharu fy hun â phobol erill, a phan wnawn i hynny, wrth gwrs, fi fyddai'n dod allan ohoni waethaf bob tro.

Ychydig iawn o bobol a gâi groeso yn ein tŷ ni. Do'n i ddim yn trystio neb. Rheitiach o lawer cadw'n hunain i ni'n hunain – po leia o wybodaeth oedd gan rywun amdanon ni, lleia i gyd o ddrwg allai'r person hwnnw'i wneud i ni yn y pen draw. Ffaith arall yw fod perthynas person ag eraill ond cystal â pherthynas y person hwnnw ag o 'i hun. Gan fod fy mherthynas i hefo fi'n hun yn un o gasineb – ro'n i'n casáu fy hun â chas perffaith – perthynas wedi ei seilio ar gasineb, felly, oedd gen i â phawb arall. 'Beth bynnag y mae dyn yn ei hau, hynny hefyd y bydd yn ei fedi.' Roedd y cyfan yn y Beibl, ac yn yr hyn ro'dd 'nhad wedi ceisio'i drosglwyddo i mi yn fy mhlentyndod. Chlywais i ddim mo'i eiriau o bryd hynny, mwy na chlywn i lais rheswm yn fy mhen i yr adag honno. O ganlyniad, chadwais i ddim mewn cysylltiad â neb o Lansannan na Llanllyfni na neb o'r ysgol na'r coleg. Wn i ddim hyd heddiw pryd yn union y bu farw Miss World, druan – yr un a drysorwn gymaint. Torrais bob gwreiddyn posib o'dd yn fy nghysylltu â'r gorffennol – o gywilydd, yn bennaf, ond hefyd oherwydd nad o'n i'n teimlo 'mod i'n perthyn i neb. Do'n i ddim yn cefnogi unrhyw dîm pêl-droed, ddim yn aelod o unrhyw gymdeithas, plaid wleidyddol na sefydliad – heblaw am y capal, a rhagrith o'dd yn fy nghadw yno. Cadwais y teulu o hyd braich, hefyd. Erbyn hyn ro'dd Arwel yn dad i bedwar o blant ac yn byw ym mhentref Creigiau ger Caerdydd, ac yn olygydd ar y rhaglen *Heddiw*. Arhoswn hefo fo'n achlysurol, ond nid mewn ysbryd nac mewn unrhyw fath o wirionedd. Doedd ein perthynas ni ddim yn agos. O ran Rowenna a'i theulu hithau, ymwelwn â nhw'n achlysurol a'u gwahodd am de Nadolig a'r math yna o beth, ond ro'dd gen i ormod o gyfrinachau i allu caniatáu i mi fynd dim agosach atyn nhw, petawn i eisiau. Ro'dd Mam yn fwy o broblem. Teimlwn fod Mam yn gwybod, yn dawel fach, beth o'dd yn mynd ymlaen, ond ei bod yn cuddio'r gwirionedd rhagddi ei hun drwy siarad a siarad am hyn a'r llall – am bopeth ond y gwir.

Gadewais innau iddi wneud hynny, gan atalnodi'i pharablu hefo ambell 'ia, ia' gwybodus – ond heb wrando ar yr un gair ro'dd hi'n ei ddweud. Teimlwn dan warchae. Fi yn erbyn y byd oedd hi bellach. Cywiriad: fi a Meira yn erbyn y byd oedd hi bellach.

Nos Calan 1975 ro'n i'n ymarfer gyda chriw *Teliffant* yng nghanolfan y BBC yn Newport Road. Ro'n i wedi addo gwarchod y plant i Arwel a Margaret, ei briod, y noson honno, er mwyn iddynt gael mynd allan i ryw barti neu'i gilydd. Cyn hynny, wrth gwrs, bûm innau'n partïo. Ro'dd unrhyw achlysur lle o'dd pawb arall yn dathlu wrth fy modd i. Cawn yfed yn ffri heb deimlo unrhyw gywilydd bryd hynny, oherwydd fod pawb arall wrthi. Gadewais Gaerdydd am Greigiau'n hwyr. Ro'dd yr un ddiod arall wedi 'nghadw i wrth y bar, fel magned, yn rhy hir. Yn feddw dwll, ceisiais yrru i gyfeiriad Llantrisant, ac wedi osgoi sawl damwain bosib ar y ffordd, methais gymryd y troad am Greigiau, a gyrru'n syth i mewn i bolyn lamp. Chofiwn i ddim byd arall am y ddamwain nes dod ataf fy hun yn Adran Ddamweiniau Ysbyty Dewi Sant, Caerdydd. Roedd yr heddlu ger erchwyn fy ngwely yn aros i roi prawf anadl i mi. Ac ro'dd Arwel yno – gyda dagrau yn ei lygaid. A finnau'n waed i gyd, gan i 'mhen i fynd drwy ffenest flaen y car a rhwygo 'nhalcen, ro'n i'n methu'n lân â deall pam fod gan Arwel ddagrau yn ei lygaid. Oedd o oherwydd y siom o fethu cael mynd i'w barti nos Calan, tybed? I mi, ro'dd y syniad y gallai unrhyw un ar wyneb daear fod yn fy ngharu i, yn ynfyd. Y wybodaeth honno oedd yn caniatáu i mi ymddwyn yn y ffordd ro'n i'n ei wneud. Petawn i'n credu fod pobol yn gallu 'ngharu i, efallai y byddwn i wedi bod ychydig yn fwy ystyrlon o'u teimladau. Gwawdiwn Meira, er enghraifft, pan ddwedai hi wrtha i ei bod yn fy ngharu. 'Sut fedri di ddeud hynna, Meira Glwc? Paid â deud celwydd, yli. Mae'n amhosib i neb 'y ngharu fi – dwi'm yn caru'n hun!' (Meira Glwc o'dd fy enw anwes i arni. Ma' gen i enwa anwes ar bawb sy'n agos ata i.) Fel y gallwch fentro, ro'dd Meira wedi styrbio'n arw'n y gogledd pan glywodd am y ddamwain. Er, ro'dd hi wedi dechra cynefino hefo clywad newyddion drwg o'r fath, hefyd. Ma' bywyd yr alcoholig yn dueddol o fynd o un creisis i'r llall!

Deirgwaith dros y limit gyrru – roedd gwaharddiad ar yrru yn anorfod! Ond y drafferth oedd y byddai'n rhaid i mi fynd o flaen fy ngwell i'r Llys Ynadon cyn hynny. Byddai pawb yn dod i wybod am y peth, wedyn – a'r fath warth a chywilydd fyddai'n dilyn! Mab i weinidog yn ca'l 'i wahardd rhag gyrru am fod yn feddw! A fynta'n gwneud rhaglenni plant! Och a gwae! Dychmygwn y gwaetha – gyda'n enw wedi'i blastro ar dudalenna blaen pob papur newydd drwy'r wlad! Dyna pryd y daeth Rhydderch Jones, cynhyrchydd *Teliffant* ar y pryd, i'm gweld yn yr ysbyty. Ar wahân i Arwel, y noson cynt, Rhydderch oedd y cyntaf i ddod i'm gweld. Daeth â chopi o'r nofel *Jaws* i mi, cyn i honno gael ei gwneud yn ffilm, a llond dwrn o newid mân i mi gael cysylltu ar y ffôn â'r gogledd. Sicrhaodd fi y byddai popeth yn iawn gyda'r rhaglen; aildrefnwyd dyddiadau recordio, a rhoddodd wên yn ôl ar fy wyneb wrth chwerthin am ben fy helbulon.

Mae'n ofid calon i mi na fedrwn i gymryd rhan mewn rhaglen deyrnged i Rhydderch a ddarlledwyd ar S4C ryw flwyddyn yn ôl, bellach. Er i mi weithio cymaint â neb arall, os nad mwy, gydag o dros y blynyddoedd, fel perfformiwr ac fel rheolwr llawr, ac ar yr ochr gynhyrchu, adewais i ddim iddo ddod yn agos ata i. Adewais i ddim i neb wneud hynny. Ond y prif reswm pam na fedrwn i gyfrannu i'r rhaglen oedd na chofiwn i fawr o fanylion am ein gwahanol brofiadau gyda'n gilydd, beth bynnag. Gweithredwn mewn blacowt – yn enwedig pan o'n i'n yfed. Ac oherwydd natur cymeriad annwyl Rhydderch â'i asbri at fywyd yn gyffredinol, ac at ddiod yn arbennig, ro'dd medd-dod bob amser yn rhan o'r hafaliad. Yn wir, wrth i stori fy mywyd i gyrraedd y saithdegau a'r wythdegau, mae cofio pethau'n mynd yn anoddach i mi. Yr unig beth fedra i wneud, felly, o dan y fath amgylchiadau, yw adrodd yr hyn yr ydw i yn ei gofio'n weddol, yn dameidiau digyswllt, weithiau. Hyd yn oed wedyn, ma' gofyn ichi gymryd pinsiad go dda o halen hefo fo, oherwydd y gwir fel yr o'n i yn ei weld ydy o – drwy lygaid pŵl, ac wedi'i brosesu gan feddwl gwyrdroëdig, anonest, yr alcoholig.

Un ffaith rydw i'n ei chofio'n glir, sut bynnag, yw pan ddaeth Mici Plwm hefo fi i'r Llys Ynadon yn Llantrisant. Dyna lle'r oeddwn i yn derbyn fy nghosb yn wylaidd – blwyddyn o waharddiad gyrru, a dirwy o ganpunt – wrth i mi wylio Plwmsan yn neidio i fyny ac i lawr y tu allan i'r ffenast, ac yn gwneud wyneba gwirion arna i. Talu'r pwyth yn ôl roedd o, m'wn, oherwydd i mi anfon cartŵn i'r *Cymro* wedi iddo yntau ymddangos o flaen ei well am ryw drosedd neu'i gilydd. Bryd hynny disgrifiodd Cadeirydd y Fainc Mici fel, *'An educated man!'* Yn y cartŵn yn y papur yr wythnos ganlynol, dyna lle ro'dd Syr Wynff yn rhoi'r sàc i Plwmsan. 'Ond pam, Wynff?'

'Achos sut ma' posib iti fod yn Dwmffat Twp, Plwmsan – os ydy'r barnwr 'ma'n deud dy fod ti'n ddyn dysgedig?'

Wrth lwc, ymddangosodd dim byd am fy achos i yn y papurau newydd. Wyddai neb am y drosedd, felly. Gallwn gadw hynny o wyneb oedd gen i, a chymryd arnaf, yn y gogledd o leia, nad oedd dim byd wedi digwydd.

Ddechrau 1976 daeth y newydd fod Meira'n feichiog wrth i'w thad, Aneirin Owens, farw o gancr. Ro'n i ofn am fy mywyd iddi golli'r babi o'r herwydd. Ychydig wythnosau'n gynharach, ro'dd Meira a minna wedi penderfynu y dylem fabwysiadu plentyn. Er yr holl drio am fabi, ac er i Meira dderbyn triniaeth lawfeddygol i gywiro rhyw nam gynecolegol, do'dd dim yn tycio. Mae'n rhyfadd fel ma' dymuniadau'n dod yn wir pan fedrwch adal iddyn nhw fynd o'ch ymwybyddiaeth. Cyrhaeddodd y ffurflen fabwysiadu yn y post, ond oherwydd cyflwr difrifol iechyd fy nhad-yng-nghyfraith, anghofiwyd popeth amdano. Heb drio, felly, y cafodd Meira ei hun yn feichiog. A dyna'r tro cynta ers fy mhlentyndod i mi ddiolch i rywun arall ond Wynford am fendith yn fy mywyd. Diolchais i Dduw.

Daeth ychydig o drefn i'r aelwyd. Gwnes ymdrech i fyhafio'n hun. Ro'n i'n mynd i fod yn dad. Penderfynais adeiladu garej a swyddfa i mi fy hun wrth ymyl y tŷ ym Montnewydd. Hefo'r babi newydd yn cyrraedd, byddwn angan y gofod ychwanegol i weithio ynddo. Bryd hynny, rhwng Mici Plwm a minna, byddem yn sgwennu ugain o sgriptiau *Teliffant* y flwyddyn. Deg awr o deledu – digon i ddychryn unrhyw ddyn, wrth edrych yn ôl. Treuliwn oriau lawer felly yn tyngu a chwerthin bob yn ail wrth sgriptio, cyn trosglwyddo'r cyfan i Elen McKeen, drws nesa, i'w teipio. Un dda 'i gwaith o'dd Elen. Un o'r ychydig prin i fedru darllen fy sgrifen i rioed!

Un bore cyrhaeddodd llwyth o raean mewn lorri drom ar gyfer cwblhau'r garej. Doedd Meira ddim wedi codi o'i gwely, a ph'run bynnag, ro'dd hi'n llawar rhy feichiog i fedru symud ei char er mwyn i'r gyrrwr facio a dadlwytho. Heb feddwl, neidiais i i'r car, a'i symud ychydig droedfeddi o'r ffordd. Wythnos ynghynt, hefyd, wrth ddychwelyd o'r capal, ro'n i wedi gyrru car Meira i lawr y stad, rhag i bobol feddwl 'mod i wedi fy ngwahardd. Yn dyst i'r ddau ddigwyddiad yma o'dd heddwas lleol o'dd yn byw ond dau dŷ oddi wrthym. Cyhuddwyd fi o yrru tra o'n i wedi 'ngwahardd! Yn Llys Ynadon Caernarfon, felly, gwta bum mis ar ôl y gwaharddiad cyntaf yn Llantrisant, cefais flwyddyn arall o waharddiad i gydredeg ag o, a choblyn o ddirwy. Y tro yma, sut bynnag, daeth y papurau newydd, y radio a'r teledu a phawb i wybod am y peth. Cysylltodd fy mrawd â Margaret, ei wraig, i'w rhybuddio y byddai'r stori ar *Heddiw* y noson honno, ac y dylai rwystro Mam, o'dd yn aros gyda nhw ar y pryd, rhag gwylio'r rhaglen, os yn bosib. Dwn i ddim pam roedd fy mrawd yn mynd i eithafion fel hyn i rwystro Mam rhag ca'l gwbod gwirionedda poenus am ei mab 'fenga, chwaith. Cariad o bosib? Wyddwn i ddim; wyddwn i ddim yn iawn beth oedd cariad. Ro'n i wastad hyd braich, yn emosiynol, oddi wrth bawb a phopeth a hyd yn oed, petawn i'n onest, oddi wrth Meira.

Dwi wedi clywed alcoholiaeth yn cael ei ddisgrifio fel *'the inability to feel love'*. Mi alla i uniaethu â hynny; eto, pan anwyd Bethan i'r byd, ar y 12fed o Hydref 1976, gwyddwn yn iawn beth oedd cariad. Mwya sydyn ro'n i'n fodlon marw dros y bwndel perffaith 'ma gyda'i mop o wallt du. Profais y cariad diamod rhyfeddol hwnnw sy'n dod i bob rhiant yn sgil pob genedigaeth newydd. A fyddwn i'n fodlon achub fi'n hun i'r baban newydd 'ma, sut bynnag, fel y gobeithiai Meira, oedd fater arall.

Do'dd o ddim yn syndod i mi glywed fod gan Mam broblem hefo'i choluddion. Drwy 'i hoes roedd hi wedi camddefnyddio carthyddion, ac os byddai farw o rywbeth, effaith y rheini neu'r tabledi cryfion ro'dd hi wedi'u cymryd er pan o'dd hi'n ferch ifanc fyddai hynny. Wnaeth y wybodaeth ddim lleihau'r sioc, chwaith. Feddylis i ddim, chwaith, y byddai marwolaeth Mam yn un mor ffiaidd. Mam yn chwedeg tri a 'nhad yn chwedeg dau. Pa fath o Dduw ganiatâi i beth felly ddigwydd? Ac i ddau oedd wedi gwasanaethu'u cymdeithas drwy'u hoes mor driw? A pham cancr bob tro?

Penderfynwyd y byddai Mam yn treulio cyfnod o dri mis yr un yng nghartrefi Arwel, Rowenna a minnau, i ddod ati ei hun wedi'r driniaeth lawfeddgol ym Mangor. Erbyn hynny, ro'dd Meira'n feichiog am yr ail waith. Cwta bedwar mis ar ddeg sy rhwng Bethan a Rwth (Rwthi Pwths), yr ail-anedig. Fe'i cenhedlwyd, yn ôl Mici Plwm, yn yr ambiwlans ar y ffordd adra 'rôl genedigaeth Bethan! Sut bynnag am hynny, roedd meddwl am ŵyr neu wyres arall yn rhywbeth i Mam edrych ymlaen ato. Yn benderfynol fel fi, ewyllysiodd ei hun i fyw nes byddai'r babi newydd wedi'i eni. Ganed Ruth ar y 4ydd o Ragfyr 1977. Ar y cyntaf o Fehefin 1978, felly, gyda Rwth yn fwndel bywiog chwe mis oed, bellach, ildiodd Mam, a marw. Teimlem ryddhad mawr fel teulu, oherwydd bu marwolaeth Mam yn farwolaeth greulon. Ond yr hyn a'm plagiodd i fwyaf oedd y posibilrwydd i mi deimlo'r rhyddhad hwnnw am reswm arall – roedd marwolaeth Mam yn golygu diwedd ar y salwch o'dd wedi dod rhyngof fi a'r ddiod, fy nghariad cyntaf. Wnes i ddim colli deigryn yn ei hangladd. Rhy bell oddi wrth realaeth i deimlo dim, doeddwn i ddim eto mewn cyflwr i sylweddoli gwir faint cariad Mam tuag ataf.

Gyda dyfodiad Bethan gobeithiai Meira y rhown y gora i yfed. Ond ni ddigwyddodd hynny. Gyda dyfodiad Rwth, yr un o'dd ei gobaith eto. Ond fe'i siomwyd yr eildro. Yn wir, erbyn hyn ro'n i wedi dechrau ychwanegu cyffuria erill at y rhestr – yn enwedig pan benderfynis i roi'r gora i'r ddiod i gau ceg Meira. Yn ystod y cyfnod hwn, llwyddais i ymwrthod rhag yfed am ddwy flynedd, mae'n debyg. Ond ni chofiaf ddiwrnod yn ystod yr holl gyfnod, oherwydd llyncais y ddiod ar ffurf soled mewn tabledi cysgu, tawelyddion a thabledi gwrth-iselder ysbryd. Ro'n i'n feddw yn union 'run fath.

Cadwodd Meira fi yn y tŷ ar ddiwrnod fy mhen-blwydd yn dri deg oed. Erbyn hynny ro'n i wedi ei pherswadio hithau hefyd y byddwn i wedi marw cyn y pen-blwydd hwnnw. Er mwyn gwneud yn siŵr 'mod i'n goroesi, felly, cadwodd fi yn y tŷ. Hyd yma, ro'n i wedi llwyddo i fyw hefo'r euogrwydd a'r cywilydd ro'n i'n ei deimlo drwy berswadio'n hun y byddwn i'n marw'n ifanc fel Dylan Thomas. Ac fel yn hanes hwnnw, mi fyddai maddeuant yn dilyn wedyn i'm holl bechodau. Ystyriwn fy hun yn athrylith, yn *genius*, a dyna pam ro'n i'n yfed, i drio dod i delera hefo'r gallu anghyffredin yma oedd gen i – yn union fel Dylan Thomas! *The tortured genius syndrome* ma' nhw'n ei alw fo, ac ro'n i'n diodde'n ddrwg ohono fo, fel sawl alcoholig arall. Trannoeth fy mhen-blwydd, sut bynnag, ro'n i'n dal yn fyw! Do'n i ddim wedi ystyried y posibilrwydd hwnnw o gwbl, a mwya sydyn, y cwbl welwn i o 'mlaen i oedd mwy o'r un peth: mwy o boen, mwy o anhapusrwydd, mwy o'r Uffern yma o'dd yn mascarêdio fel bywyd. Buaswn wedi lladd fy hun cyn hyn oni bai fod gen i gymaint o ofn marw! Dyna sy'n eironig, er 'mod i'n cyflawni hunanladdiad araf drwy yfed, ro'n i dal ofn marw'n fwy na dim – yn fwy, hyd yn oed, na'r ofn o wynebu'r hunllef ro'n i ynddo. Ro'n i wedi gobeithio y byddai rhyw ddamwain car neu drawiad ar y galon wedi digwydd heb i mi wybod amdano, i ddiweddu popeth cyn fy mhen-blwydd. Wnaeth o ddim. Ro'n i'n fwy ofnus fyth, felly; wyddwn i ddim beth oedd o 'mlaen i er, mi allwn i ddychmygu, hefyd. Yfais fy hun yn wirion y noson honno gan gysuro fy hun fod gen i un ffordd allan, o leiaf, o hyd – ar y ffordd y tu allan i Benrhyndeudraeth. Os âi pethau'n rhy ddrwg gallwn wastad grashio'r car yn erbyn wal gerrig go solat ro'n i wedi'i gweld yn fan'no.

Roedd dadl wastad wedi bodoli o fewn y BBC yng Nghaerdydd ynglŷn ag i ba adran y dylai *Teliffant* berthyn?

Erbyn hyn, roedd y rhaglen yn rhaglen gwlt, gyda chynulleidfa fawr o ddilynwyr ffyddlon. Yn wir, yng Nghymru bryd hynny, ro'dd ganddon ni, yn fy marn i, rai o'r rhaglenni plant gora yn y byd. *Miri Mawr* a *Teliffant* o'dd y ddwy ora o'r cyfoeth dewis o'dd ar ga'l. Teimlai'r Adran Blant, sut bynnag, mai nhw ddylai fod â gofal am y rhaglen o dan eu pennaeth, Dyfed Glyn Jones. Yn y gornel las, roedd Jack Williams, pennaeth Adran Adloniant Ysgafn y gorfforaeth, ac roedd o'n anghydweld yn ffyrnig. Perthyn i'w stabl nhw oedd *Teliffant*. I dorri'r ddadl, penderfynodd Geraint Stanley Jones, y Pennaeth Rhaglenni, ladd y rhaglen arobryn.

Fedrwn i ddim credu bod y ffasiwn beth wedi digwydd! Ar unwaith, penderfynodd Mici a minnau barhau gyda'r rhaglen yn annibynnol, rywsut. Roedd dyfodiad S4C gryn bedair blynedd i ffwrdd, felly do'dd dim achubiaeth o'r fan honno. Fe wnaem sioe lwyfan – pantomeim i Wilbert, o bosib – ac ymweld â'r ffeiriau a'r carnifals led-led Cymru. Ro'n ni'n fodlon gwneud unrhyw beth i gadw'r cymeriadau'n fyw. Wedi i ni roi hysbyseb mewn papur newydd, sut bynnag, ynglŷn â'n cynlluniau i achub y cymeriadau, daeth gwrthwynebiad oddi wrth y BBC. Nid ni, medden nhw, oedd berchen yr hawlfraint ar y cymeriadau. Chaen ni ddim gweithredu yn ôl ein dymuniad a chynhyrchu'r rhaglen yn annibynnol, felly. Ein hasiant llenyddol yn Llundain, Diana Taylor, enillodd y dydd i ni o'r diwedd, diolch i'r drefn. Wedi hir ddadla 'nôl a 'mlaen, a chryn godi stêm ar ran y BBC, dyfarnwyd mai Mici a fi, fel yr awduron, oedd berchen yr hawlfreintiau ar y cymeriadau i gyd – a doedd dim y gallai'r BBC ei wneud i'n rhwystro. Er gwaetha popeth, felly, roedd gobaith i ni oroesi a pharhau i ddiddanu plant Cymru.

Un ffordd o gadw'r cymeriadau'n fyw oedd eu cynnwys yn y comic Cymraeg newydd, *Sboncyn*. Cyhoeddiadau Mei ym Mhen-y-groes o'dd y cyhoeddwyr, a Dafydd Meirion ei hun o'dd yn bennaf cyfrifol am gasglu'r deunydd ynghyd ar gyfer pob rhifyn. Ffordd arall oedd ysgrifennu pantomeim i Gwmni Theatr Cymru wedi'i seilio ar y cymeriadau. Eisoes roedd cynhyrchiad llwyfan o *Teliffant* wedi profi'n llwyddiant mawr 'nôl ar ddechrau'r saithdegau. Gyda'r holl gyhoeddusrwydd yn dilyn penderfyniad y BBC i ddiddymu'r gyfres boblogaidd, byddai denu cynulleidfa i'n gweld yn fater hawdd. Comisiynodd Wilbert Lloyd Roberts sgript gan Mici a minna. Ro'dd yr hyn ddigwyddodd wedyn yn od iawn. Wedi i ni gwblhau'r sgript a threfnu cyfarfod gyda Wilbert i drafod y ffordd ymlaen, gwadodd iddo gomisiynu'r sgript o gwbl. Hyd heddiw dyw Mici na minna ddim callach ynglŷn â pham y gwnaeth o hynny. Er i ni ga'l y cytundeb mewn du a gwyn o'n blaenau, parhaodd i wadu'r ffaith. Dyma'r math o beth ro'n i fy hun yn arfer ei wneud, sef gwadu 'mod i wedi bod yn yfed er bod y ffeithiau i gyd yn profi fel arall! Chawson ni mo'n talu, beth bynnag – er i ni gael Urdd yr Awduron i amddiffyn ein hachos; yn ôl Wilbert, comisiynu amlinelliad o stori wnaeth o, a dim amgenach – ac ildiodd o ddim o'r dehongliad newydd hwnnw o'r cytundeb, er ein bod ni, ac yntau, yn gwybod yn wahanol!

Roedd y Bwrdd Ffilmiau Cymraeg o dan eu cynhyrchydd, Gwilym Owen, yn cynnig achubiaeth i ni, sut bynnag. Arferai'r Bwrdd Ffilmiau gynhyrchu ambell ffilm drwy'r cyfarwyddwyr Wil Aaron a Gareth Wyn Jones, gan amlaf. Dwi'n cofio actio mewn un ffilm gynnar i Wil Aaron, *Gwaed ar y Sêr*. Bryd hynny, reit ar ddechrau fy ngyrfa, ro'n i eisoes yng nghrafanc y salwch 'ma. Heb ddisgyblaeth, felly, cefais anhawster mawr yn meistroli'r geiriau. Gwell gen i anghofio am y ffilm honno, er iddi gael adolygiadau reit ffafriol ar y pryd. Y tro yma, roedd Gwilym yn fodlon ariannu tair ffilm fer gynnon ni, a sicrhawyd gwasanaeth y cyfarwyddwr Emlyn Williams (ifanc bryd hynny) o gwmni Eos yn y Barri, i gynhyrchu'r gwaith. Bu'r fenter yn un lwyddiannus, a threfnwyd taith led-led Cymru i arddangos y tair ffilm. Yn bwysicach, llwyddwyd i gadw'r cymeriadau yn sylw'r cyhoedd nes dyfodiad S4C, ac fe'n cyflwynwyd i ŵr camera, Graham Edgar, fyddai'n cydweithio gyda ni am y deng mlynedd nesaf.

Sefydlwyd Burum, y cwmni cynhyrchu rhaglenni teledu annibynnol, gan Dafydd Meirion a minna. Ro'dd y bartneriaeth yn berffaith – fo'n drefnydd ac yn ddyn busnes llwyddiannus, a minna gyda'm cefndir creadigol. Ystyriais roi gwahoddiad i Mici Plwm ymuno â ni, ond penderfynais beidio.

Ar ddechrau'n perthynas gyda'n gilydd, roedd Mici a minna'n dallt ein gilydd i'r dim. Ro'dd rhywbeth seicig ynglŷn â'r ffordd ro'n ni'n darllen meddyliau'n gilydd. Trosglwyddwyd hyn yn llwyddiannus iawn i'r sgrîn, gyda'r ddeialog rhyngddom yn llifo mor naturiol dynn fel y gallai rhywun yn hawdd feddwl mai byrfyfyrio oedden ni. Y gwrthwyneb o'dd yn wir, wrth gwrs. Câi popeth ei sgriptio'n fanwl iawn – fyddai byth le i fyrfyfyrio yn sgriptiau Syr Wynff a Plwmsan. Yn ein gwaith, o leiaf, roedden ni'n ddisgybledig.

Mae Syr Wynff yn darllen rhywbeth pan ddaw Plwmsan ar ei draws.

Plwmsan: Be' ma'r llythyr 'na'n 'i ddeud, Wynff?

Syr Wynff: (*Yn ei anwybyddu*) Cnoc cnoc!

Plwmsan: Pwy sy 'na, Wynff?

Syr Wynff: Mei.

Plwmsan: Mei pwy, Wynff?

Syr Wynff: Meindia dy fusnas, Plwmsan! (*Yn parhau i ddarllen*)

Plwmsan: (*Ar ôl codi'i fawd ar Jac-y-Do Jôs sy'n hedfan heibio*) Ond be ma'r llythyr yn 'i ddeud, Wynff?

Syr Wynff: Dim, Plwmsan. Tydi'r llythyr ddim 'di dysgu siarad eto! (*Yn chwerthin am ben ei glyfrwch ei hun*)

Plwmsan: (*Yn ceisio deall*) Pam, Wynff?

Syr Wynff: Naci, Plwmsan, 'map' ydio.

Plwmsan: Map?

Syr Wynff: Ia, 'pam' ffor' rong! Sbïwch, sbïwch, sbïwch bawb! (*Mae'n dangos map trysor i'r gynulleidfa*) Heddiw. Heeeeddiw. Yn fy noethineb arferol, rydw i, yr enwog Syr Wynff ap Concord y Bòs, wedi penderfynu . . . wedi penderfynu mynd i chwilio am drysor coll yr Incas!

Plwmsan: Yncyls fath â dy Syr Wili ap Helicopter-Fychan di, a Syr Tomos ap Treident-Ddu, maharan ddu'r praidd, ydy'r Yncyls yna rŵan, Wynff?

Syr Wynff: (*Yn taflu slepjan i wyneb Plwmsan*) Incas nid

171

Yncyls, y twmffat twpach na thwp! A gwylia dy Gymraeg plîs, Plwmsan, neu mi gei di slepjan arall reit yng nghanol y gwynab bach hyll 'na s'gen ti!!

Plwmsan: (*Wrth y gynulleidfa*) iyyyych! Peth ofnadwy ydy bod yn dwmffat twp, yntê, tsiwcs?

Syr Wynff: (*Yn ei gywiro*) Naci, Plwmsan. Peth ofnadwy ydy bod yn dwmffat *twpach* na thwp! Rŵan go-héd! (*A ffwrdd â nhw ar antur arall*)

Pan ddaeth Mici ataf gyntaf, fo fyddai'r cyntaf i gydnabod nad o'dd ganddo fawr o glem sut o'dd gwneud pethau. Fi, er enghraifft, o'dd y Plwmsan gwreiddiol; ond o dipyn i beth fe feddiannodd Mici'r cymeriad, gyda'm caniatâd, wrth i mi greu cymeriad newydd yn ei le, Syr Wynff – o'dd yn ymddwyn fel alcoholig, os dim byd arall. Holl syniad y rhaglen o'dd bod Syr Wynff allan i goncro'r byd ac i fod yn llwyddiant ym mhob dim ro'dd o'n ymgyrraedd ato ond, ymhob pennod, wrth gwrs, byddai'n methu'n druenus yn y diwedd oherwydd ei amryfusedd ef ei hun. Plwmsan o'dd ei gymar hanner-twp ond, yn y bôn, Syr Wynff o'dd y twpa ohonynt i gyd. Yn ffaeledig o'r cychwyn felly, ond mater o amser fydda hi nes byddai Syr Wynff wedi tynnu pob menter lwyddiannus ar ei ben yn un danchwa o fethiant a chywilydd. Gwnawn yr un peth yn fy mywyd bob dydd – yr unig wahaniaeth oedd nad o'dd o mor ddoniol bryd hynny!

Dros y blynyddoedd, wrth gwrs, daeth Mici'n giamstar arni, ac mae'i gymeriad o, Plwmsan y Twmffat Twp, yn mynd i aros am byth fel un o greadigaethau comic mwya'r oes aur hon o deledu Cymraeg. Yn anffodus, ro'dd o'n gorfod gweithio hefo fi!

Fel Meira, fy ngwraig, do'dd gan Mici ddim syniad sut o'dd delio ag alcoholig o'dd allan o reolaeth. Ac fel Meira, yr unig ffordd y gwyddai sut i ymateb o'dd drwy fod yn flin, gwneud i mi deimlo'n euog, neu drwy fygwth. Yn achos Meira, fedrwn i ddim yn hawdd iawn ei hysgaru (er 'mod i awydd gwneud hynny'n aml) – roeddwn ei hangen i ofalu amdanaf; yn achos Mici, gallwn wneud hynny. Erbyn diwedd *Teliffant*, ro'dd gweithio gyda Mici yn gosod straen anghyffredin arna i. Yn syml, y rheswm am hynny oedd bod Mici'n gwbod 'mod i'n alcoholig. Mae tuedd, wedyn – dim ots pa mor berffaith ydach chi – i ddefnyddio'r wybodaeth yna (y mae'r alcoholig yn meddwl sy'n gyfrinachol) i reoli'i ymddygiad a'i gael i gydymffurfio a byhafio. Mae'n gweithio am dro, ond mae pris uchel i dalu amdano ym mherthynas y ddau. I'r alcoholig, mae person sy'n ceisio'i reoli yn dod yn elyn pennaf iddo. Gyda Mici, sylweddolwn fod yn rhaid i mi wrtho yn y bartneriaeth, Syr Wynff a Plwmsan – ond do'dd dim rhaid i mi wrtho yn fy mywyd tu allan i'r bartneriaeth. Oherwydd hynny'n bennaf – 'mod i'n cerdded fel petai ar blisgyn wy pan o'n i yn ei gwmni – y penderfynis i beidio'i wahodd i ymuno â ni wrth i ni sefydlu'r cwmni teledu, Burum. Penderfyniad a wnaethpwyd gan y salwch o'dd o, felly, yn ei hanfod.

Darlledwyd y bennod gyntaf o gyfres newydd sbon o *Anturiaethau Syr Wynff a Plwmsan* ar nos Wener gynta'r sianel newydd, ac yn fuan enillodd ei phlwy a dod yn un o ffefrynnau'r genedl. Cawsom anturiaethau dirifedi'n hunain, hefyd, wrth baratoi'r cyfresi. (Mae digon o ddeunydd, mae'n debyg, rhwng *Teliffant* a SWAP i ddarlledu'r rhaglenni'n ddi-stop, ddydd a nos, am bythefnos gyfan!)

Mae stori Clwb y Ceidwadwyr yng Nghaernarfon yn enwog ynddi'i hun erbyn hyn. Dwy siot roedd eu hangen i gwblhau'r olygfa: un ohonof fi'n trio codi angor trwm i fwrdd llong yng nghei Caernarfon, a'r llall ohonof yn glanio yn y mwd ar waelod y cei. Yn y stori, roedd Plwmsan i fod i roi help llaw i mi godi'r angor, ond wrth i'r angor ddod allan o'r dŵr, byddai'n gollwng ei afael ar y rhaff i gyfarch Tomos y Titw oedd yn digwydd bod yn hedfan heibio. Gyda'r pwysau, yn sydyn, i gyd arna i, ro'n i i fod i gael fy nhynnu'n gorfforol ar draws bwrdd y llong a thros ei hymyl i'r mwd ar waelod y cei. Aeth popeth yn berffaith, nes i mi lanio ar y cwch bychan islaw oedd wedi'i badio â matresi rhag i mi frifo fy hun. Mi wnes i daro boch fy mhen-ôl yn erbyn yr unig ddarn o'r cwch oedd heb ei orchuddio â matres, nes bod y glec yn atseinio drwy faes Caernarfon fel ergyd o wn. Gyda boch fy mhen-ôl yn ddu-las, a heb amser i boen, ffwrdd â ni, wedyn, i gei Fictoria, i ffilmio ail hanner yr olygfa – fi'n glanio yn y mwd. Taflwyd fi'n gorfforol gan bedwar o ddynion cyhyrog o ben y cei uchel i'r mwd du o'dd ar ei waelod. Er i mi lanio ar fy wyneb o fewn modfeddi i big miniog yr angor oedd wedi'i hanner claddu yn y mwd erbyn hynny, ro'dd yr effaith ar y sgrîn yn berffaith. Dim ond wedyn, sut bynnag, wnes i sylweddoli beth yn union o'dd y mwd du – carthion o'r Clwb Ceidwadol gerllaw o'dd o! A dyna lle'r o'n i, wedyn, hefo'n wyneb yn ei ganol, yn cyfogi o'i hochr hi ac yn methu'n lân â dod allan o'i ddrewdod yn ddigon cyflym. Golchwyd fi â phibell ddŵr ar ochr y cei, a rhuthrwyd fi'n syth i'r ysbyty i ga'l chwistrelliad gwrth detanws – wrth i bawb arall gael gweddill y diwrnod yn rhydd. Ddaliais i ddim aflwydd, diolch i'r drefn. Ond am wythnosau wedyn, wrth i mi arogli'n ewinedd, neu feddwl am yr hyn ddigwyddodd i mi, byddai'r cyfog-gwag mwyaf dychrynllyd yn dod drosta i, i'm hatgoffa o ba mor agos y dois i, mewn gwirionedd, at lyncu'n llythrennol gynnyrch y Torïaid!

Dro arall, aethon ni i Galiffornia gyda chriw ffilmio Almaenig i wneud rhaglen ar daith bleser ryfeddol yr Universal Studios yn Hollywood. Mynnai Plwmsan fod y gŵr camera yn yr Hitler Youth, gan mor gas oedd o hefo ni! Wedi i ni fod yn aros drwy'r bore i ga'l ffilmio un olygfa, ac fel o'dd cinio blasus o gig eidion a sglodion yn cyrraedd, a ninnau ar lwgu, dyma Plwmsan yn cael ei alw i fynd i ffilmio. Ro'dd o'n gorfod croesi'r Môr Coch, wrth i hwnnw agor iddo fo fel yn y Beibl 'stalwm pan ddihangodd Moses a'r Israeliaid rhag byddin Pharo. Yn wahanol i Moses a'r Israeliaid, sut bynnag, ro'dd Plwmsan mewn tipyn o dymer oherwydd bod ei feddwl ar y bwyd blasus ro'dd o'n golli. 'Cuten!' meddai'r cyfarwyddwr Almaenig wrth i'r gŵr camera rowlio'i fwstásh yn amlwg anfodlon hefo'r cynnig cynta. 'Do it againen, Mîci!' Dwi'n falch bod plant Cymru ddim wedi clywed araith Plwmsan y diwrnod hwnnw. Byddent wedi gwrido. Y cwbwl a welwn i o'dd pen Mici Plwm uwchben y dŵr, ar ganol y môr coch, yn ufferneiddio ac yn bygwth dechrau trydydd rhyfel byd os na châi'i fwyd. Yn ddoeth, penderfynodd y cyfarwyddwr dorri am ginio.

I wneud iawn am golli'i dempar y bore hwnnw, penderfynodd Mici godi gŵen ar ddiwedd y dydd. Ro'dd y criw Almaenig yn barod i ffilmio agoriad y rhaglen – injan dân yn gyrru i lawr yr allt hir yma, heibio i dŷ enwog mam Norman Bates o'r ffilm *Psycho*, gyda degau o wŷr tân yn eu lifrai a'u helmedau yn hongian allan ohoni'n ddramatig. Yna, wrth i'r injan dân wibio heibio i'r camera, byddai Syr Wynff a Plwmsan yn cael eu datgelu'n hongian ar y cefn wrth iddyn nhw godi'u bodiau'n fuddugoliaethus ar y camera a gweiddi. 'Hia, tsiwcs!'

Roedd pawb yn barod. *'Acshyn!'* meddai'r cyfarwyddwr Almaenig, a dyma'r injan dân hefo'i chlychau'n canu dros y lle, a'r dynion tân yn hongian allan ohoni, yn gyrru'n wyllt i lawr yr allt i gyfeiriad y camera. Roedd pethau'n argoeli'n dda a gwên ar wyneb y gŵr camera wrth i'w fwstásh o gyrlio'n obeithiol. Heibio i dŷ mam Norman Bates, parhaodd yr injan dân ar ei thaith yn bowndian i waelod yr allt, wrth i'r camera ei dilyn, o'r dde i'r chwith, i ddatgelu Syr Wynff a Plwmsan yn hongian ar y cefn. *'Cut! Cut! Cut!'* Roedd y cyfarwyddwr Almaenig a'r gŵr camera'n gandryll. Oedd, roedd Syr Wynff a Plwmsan yn hongian ar gefn yr injan dân yn o'reit – 'runig draffarth o'dd bod Plwmsan, am hwyl, wedi tynnu amdano ac yn noethlymun borcyn. 'Hia, tsiwcs!' Byddai'r agoriad i'r rhaglen wedi gwneud yn iawn i ryw ffilm amheus yn un o glybiau nos Soho, ond nid fel dechreuad i raglen blant ar S4C. Bu'n rhaid ailsaethu'r cyfan ac, erbyn hynny, dwi'n meddwl fod y criw Almaenig wedi'u perswadio mai hwn fyddai'r cyd-gynhyrchiad ola iddyn nhw'i wneud hefo rhywun o Gymru.

Er, a bod yn deg i Mici, nid ei lol ef oedd yn gyfrifol bod yr Almaenwyr wedi diflasu arnon ni, chwaith. Fy mai i o'dd hynny. Ar ddechrau'r cynhyrchiad, ro'dd yr Almaenwyr wedi sylweddoli potensial y ddau gymeriad gwallgo. Gallai rhaglenni *Anturiaethau Syr Wynff a Plwmsan* gael eu trosi i unrhyw iaith drwy'r byd yn hawdd; roedd marchnad enfawr yn yr Almaen yn unig, ac roedd gwneud cartwnau ohonom eisoes wedi cael ei ystyried gan S4C, ond y rhwystr penna i hynny ddigwydd o'dd ein bod ni'n dal yn fyw! I drafod y ffordd ymlaen, felly, gwahoddwyd ni gan y criw cynhyrchu Almaenig i un o fwytai Tsieineaidd drytaf Hollywood. Yr unig beth o'dd yn rhaid i Mici a mi'i wneud oedd cau'n cegau, a gadael i'n gwaith ar y sgrîn fach siarad drosom. Yn anffodus, i mi roedd hynny'n gofyn gormod. Oherwydd fod alcoholigion yn meddwl cyn lleied ohonynt eu hunain, mae'n ofynnol iddynt, yn aml, greu delwedd ffug ohonynt eu hunain ac o'u galluoedd. Canlyniad meddylfryd felly ydy'u bod nhw'n dueddol o chwarae'r *big shot*, dangos eu hunain, a bod yn rhwysgfawr. Dyna wnes i'r noson honno. Wrth i'n storïau am fy ngalluoedd i dyfu hefo pob diod, ac i'r ffioedd yr oeddwn i'n eu hawlio i ryddhau hawlfreintiau'r cyfresi gyrraedd symiau afresymol arian Monopoli, gwelwn wynebau'r Almaenwyr yn syrthio. Cyn gadael y bwyty'n feddw'r noson honno, ro'n i, mae'n gwilydd gen i ddweud, wedi difetha pob gobaith i werthu a marchnata rhaglenni Syr Wynff a Plwmsan drwy'r byd. Soniwyd fyth wedyn am y posibiliadau oedd unwaith mor real. O edrych yn ôl, dwi'n gweld dim bai ar yr Almaenwyr. Pe bawn i yn eu sefyllfa nhw, fyddwn innau ddim eisiau dim i wneud hefo fi, chwaith – ro'n i'n ormod o ben mawr.

Os na chawn goncro'r byd yn America a'r Almaen, felly, cawn goncro Cymru. Awn i fyd busnes! Gyda Graham Edgar y gŵr camera a Dafydd Meirion sefydlais y cwmni goleuo ac adnoddau ar gyfer ffilm a theledu, MWG (Mei, Wynff a Graham). Rhyw adwaith byrbwyll oedd sefydlu'r cwmni yn dilyn penderfyniad Huw Jones i'm gwahardd rhag ymuno yn y consortiwm i sefydlu Barcud, yr uned ddarlledu allanol newydd yng Nghaernarfon. Soniodd Wil Aaron wrtha i am y posibilrwydd o ga'l ymuno â hwnnw ac, wrth gwrs, fe'm cynhyrfwyd gan y posibilrwydd – gwyddwn fod arian mawr iawn i'w wneud allan o fenter o'r fath. Trefnwyd cyfarfod cyntaf o aelodau posib y consortiwm yng Nghaernarfon un noson, ac ro'dd Mei a minnau'n bwriadu bod yno i gynrychioli Burum. Diwrnod y cyfarfod, sut bynnag, cafodd Mei alwad ffôn oddi wrth Huw Jones o gwmni teledu'r Tir Glas, yn gofyn i mi beidio dod i'r cyfarfod. Doedd Huw ddim eisiau gweithio gyda mi. Wrth gwrs, erbyn hyn rwy'n gweld synnwyr ym mhenderfyniad Huw Jones i'm gwahardd o'r cyfarfod. Fedrwch chi ddim dibynnu ar alcoholig sy'n dal i yfed – ac mewn menter sy'n gofyn ymroddiad a buddsoddiad ariannol sylweddol, gwell hepgor yr alcoholig bob tro rhag iddo wneud cawlach o bethau drwy'i ymddygiad neu'i ddiffyg tact. Ond ro'dd fy ffug falchder wedi'i anafu'n ddrwg. Felly, ymunodd Huw Jones â rhestr gynyddol y rhai ro'n i'n dal dig dwfn tuag atynt. Ro'n i'n corddi y tu fewn ynglŷn â'r penderfyniad i'm gwahardd; ro'n i'n corddi am yr holl anghyfiawnderau roedd bywyd yn eu taflu ata i – ac fe'u hymgnawdolwyd yn Huw Jones.

Rhoddais y gorau i yfed tra o'n i'n cyfarwyddo'r gyfres gomedi, *Bysus Bach y Wlad*, a gwnes ymdrech lew i ymddwyn yn gymharol gall yn ystod y cyfnod saethu. Aeth hwnnw'n weddol ddi-stŵr ac, ar wahân i'r ysfa i smygu'r sigarennau cryfa posib a'r boen ddychrynllyd ddioddefwn yn fy stumog drwy'r adag, cwblhawyd y gwaith o fewn amser ac o fewn y cyllid. Yn y parti ar ddiwedd y cyfnod ffilmio, sut bynnag, dechreuis i yfed eto. O hynny 'mlaen aeth yr holl gynhyrchiad yn draed moch. Ymestynnodd y cyfnod golygu allan o bob rheolaeth, ac ro'n i'n methu canolbwyntio ar y gwaith. A minnau'n annisgybledig ac yn dianc i fyd ffantasi i osgoi poen y cynhyrchiad a'r pwysau cynyddol oedd arnaf, dechreuodd y cynhyrchiad, yn ogystal â'r cwmni ei hun, fynd i drafferthion. Sut allen ni ddisgwyl sicrhau comisiynau gan S4C gydag un o ddau brif bartner y cwmni'n feddw bob awr effro o'r dydd?

Symudais ymlaen i gyfarwyddo'r rhaglen sgwrsio ysgafn ar y teledu, *Ond o Ddifri, Madam Sera!*, yn y gobaith na fyddai neb ym mhencadlys S4C yng Nghaerdydd yn sylwi 'mod i allan o reolaeth. Mwynhawn gwmni Madam Sera (Maggie Glen) oherwydd ei bod o'r un anian â mi. Roedd hi'n or-hoff o'r ddiod ei hun, a rhyfeddwn at ei gallu i reoli'r yfed a chynnal rhyw fath o drefn (os nad normalrwydd) yn ei bywyd. A hithau eisoes yn enwog fel seryddwraig ar raglen foreol Hywel Gwynfryn ar y radio, ro'dd gen i feddwl uchel ohoni fel perfformwraig naturiol o'dd yn meddu ar bersonoliaeth drydanol, anghyffredin. Os o'dd rhywun yn haeddu rhaglen deledu ysgafn iddi hi ei hun, yna Madam Sera oedd honno. Yn anffodus, manteisiodd rhywun yn y BBC yng Nghaerdydd yn annheg ar ein gwaith ymchwil. Bron yn ddieithriad, byddai'n gwesteion ni'n ymddangos yn syth wedyn ar raglen radio gyffelyb. A chan fod y rhaglen radio'n cael ei darlledu cyn ein cyfres deledu ni, ro'dd o'n ymddangos i bawb fel mai ni oedd yn dwyn eu syniadau nhw! Fe'm perswadiwyd i, ar y pryd, bod rhywun yn rhywle'n defnyddio'n gwaith ymchwil ni i ddau bwrpas: i gael rhaglen rad ar gefn un arall, ddrud, neu i ennill dau gyflog am yr un gwaith ymchwil. Fedrwn i fyth brofi'r honiad, wrth gwrs, ond wnaeth hynny ddim fy rhwystro i rhag corddi ynghylch un anghyfiawnder arall, ac am driciau budr oedd yn cael eu chwara'n benodol i'm tanseilio i. Fi! Fi! Fi!

Wrth ffilmio nifer o eitemau ar gyfer *Ond o Ddifri, Madam Sera!* yn Amsterdam a'r Felin-fach, aeth nifer o bethau o le. Ar daith mewn awyren Dan Air o Gaerdydd i Amsterdam ac yn ôl, datblygodd nam ar injan yr awyren, a bu'n rhaid i ni aros dros nos yn Amsterdam. Gan fod ein hoffer wedi'i gadw dan glo yn y maes awyr, fel sy'n arferol heb drefniant ymlaen llaw, penderfynais logi offer ffilmio yn Amsterdam, er mwyn manteisio ar ein harhosiad annisgwyl yno.

Yn nyddiau cynnar S4C – heb wneud gormod o ffwdan o'r peth – gallai cynhyrchydd, pan fyddai angen, symud arian o un rhaglen i'r llall, fel bod modd arbed arian ar un gyfres, dyweder, er mwyn gwario ychydig yn fwy ar gyfres arall fwy haeddiannol. Dyna pryd o'dd cynhyrchydd yn cynhyrchu yng ngwir ystyr y gair – drwy wneud y defnydd gora posib o'r arian prin o'dd ar ga'l. Erbyn heddiw mae'r arfer wedi dod i ben, gyda chyllid pob cyfres wedi'i bennu 'mlaen llaw ac yn anhrosglwyddadwy. Oherwydd eira mawr yng Nghymru, unwaith, aethom i Calpe yn Sbaen i gwblhau pennod o *Syr*

Wynff a Plwmsan, a ffilmio rhaglen ychwanegol yno, hefyd, am yr un swm o arian ag y bydden ni wedi gorfod ei dalu allan i'r criw am aros adref yng Nghymru a gwneud dim gwaith o gwbl. I wneud pethau fel hyn, wrth gwrs, roedd gofyn cael meddwl clir, disgybledig. Yn Amsterdam bryd hynny, yn feddw – ro'dd fy meddwl i'n bopeth ond hynny.

Cafodd fy mhasbort ei ddwyn o'r gwesty lle ro'n ni'n aros, a bu'n un strach ar ôl y llall, wrth i mi geisio trosglwyddo arian o'r banc yng Nghaernarfon i dalu am yr offer ffilmio yn Amsterdam. Yn sydyn, cefais boenau mawr ar draws fy mrest, ac ofnai pawb, gan fy nghynnwys i fy hun, 'mod i ar fin os nad wedi cael trawiad ar y galon. Roedd dychwelyd i Brydain yn broblem gan 'mod i wedi colli 'mhasbort a bod awyren Dan Air o'dd i fod i'n cludo'n ôl i Gaerdydd wedi ca'l ei chondemnio i'r domen sbwriel. Wrth egluro 'mhicil i swyddog y tollau, a cheisio ca'l mynediad i'r wlad wedi i ni gyrraedd Llundain ar awyren arall, torrodd y swyddog ar fy nhraws gan wenu'n ddirmygus, *'With an accent like that you must belong here. Get in!'*

'Nôl yng Nghaerdydd, sicrhawyd fi gan feddyg mai tensiwn ac nid trawiad ar fy nghalon oedd yn gyfrifol am y poenau yn fy mrest, a gorchmynnwyd fi i orffwyso ac yfed llai. Cyn y gallwn i ufuddhau i un o'i orchmynion o, sut bynnag (fedrwn i ddim yfed llai pe bawn i eisiau – ro'n i'n gorfforol ddibynnol ar alcohol erbyn hynny), ro'dd gen i ddeg o raglenni Madam Sera i'w recordio yn Theatr Felin-fach, Ceredigion. Wrth recordio'r rheiny, baglais droeon dros y goleuadau, a syrthio ar wastad fy nghefn, yng ngŵydd y gynulleidfa gyfan. Ro'dd hi'n amlwg i bawb 'mod i'n feddw a ddim mewn unrhyw gyflwr i gyfarwyddo'r rhaglenni. Daeth ffaith arall i'r amlwg, hefyd, wrth i bobol sibrwd yn ddilornus amdanaf ymysg ei gilydd: ro'n i'n dwyn anfri ar y sianel deledu Gymraeg newydd, ac roedd angen pob ewyllys da.

Yn fuan wedi i mi ddychwelyd adref i'r Bontnewydd – roedden ni wedi symud i dŷ mwy yn Stad Glan Beuno, erbyn hynny – galwodd Emlyn Davies, unig gomisiynydd rhaglenni

S4C ar y pryd, yn unswydd i'm gweld. Roedd o wedi clywed am fy ymddygiad meddw yn Felin-fach, ac wedi derbyn sawl cwyn arall amdanaf dros y blynyddoedd, gan gynnwys un gan aelod o'r criw oedd hefo mi yn Amsterdam. Yfwn yn nhafarn y Goat yn Llanwnda, bryd hynny – ac ro'dd fanno'n gyrchfan boblogaidd i bobol o'dd yn gweithio yn y diwydiant ffilm a theledu yng Ngwynedd. A chan 'mod i'n medru cerdded i mewn i'r dafarn honno yn sobr amser cinio, a gadael hanner awr yn ddiweddarach yn feddw dwll i ddychwelyd i'm gwaith, go brin na fyddai ambell un wedi manteisio ar y cyfle i gwyno amdanaf i benaethiaid y sianel yng Nghaerdydd. Yn sydyn roedd fy ngorffennol i i'w weld yn dal i fyny hefo mi. Wrth wahodd Emlyn Davies i mewn i'r tŷ, roedd hi'n amlwg y byddai'n rhaid i mi wynebu canlyniadau fy ymddygiad – rhywbeth o'n i wedi osgoi'i wneud ers fy mhlentyndod.

Ro'dd Meira'n clustfeinio'n bryderus y tu allan i ddrws cil-agored yr ystafell orau pan ddwedodd Emlyn Davies wrtha i na fyddwn i'n cael cynhyrchu mwy o raglenni i S4C. Ro'dd fy ymddygiad meddw i'n dwyn anfri ar y sianel, meddai, ac roedd yn rhaid i S4C ddiogelu'i hun drwy gael gwared ohona i. Eisoes yn dilyn anghydfod *Teliffant*, roedd gwaith gyda'r BBC wedi dechrau edwino. Gwnes ambell gyfres lwyddiannus o *Siop Siafins* iddynt gyda Dyfed Thomas (un o'r talentau comedi gorau sy gynnon ni), a threuliais dri mis fel golygydd sgriptiau o dan hyfforddiant gyda Gwenlyn Parry yn Adran Ddrama'r BBC yng Nghaerdydd – pan ddysgais sut i yfed yn well, a fawr ddim byd arall. Ond roedd y ffôn o'r BBC wedi peidio canu ers misoedd lawer. Yn wir, ac eithrio llond dwrn o raglenni *Pobol y Cwm*, tydw i ddim wedi gweithio i'r BBC ar yr ochr deledu ers hynny, ym 1983. Roedd drysau eraill yn cau yr un mor swta: cyfrannais i gwrs drama yn y Coleg Normal pan oedd nifer o sêr heddiw, Stifyn Parry a Marc Lewis Jones, yn ddisgyblion ysgol awyddus i ddysgu. Ond aeth hwnnw'n ffliwt, hefyd, oherwydd fy medd-dod, a bu'n rhaid canslo perfformiad yn yr Eisteddfod Genedlaethol am fod y gwaith heb ei baratoi gen i, a heb ei ymarfer yn ddigon trylwyr. Gwyddwn, felly, wrth i gennad S4C adael fy nghartref y noson honno, fod cyfnod llwm iawn o 'mlaen i. Golygai ddod â chwmni teledu Burum i ben, a mater o amser fydda hi cyn y byddai'n rhaid i Mei a minnau dynnu allan o MWG, y cwmni goleuo hefyd. Yn waeth, golygai ddiwedd ar gyfresi poblogaidd *Syr Wynff a Plwmsan* – gan mai Burum oedd yn eu cynhyrchu – a'r holl raglenni a chynlluniau erill o'dd yn yr arfaeth. Bryd hynny, ro'dd Emlyn Davies yn uwch hyd yn oed na Pritch-Bach, Geraint Stanley Jones a Huw Jones ar fy rhestr faith, gynyddol, i o 'nghas bobol.

Mi o'dd pob diwrnod 'run fath wedyn. Dim gwaith, dim gobaith, dim ond mwy o yfed wrth fynd i fwy a mwy o ddyledion. Do'dd gen i ddim cydymdeimlad chwaith â phobol fel Dafydd Meirion, Mici, Graham Edgar a'r llu pobol erill o'dd yn ca'l eu cyflogi gan y cwmni, a hwythau'n wynebu diweithdra o'm hachos i. Yn ddieithriad, buon nhw i gyd yn driw i mi, yn enwedig Margaret Jones-Evans, fy ysgrifenyddes i. Dros y blynyddoedd, chlywais i ddim un ohonyn nhw'n edliw fy medd-dod i mi – dim un waith. Efallai eu bod nhw'n fwy gwybodus ynglŷn â'r salwch nag o'n i ar y pryd. Efallai eu bod nhw'n gwybod, yn wahanol i mi, nad oedd gen i ddim dewis. Efallai mai jest pobol ddymunol, garedig oedden nhw a 'mod i, heb yn wybod i mi'n hun ar y pryd, yn gallu tynnu pobol dda felly ata i hefyd, yn ogystal â gwehilion cymdeithas. Petawn i'n gwbod hynny, o bosib, byddwn wedi ymwroli a pheidio colli gobaith. Wyddwn i ddim, sut bynnag, a llithrais i felancolia dwfn, gan bitïo fy hun fwy-fwy, a gweld bywyd mor anobeithiol, mor annheg, mor ddu.

Dyma, yn wir, ydy Uffern. Roedd y gallu gen i i weld y gwaethaf ym mhawb a phopeth – ymhob sefyllfa ac ymhob amgylchiad. Ac yng nghanol yr anobaith yma ro'dd teulu bychan yn tyfu i fyny: Bethan a Rwth, gyda Meira'n ceisio'u gwarchod rhag effeithiau gwaetha fy salwch. Ro'dd hi'n amhosib eu gwarchod rhag pob ymddygiad afresymol, sut bynnag – y negyddiaeth sy wrth wraidd y salwch, a'r gêmau emosiynol sâl roeddwn i'n chwarae. Rwy'n disgrifio'r hyn wnes i i'r gennod fel trais emosiynol. Dwyn rhywbeth heb ganiatâd yw trais. Fe ddygais i oddi wrth Bethan a Rwth eu hawl i gael profi emiosynau plentynnaidd, naturiol, sef i dyfu mewn awyrgylch diogel, ac i gael tad cyfrifol yn gofalu amdanynt, mewn cartref lle roedd cariad a goddefgarwch yn teyrnasu. Ac mi ddisgwyliais i iddyn nhw ddeall fy emosiynau gwyrdroëdig cymhleth i, wrth i mi 'u blacmelio nhw drwy fygwth yfed, a'u cael i ochri hefo mi yn erbyn eu mam, ac i gydymdeimlo hefo'n safbwynt i pan fyddai ffeithia, rheswm a synnwyr cyffredin yn deud yn glir fel arall. Fel hyn mae'r alcoholig yn cael ei blant i ymuno ag ef yn ei fyd afreal ei hun, lle mae normalrwydd yn ca'l ei droi ar ei ben, a lle mae'n naturiol, bellach, ac yn gwbl dderbyniol, i'r plant weld eu tad yn feddw am wyth o'r gloch y bore, ac yn chwydu yn y sinc wrth lanhau'i ddannedd.

Ond pam na fyddai Meira wedi fy ngadael i'w harbed hi'i hun a'r plant rhag yr Uffern a'r boen yma? Byddai rhywun sy'n deall y salwch byth yn gofyn cwestiwn o'r fath. Mae'r ateb yn syml: roedd o mor amhosib i Meira fy ngadael i ag o'dd o i mi roi'r gora i yfed. Roedden ni'n dau wedi'n clymu i'n gilydd gan y salwch. Yn Awelon (Glan Beuno bryd hynny), ro'dd gen i obsesiwn am yfed drwy'r adag, tra o'dd Meira ag obsesiwn drwy'r adag am fy rhwystro i rhag yfed. Rhwng y ddau obsesiwn, yn rhywle, roedd y gennod yn dysgu am fywyd – gan dad oedd yn caru alcohol yn fwy na nhw, a chan fam oedd ar grwsâd i wahardd alcohol o'r tŷ. Y teulu 'camweithredol' go-iawn. Wrth gwrs, do'dd dim byd yn bod arnon ni. A gwae chi am feiddio awgrymu fel arall. Dyna ddiawledigrwydd alcoholiaeth – y salwch teuluol. Rydach chi'n magu'ch plant i anhapusrwydd a thrallod mawr mewn bywyd a hynny'n gwbl, gwbl ddiarwybod iddyn nhw ac i chi'ch hunan.

Bûm allan o waith am yn agos i flwyddyn, a chollais bob hyder yn fy ngallu i berfformio. Mae hyn yn beth cyffredin ymhlith actorion. Gall actorion fod allan o waith, weithia, am gyfnoda hir. Bryd hynny, mae'n anodd cadw'ch hun rhag colli'r hyder hwnnw sydd mor hanfodol ichi fel actor. Aeth fy myd yn fychan, hefyd, fel sy'n digwydd pan mae'ch hyder chi'n edwino – ambell daith ddiddiwedd i Lerpwl i weld yr arbenigwr ynglŷn â'm stumog; cylchdaith o'r Newbrough Arms i'r Bryn Gwna yng Nghaeathro ac adref; ac oriau o syllu, wedyn, drwy'r ffenast yn beio pawb arall am fy nhynged, a chyfri 'nhabledi cysgu fesul un ac un wrth farcio'r calendr 'dwy ar gyfer heddiw, tair ar gyfer fory', a thyngu yn erbyn Duw.

Cefais amynedd o rywle i sgwennu drama un act, *Llef un yn Llefain*. Dyma'r tro cynta i mi sôn am y salwch yn gyhoeddus. Cuddiais fy stori fy hun, sut bynnag, drwy sgwennu am hanes Meic, fy nghymeriad arall oedd yn gaeth i heroin. Gwen oedd ei Feira yntau. Ond yr un o'dd amgylchiadau Meic â fy rhai i, er i mi 'i osod o mewn fflat ddi-wres at ddiwedd ei oes ifanc, fel rhyw fath o ormodiaeth er effaith, a rhag i rywun amau'r tebygrwydd rhyngom. Drwy'n oes ro'n i wedi edrych i lawr yn ddirmygus ar y trueiniaid hynny o'dd yn gaeth i heroin a chyffuriau anghyfreithlon eraill. Roedd fy nhabledi i wedi'u presgreibio i mi gan feddyg, felly doedd o ddim yr un peth o gwbl. Ond twyllo'n hun o'n i. Ro'n i yr un mor gaeth i Heminevrin a Prothiaden a Valium ag oedd Meic i heroin. Adicts oedden ni'n dau. Yn sicr, ro'dd meddyliau'r ddau ohonon ni wedi'u llygru i'r un graddau gan y cyffuriau, a chefais gyfle am y tro cyntaf i godi cwr y llen ar fy ngwallgofrwydd i drwy feddyliau Meic yn ystod munudau olaf ei fywyd.

Anfonais y ddrama gan gynnig am y gadair yn Eisteddfod Caernarfon a'r Cylch (nid y Genedlaethol!). John Gwilym Jones oedd yn beirniadu a dyfarnwyd y wobr gyntaf i mi. Ar y pryd, ro'n i'n meddwl fod John Gwil a'r 'Steddfod wedi dyfarnu'r wobr i mi er mwyn ca'l gwybod pwy oedd wedi sgwennu'r ffasiwn rwtsh, ac i ga'l y drygi yn y ddrama i sefyll ar ei draed yn wyneb haul llygad goleuni fel y gallai pawb fy ngwatwar a gwbod pwy o'n i. Sylweddolais fod gan Bethan, fy merch, dalent arbennig iawn, hefyd. Hi enillodd y wobr am gystadleuydd mwyaf addawol y 'steddfod. Am y tro cyntaf ers amser maith iawn, felly, roedd haul ar fryn yn Awelon. O dipyn i beth mi ddois i i sylweddoli, efallai, bod fy ngwobr i a gwobr Bethan yn dynodi tro ar fyd i'r teulu. A bod y gwaethaf drosodd, o bosib – petawn i ond yn medru cael gwaith o rywle. O fewn pythefnos cefais alwad ffôn oddi wrth Graham Jones yn HTV; roedd cyfres ddrama newydd o dan y teitl *Dinas* ar fin cychwyn ar S4C. Oedd gen i ddiddordeb mewn cynnig am un o'r prif rannau? Prynais botelaid ychwanegol o win i ddathlu'r noson honno, gan weddïo nad uchel ysbryd o flaen cwymp oedd y cyfan. Roedd y ddraig, erbyn hyn, yn canu grwndi yn fodlon fel hen gath o'm mewn.

DINAS A'R DDYNES ARALL
(1984–1992)

Yn ôl Graham Jones, cynhyrchydd *Dinas*, rhoddodd un swyddog yn S4C bwysau mawr arno i beidio 'nghyflogi i fel actor. Y swyddog oedd yn iawn, wrth gwrs. Tydi cyflogi alcoholig ar unrhyw fenter ddim y peth callaf i'w wneud. Mae'n annibynadwy, dyna'i ffaeledd penna, ac ro'dd y swyddog yma o S4C yn gwbod hyn amdanaf yn well na neb oherwydd y ffiasgo gyda Burum. Yn ffodus i mi, sut bynnag, anwybyddodd Graham ei gyngor, ac mewn sbloets o gyhoeddusrwydd lansiwyd *Dinas* – y gyfres ddrama ddrutaf erioed i'w chynhyrchu yn yr iaith Gymraeg. Am y tro cyntaf ers talwm iawn, ro'dd gen i gyflog rheolaidd yn dod i mewn, a thipyn o drefn yn fy mywyd. Cawn gostau anrhydeddus i aros yn y brifddinas, a llwyddais i ffeindio *bed-sit* cyfforddus i mi'n hun yn Cathedral Road.

Y peth cynta wnes i o'dd derbyn cynnig hael yr American Express i gael defnyddio'u cerdyn aur! (Bu'n rhaid i mi ddychwelyd y cerdyn ddwy waith a gofyn am un arall am i mi fethu llofnodi'n enw'n gywir arno oherwydd y cryndod yn fy nwylo.) Mae delwedd yn bwysig i'r alcoholigion, ac ma' petha fel Amex Gold, ceir crand, dillada drud, bwyta allan, a cha'l eu gweld yn y llefydd gora, yn bwysig anghyffredin iddynt. Y petha materol, wrth gwrs. Mae'u heneidiau wedi'u haberthu ar allor materoliaeth. Yn wir dyna'r frwydr fawr sy'n digwydd tu fewn i bob un ohonom – y frwydr rhwng y materol a'r ysbrydol, ond bod y frwydr i'w gweld yn gliriach ym mywyd yr alcoholig. Ond, os na wnaiff person ildio – dim gwahaniaeth pwy ydio – i'r ysbrydol yn ei fywyd, caiff ei dorri'n fewnol; yr ysbrydol sydd bob amser yn drech yn y diwedd. Mae pobol sydd wedi'u torri'n ysbrydol i'w gweld o'n cwmpas ym mhobman. Pobol ydyn nhw sydd wedi colli blas ar fywyd ac at waith. Pobol sy'n 'bod' yn hytrach na byw – gyda'u llygaid yn wag, a dim mwynhad na gorfoledd yn perthyn iddyn nhw. Pobol sydd wedi'u colli i fywyd – lle mae beio a beirniadu pawb arall yn eu rhwystro rhag cymryd cyfrifoldeb dros eu bywydau'u hunain.

Roeddwn i yn enghraifft sut mae'r frwydr yn gallu amlygu'i hun – byth yn fodlon hefo beth o'dd gen i ac yn chwilio am sicrwydd yn y byd a'i bethau. Prifio'n ysbrydol yw rhan olaf datblygiad dyn – mae'r dyn sy'n anwybyddu'r broses honno, ac yn gwrthod ildio iddi, ar drugaredd ei hunanoldeb ac yn cael ei dorri'n ysbrydol i wacter ystyr. Yn fy achos i, erbyn y diwedd, gwnaeth fy alcoholiaeth fi'n fwy ymwybodol o'r frwydr fewnol rhwng yr ysbrydol a'r materol (y bersonoliaeth). Galluogodd fi i weld yn glir 'mod i'n mynd ar y trywydd anghywir mewn bywyd pan ges i'n llorio ganddo. Alcoholiaeth, yn y diwedd un, fu fy achubiaeth i.

Oherwydd *Dinas* ro'dd gen i bopeth materol, mwya sydyn – er fod y dyledion gen i o hyd; o leia ro'n i'n medru talu'r llogau arnyn nhw rŵan, a'r morgais, ond ro'n i eisiau mwy. Ro'n i eisiau dileu fy unigrwydd, yn un peth. Dim ots pa mor brysur oedd bywyd, dim ots faint o bartïon ro'n i'n gallu mynd iddyn nhw, ar ddiwedd y dydd, pan âi pawb arall adra, byddai'n rhaid i minna ddychwelyd i'r *bed-sit* unig a bod yn 'y nghwmni fi'n hun. Dyna pryd y byddai'r ddraig ar ei gwaetha – yn f'atgoffa i o'm gorffennol a'r niwed achosais i Meira a'r gennod. Gyda'r nos yn y *bed-sit*, do'dd dim gorffwys i'w gael rhag cynddaredd fy nghydwybod. Yn dri deg chwech oed, ro'dd gen i ormodiaeth o atgofion ro'n i eisiau'u claddu. Mwy o ddiod, mwy o gyffuriau, felly – erbyn hyn ro'dd gen i ddau feddyg yn fy nghyflenwi, un yn y gogledd ac un yn y de. Ond er llyncu'u holl gyffuria a chynyddu 'nogn o alcohol i newid y mŵd, gwrthododd y mŵd yn lân â newid. Mwya sydyn, ro'dd y cyffuria a'r alcohol yn gwrthod gweithio i mi. Byddai'n rhaid i mi ddarganfod rhywbeth arall. Perswadio Meira, yn erbyn ei hewyllys, i ddod i lawr i Gaerdydd i fyw ataf – dyna fyddai'r 'rhywbeth arall'. Petawn i'n cael cwmni yn y ddinas fawr byddai popeth yn iawn wedyn.

Tydio ddim syndod ichi ddeall nad o'dd Meira'n or-hoff o'r busnes actio yma. Dros y blynyddoedd roedd hi wedi 'ngweld yn gwneud ffŵl ohonof fy hun ormod o weithiau i gofio. Ar y dechra, byddai'n cadw cwmni i mi, ac yn dod i'r digwyddiadau cyhoeddus hyn – yn bartïon, dawnsfeydd neu ddangosiadau – ond erbyn canol yr wythdegau, roedd hi wedi cael llond bol ar weld pobol yn chwerthin ar fy mhen pan fyddwn i'n feddw, ac yn sibrwd amdana i'n llechwraidd, gellweirus y tu ôl i'w dwylo. Gwell ganddi hi oedd aros adref gyda'r gennod a chyda'i theulu. Pan symudais i i Gaerdydd i fyw, felly, roedd un peth yn ddealladwy o'r dechrau – fyddai Meira ddim yn symud i fyw hefo fi i'r brifddinas. Cytunais yn syth i hynny; doeddwn innau ddim eisiau byw yno'n barhaol, chwaith. Teithiwn yn ôl a blaen yn wythnosol. P'run bynnag, roedd gan Meira'i gwaith yn y gogledd – gwaith oedd wedi'n cynnal ni, fel teulu, a'n cadw ni rhag llwgu ar hyd y blynyddoedd. Fedren ni ddim dibynnu ar fy enillion anghyson i, dim ots pa mor gadarn oedd cytundeb HTV yn ymddangos ar y pryd.

Ond sut i gael Meira i newid ei meddwl? Gofynnais iddi'n daer, ond gwrthododd. Erbyn hyn ro'dd y gennod yn yr ysgol leol ym Montnewydd, ac yn sefydlog a hapus yno. Byddai'u dadwreiddio, a'u gosod mewn cymdeithas ddiarth gyfryngol Caerdydd, credai Meira, yn annheg â nhw, ac yn greulon.

Ond mae'n rhaid fod Meira wedi sylweddoli 'mod i mewn trafferth, oherwydd pan ofynnais iddi'r ail dro, ychydig fisoedd yn ddiweddarach, newidiodd ei meddwl yn syth. O fewn munudau, roedd wedi cytuno i roi'r gorau i'w gwaith, dadwreiddio'r plant o'u hysgol a'u cymdeithas, a symud gyda mi i fyw'n barhaol yng Nghaerdydd, yn union fel roeddwn i eisiau. Oedodd hi ddim eiliad cyn gwneud y penderfyniadau hyn, ac am hynny rwy'n ddiolchgar iddi. Oherwydd, yng nghynllun mawr pethau, does gen i ddim amheuaeth, bellach, nad oedd yn hanfodol fod Meira, Bethan a Rwth yn symud i Gaerdydd. Yn union fel roedd o'n bwysig 'mod i'n ymddiswyddo o'r BBC er mwyn goroesi ar ddechrau'r saithdegau, roedd ein gwellhad hirdymor ni fel teulu yn y fantol bryd hynny. Pan ofynnais iddi wedyn pam ei bod wedi newid ei meddwl mor sydyn, dywedodd, 'Ro'dd o'r peth iawn i'w 'neud – o'n i jest yn gwbod.'

Mae newid meddwl yn gryfder. Tra o'n i'n yfed fyddai Pedwar Angel y Datguddiad ddim wedi 'nghael i i newid fy meddwl. Bryd hynny gwelwn newid meddwl fel arwydd o wendid. Mae yna un peth sy'n rhwystr i bob datblygiad ac i bob gwybodaeth newydd, a hwnnw ydy dirmyg cyn ymchwiliad. Dywedodd fy nhad wrtha i pan o'n i'n blentyn, mai dim ond pysgod marw oedd yn mynd gyda'r dŵr. Camddehonglais i hynny i olygu y byddai'n rhaid i mi amau pob dim, a gwrthwynebu pob gosodiad. Cadwodd hynny fi mewn anwybodaeth am ran helaethaf fy mywyd. Tydw i ddim yn meddwl felly, heddiw. Rwy'n gallu newid fy meddwl ar amrant – ac mae hynny'n iawn. Yn union fel y gwnaeth Meira ynglŷn â symud i Gaerdydd. Tydw i ddim yn meddwl y byddwn i lle ydwi heddiw oni bai iddi wneud hynny.

Un o brofiadau tristaf fy mywyd, sut bynnag, oedd gyrru am Gaerdydd yn fuan wedyn gyda'r gennod yn y cefn a Meira wrth fy ymyl yn torri'u calonnau, a gwybod mai fi oedd achos eu tristwch. Gadael Nain ar ôl, a'r holl ewythrod a modrybedd a'u plant, ac Es a Wiggles a Pws. Llwyddwyd i fudo Pws i Gaerdydd yn y diwedd, drwy roi tabled iddi a'i gwnaeth yn ganmil gwylltach nag oedd hi cynt. Erbyn cyrraedd, roedd pawb yn waed ac yn gripiadau drostynt – un o'r teithiau mwyaf hunllefus i ni 'rioed ei chael. Cofrestrwyd y gennod yn adran Gymraeg Ysgol y Creigiau. Roedd Arwel yn byw yno – wel, roedd ei briod a'i blant yn byw yno. Roedd Arwel, erbyn hynny, ar fin dechrau yng Ngogledd Iwerddon, fel Pennaeth Rhaglenni'r BBC yno. O fod yn Bennaeth Newyddion a Materion Cyfoes BBC Cymru, roedd ei yrfa yn yr entrychion, fel oedd fy nghenfigen i ohono.

Roedd ein *bed-sit* yng Nghaerdydd, yn union fel tŷ'r tair arth 'stalwm. Yn yr ystafell wely – ein hunig ystafell wely – byddai'n gwely dwbwl ni, yna wrth ymyl hwnnw, gwely Bethan, ac wrth ymyl hwnnw gwely Rwth. Cegin fechan iawn oedd gynnon ni, a doedd fawr mwy o le yn ein hunig ystafell fyw. Byddai'n rhaid i ni gael lle mwy – prynu tŷ arall, o bosib. Ond beth am ein cartref yn y gogledd? Oni ddylen ni roi hwnnw ar y farchnad yn gyntaf? Neu beth am ei rentu? Roedd un peth yn sicr, sut bynnag, os oedden ni am i'r gennod fynd i ysgol y Creigiau, ac os oedden ni am gael defnyddio gwasanaeth meddyg yno – oedd yn flaenoriaeth hefo'r gennod mor ifanc, a minnau gyda'm dibyniaeth – byddai'n rhaid i ni symud i gyffiniau Creigiau.

Tŷ Hamster oedd ein henw ni arno. Tŷ Tom a Hari – dau fochyn bochdew Bethan a Rwth. Oddi ar y brif stryd yng Nghreigiau, roedd drws ffrynt y tŷ rhent yn agor yn syth ar y drws cefn; doedd digonedd o ofod ddim yn un o'i rinweddau amlwg, ond fe wnâi'r tro, nes dod o hyd i le gwell. Bu'n rhaid i ni dalu crocbris o £500 i ddiogelu'r tŷ i ni, fel bond. Y ddealltwriaeth oedd y bydden ni'n cael yr arian i gyd yn ôl os byddai'r tŷ'n cael ei ddychwelyd i'r landlord yn yr un cyflwr a heb unrhyw doriadau. Yn anffodus, wrth i ni symud oddi yno ymhen ychydig fisoedd a symud i'n cartref presennol, eto yng Nghreigiau, bu'n rhaid cloi Tom a Hari yn yr ystafell 'molchi am awr, am eu bod wedi ffeindio ffordd o ddianc o'u caetsys. Bethan sylwodd gyntaf, pan aeth i chwilio am y creaduriaid cyn gadael y tŷ'n derfynol. 'Mam! Dad! Sbïwch be ma Tom a Hari 'di 'neud!' Dyna lle oedd o, yng ngŵydd pawb, a reit o flaen y toiled – y twll anferth yma, wedi'i gnoi allan o'r carped gan y ddau fochyn bochdew barus. Twll oedd yn mynd i gostio £500 i ni! Lwcus 'mod i'n sâl ar y pryd – allwn i ddim gwneud dim byd anonest heddiw, rhag peryglu'n sobrwydd! Ond yr adeg honno, roedd gen i bob rheswm dros guddio'r dystiolaeth ac osgoi talu'r crocbris ar ran y ddau ddihiryn. Cawsom afael ar y fflwff roedd Tom a Hari wedi'u crafu o'r carped, a chydag ychydig o lud ac amynedd, llwyddwyd i guddio'r twll. Sylwodd y landlord ddim arno, beth bynnag – ond hyd heddiw, mae euogrwydd yn pwyso'n drwm arnom wrth fynd heibio i'r Tŷ Hamster ar ein ffordd i'r siop leol. Ond ar y pryd, roedd yna reitiach llefydd i'r arian fynd nag i goffrau'r landlord cyfoethog. Roedd arna i syched oedd yn amhosib ei dorri, yn un peth.

Un bore, yn ystod ymarferion *Dinas*, dechreuais ddadlau gydag un o'r cyfarwyddwyr. Chofia i ddim am beth oedd y ddadl. Ond mi wn i'n iawn beth a'i hachosodd. Ro'n i'n feddw. Ers peth amser, roeddwn i wedi dechrau cerdded i siop gyfagos, a phrynu chwarter potel o fodca i'm cynnal yn ystod y bore. Fel rheol fyddai hyn ddim yn ddigon i effeithio rhyw lawer arna i. Y bore hwnnw, sut bynnag, ro'n i wedi prynu hanner potelaid o fodca! Yn waeth, pwy oedd yn digwydd bod yn mynd heibio ar y pryd gan weld y ddadl feddw, ond Graham Jones, y cynhyrchydd. Wnaeth Graham ddim petruso dim. Cyhuddodd fi'n syth o fod yn feddw, a rhybuddiodd fi yn yr un gwynt, y cawn i'r sàc os na wnawn i rywbeth am fy mhroblem – a'i wneud o'r diwrnod hwnnw. Dyma'r math o ymateb sy'n gweithio bob tro gydag alcoholigion. Pan mae rhywun sydd mewn awdurdod, fel oedd Graham, yn gweithredu'n uniongyrchol fel hyn, gan roi wltimatwm digyfaddawd i'r alcoholig ynglŷn â'i yfed, mae'r alcoholig yn dueddol o gymryd sylw ohono.

Cysylltais i'n syth â chyfaill o alcoholig oedd wedi sobri ers peth amser ac, am gyfnod byr, gydag o, roedd gen i barodrwydd anghyffredin i wella. Tân siafins o beth oedd o, sut bynnag – eisiau cadw'n swydd o'n i, nid sobri mewn gwirionedd. A chan nad oeddwn i wedi bod yn y carchar, heb guro fy ngwraig a heb golli'n job – wel, ddim eto beth bynnag – dois i'r casgliad nad oeddwn i yn wir alcoholig. Nid oedd profiadau fy nghyfaill yn berthnasol i mi. Roedd Meira'n falch i mi ddod i'r casgliad hwnnw, hefyd. Y peth d'wetha roedd hi eisiau oedd bod yn wraig i alcoholig!

Fy stumog a'r unigrwydd oedd yn gyfrifol am yr yfed, mae'n siŵr. Awn ar y wagen i blesio Graham, ac awn i'r gogledd i ymweld ag un o'm meddygon. Os oeddwn i'n mynd i fyw heb alcohol, byddwn eisiau tabledi cryfach i'm cynnal. Dois i benderfyniad pwysig arall, hefyd – ro'n i'n mynd i awgrymu i Graham bod fy nghymeriad i yn *Dinas*, Robin Gregory, yn datblygu problem yfed ei hun. Fel hyn, gallai'r rhaglen ganolbwyntio mwy ar straeon oedd yn ymwneud â phroblemau cymdeithasol, gan ddod â thipyn o realaeth bywyd-bob-dydd i mewn i'r gyfres. Roedd Graham yn cytuno fod y syniad yn un da. Felly, mi wnes i sicrhau dau beth gydag un awgrym: fod y cymeriad (a'm gwaith i fel actor) yn cael parhad yn y gyfres, a 'mod i hefyd yn ymateb i wltimatwm digyfaddawd Graham – i wneud rhywbeth ynglŷn â'm salwch.

Mewn un olygfa, maes o law, wedi'i lleoli mewn ystafell gyfarfod i alcoholigion, roedd un actor o gyfaill a mi'n gorfod trafod ein gwahanol broblemau, dros baned o de. Yn ein sobrwydd newydd, roedd ein cymeriadau i fod i siarad am y bendithion sy'n dod yn sgil rhoi'r gorau i yfed. Y gwirionedd oedd bod fy nghyfaill a mi ein dau yn alcoholigion cronig go iawn, ac yn trio'n gorau glas i beidio crynu drwy bicio allan i'r toiled agosaf, bob yn ail munud, i slochian mwy o fodca rhwng pob cynnig.

Arferwn deithio i'r gogledd unwaith bob tri mis. Cychwyn yn blygeiniol am bump o'r gloch y bore a chyrraedd syrjeri'r doctor erbyn naw. Awn â'n *briefcase* hefo fi. Lle bynnag yr awn, awn â'r *brief-case* hefo mi. Ynddo roedd chwarter potel o fodca a Night Nurse (mae mwy o alcohol yn y ffisig syml yma na sens!), a'r tabledi cysgu, y tawelyddion a'r tabledi gwrth-iselder ysbryd. Y tair tabled hyn, a'r pwysicaf ohonynt i gyd oedd y tabledi cysgu. Bob un diwrnod, byddwn yn cyfri'r tabledi cysgu'n ofalus, gan sicrhau bod o leiaf dair ohonyn nhw ar gyfer pob nos. Weithiau, fel gwobr i mi fy hun, cymerwn bedair. Byddai hynny, o'i wneud unwaith neu ddwy yr wythnos, yn fy ngadael i'n brin at ddiwedd y mis. Pan ddigwyddai hynny, byddwn yn ffonio'r meddyg a gofyn iddo anfon mwy i mi drwy'r post. Yn ddieithriad, byddai'n gwneud.

Mae'n bwysig egluro'n fa'ma fod alcoholigion yn boen ac yn niwsans i feddygon sy'n credu mewn trefn. Y prif reswm am hynny yw fod yr alcoholig yn methu bod yn onest ynglŷn â'i yfed. O ganlyniad, mae'r meddyg yn ei ga'l ei hun yn trin pob salwch arall – dychmygol, fel rheol – ond yr un cywir, sef yr un mae'r alcoholig yn ei guddio rhagddo, wrth gwrs.

'Faint 'dach chi'n yfed, Mr Jones?'

''Mond peint neu ddau, doctor – dim byd arall!'

191

Gweld be dwi'n feddwl?

Gwn am un cyfaill ddioddefodd lawdriniaeth egr i dynnu ei goden fustl (*gall bladder*) yn hytrach na chyfaddef ei fod yn alcoholig. Roedd arno ofn cyfaddef rhag ofn i'r meddyg feddwl yn ddrwg ohono. Yn lle wynebu hynny a derbyn cyffuriau i wella ei boen hunanachosedig, gadawodd i'r meddyg ddyfalu rheswm arall, anghywir, am ei gyflwr, a llawdriniaeth arno yn hollol ddianghenraid!

Wedi ffrae go egr yn y cartref un penwythnos, es i'n stafell wely yn fy nhempar, a phenderfynu lladd fy hun. Roedd lladd fy hun bob amser yn opsiwn er fod gen i ofn marw, hefyd. Y noson honno, sut bynnag, roeddwn i wedi bod yn yfed ymlaen llaw. Dyna achos y ffraeo rhwng Meira a fi os cofia i'n iawn. Llyncais oddeutu pump ar hugain o dabledi cysgu cryfion, a mynd i 'ngwely. Mi ddeffrais i yn ward Ysbyty Brenhinol Morgannwg, ym Mhentre'r Eglwys, gyda Meira'n eistedd ar gadair unig yn syllu arna i mewn gwewyr, ac arwydd uwch fy mhen yn dynodi beth oedd achos fy arhosiad yno. *Overdose!* Mae'n debyg bod Meira wedi methu 'neffro i yn y bore wrth i'r plant fynd i'r ysgol. Wrth lwc, llwyddodd i gelu'r ffaith rhag Bethan a Rwth. Ac wedi iddyn nhw adael am yr ysgol, galwodd hi fy mrawd a'r meddyg lleol mewn panig. 'Ro'n i'n teimlo mor *silly . . .*' dwedodd Meira wrtha i, wedyn. 'Do'dd gen i ddim syniad pa dabledi oeddat ti wedi'u cymryd – roeddan nhw wastad dan glo yn y *brief-case* diawl 'na! Ro'dd y doctor yn sbio'n hurt arna i – wyddwn i ddim pa fath o dabledi o'dd 'y ngŵr i'n hun yn eu cymryd!'

Wedyn bu'n rhaid i mi fynd i weld seiciatrydd yn yr ysbyty meddwl lleol. Mater o amser oedd hi, wedyn, nes i mi lwyddo i droi hwnnw o gwmpas fy mys bach ac i'w gael o i gyflenwi cyffuriau i mi yn lle'r meddyg o'r gogledd. Oherwydd wedi i'r wybodaeth amdano fo ddod i'r amlwg, a'i fod o'n anfon cyffuriau i mi drwy'r post, bu ond y dim iddo gael ei wahardd rhag meddyginiaethu am byth.

Roedd egluro i Arwel yr hyn ddigwyddodd, cyn iddo ddychwelyd i Ogledd Iwerddon, yn anoddach. Ceisiais wneud

Rhai o gast a chriw *Anturiaethau Syr Wynff a Plwmsan*, 1986.
Mae'r diweddar Gareth Lloyd Williams, y cyfarwyddwr, yn sefyll rhwng
yr actor John Pierce Jones a Maggie Vaughan, y golurwraig.

Y ddau arwr! 1987.

(Malcolm Griffiths)

Syr Wynff ap Concord y Bòs yn
ei chanol hi eto! 1988.

(Malcolm Griffiths)

Gyda Myfanwy Talog yn *Excelsior*, 1992.

(Dylan Rowlands)

Y munudau olaf cyn mynd
ar y llwyfan fel Llywelyn
Fawr yn *Siwan*, 1998.
(Dewi Glyn Jones)

Y teulu yn ystod un o'u hymweliadau wythnosol
â'r Ganolfan Driniaeth yn Rhoserchan, 1992.

Fy noddwr, Bryn, 2001.

Ffonio Arwel o Vürzburg i ddweud bod
y ffilm *Porc Pei* wedi ennill y brif wobr
yn yr Ŵyl Ffilm Ryngwladol, 1998.

Rhoi araith ym mharti pen-blwydd
Rheinallt, fy mrawd-yng-
nghyfraith, 1999. Mae Rowenna a
Meira y naill ochr a'r llall i mi.

Gyda Siôn Trystan Roberts wrth i ni weithio ar y ffilm *Porc Pei*, 1998.

Y teulu gwreiddiol yn *Porc Peis Bach* gyda Nia Caron, Lowri Hughes a Siôn
Trystan Roberts, 2000.

(Martyn Griffiths)

Y teulu newydd, 2004, gyda Lowri Steffan, Anwen Haf Ellis, Gwenno Gibbard a Siôn Trystan Roberts.

(Barry Davies)

Rhai o gast a chriw *Porc Peis Bach* – y gyfres olaf, 2004.

(Dewi Glyn Jones)

Trafod golygfa yn *Porc Peis Bach* gyda Ken Dodd, 2004.

(Gerallt Llywelyn)

Arwel a fi wrth i'r criw ffilmio'r olygfa olaf un o'r holl gyfresi y tu cefn i ni, 2004.

(Dewi Glyn Jones)

Y teulu agos fel ag yr ydan ni ar hyn o bryd, gyda Begw Non ac Efa Grug. Stuart yw cariad Rwth, a Gareth yw gŵr Bethan.

(Mick O'Connell)

Meira a fi, o'r diwedd wedi cyrraedd gwynfyd – ac yn byw un dydd ar y tro.
(Mick O'Connell)

yn fychan o'r peth, gan ddweud mai damwain anffodus oedd y cyfan. Gwyddwn, sut bynnag, fod Arwel a minnau'n gwybod mai celwydd oedd hynny. Am y tro cynta, roedd rhywun o'r teulu wedi cael cip ar yr hyn oedd yn mynd ymlaen mewn gwirionedd y tu mewn i'n cartre ni. Teimlais warth a chywilydd mawr, gan ddiolch bod fy nhad a mam, o leiaf, wedi cael eu harbed rhag gwybod y gwir amdanaf. Plediais gydag Arwel i beidio sôn dim am y peth wrth fy chwaer, Rowenna.

Yn y cyfamser, daeth y newyddion da fod Ffilmiau Llifon a Gareth Lloyd-Williams yn awyddus i gynhyrchu cyfres newydd o *Anturiaethau Syr Wynff a Plwmsan*. Cyfle oedd o, wrth gwrs, i Gareth gael sefydlu'i hun a'i gwmni gyda chynhyrchiad fyddai'n sicr o lwyddo. Doedd gen i ddim byd yn erbyn hynny, cyn belled â bod Mici a minnau'n cael ein trin yn iawn. Y cyfresi hyn, bedair ohonynt, oedd y cyfresi gorau'n dechnegol – mae ambell un ohonyn nhw'n dal i wneud i mi chwerthin, heddiw.

Mae Mici Plwm a minnau'n dal yn ffrindiau mawr. Mae hynny ynddo'i hun yn wyrth, o ystyried y profiadau r'yn ni wedi'u cael gyda'n gilydd. Yr hyn sy wedi'n cadw ni'n glòs, dwi'n meddwl, ydy'n bod ni'n dau wedi cysegru'n bywydau, fwy neu lai, i'r cymeriadau gwallgo hyn. Erbyn y diwedd, ro'n i'n difaru gwneud hynny. Dwi'n gweld rŵan fel y bu i mi ddefnyddio'r cyfresi hirfaith fel esgus dros beidio symud ymlaen, dros beidio datblygu fel comedïwr a mentro. Ces i fy namnio gan y cyfarwydd, i raddau. Dim ond rŵan, yn fy sobrwydd, ydw i wedi medru torri'n rhydd i wneud pethau gwahanol. Ond mae'r cyfarwydd o hyd yn fygythiad: mae *Porc Peis Bach* yn ei chweched gyfres erbyn hyn!

Yn dilyn ymddeoliad Owen Edwards fel pennaeth arloesol S4C, daeth y newydd fod Geraint Stanley Jones wedi'i benodi'n Brif Weithredwr newydd ar y sianel. Fe'm brawychwyd i gan y newydd – am un rheswm yn unig. Gwyddwn ei fod o'n dychwelyd i Gymru'n unswydd i ddifetha 'ngyrfa i! Paranoia ma' nhw'n 'i alw fo. Ro'n i'n teimlo mai bwriad pawb oedd gwneud rhyw niwed i mi. Do'n i'n trystio neb. Ystyriwch amhosibilrwydd y peth mewn difri calon – cyn-Bennaeth Rhaglenni'r BBC yng Nghymru, cyn-Reolwr BBC Cymru, cyn-aelod o Fwrdd Rheoli'r BBC yn Llundain yn dychwelyd i Gymru'n unswydd i'm difa i! Mae'n rhoi syniad ichi o faint yr ego chwyddedig o'dd gen i, ac o sut o'n i wedi camfesur fy mhwysigrwydd fi'n hunan yn y byd. Fi oedd yr unig beth oedd yn bwysig, erbyn hynny. Roedd popeth yn troi o'm cwmpas i. Yn union fel mae'r bydysawd yn cylchdroi o amgylch baban bach yn ei grud. Y gwahaniaeth oedd 'mod i'n 41 oed bellach!

Profodd digwyddiadau 'mod i'n gywir i ryw raddau, sut bynnag, a chyhoeddwyd fod cyfresi *Anturiaethau Syr Wynff a Plwmsan* yn dod i ben ym 1989. Roedd Mici Plwm – a minnau i raddau llai – yn gandryll. Trefnwyd ymgyrch i achub y cymeriadau, ac arwyddodd dros 15,000 o bobol ddeiseb a gafodd ei chyflwyno i benaethiaid y sianel yn ystod Eisteddfod Genedlaethol yr Urdd yn Nyffryn Nantlle. Dywedwyd pethau reit gas am Gareth Lloyd-Williams, y cynhyrchydd, hefyd. Erbyn hynny roedd ei gwmni o, Ffilmiau Llifon, wedi'i sefydlu'n llwyddiannus. O bosib, doedd achub y gyfres ddim yn flaenoriaeth ganddo fo, bellach, a gwelwyd hyn gan Mici a minnau fel arwydd o fradwriaeth. Dwi'n ychwanegu'n gyflym yn fa'ma fod Gareth a mi wedi cydweithio'n glòs gyda'n gilydd ers hynny. Felly fu dim niwed parhaol i'n perthynas ni, ac roedd gen i'r parch mwyaf tuag ato hyd y diwedd. Na, yr hyn oedd yma oedd dau oedd wedi mynd i ddibynnu ar rywbeth (y gyfres) yn ceisio'u gorau glas i rwystro'r ddibyniaeth yna rhag dod i ben. Fel alcoholig yn cael ei orfodi i roi'r gorau i'r ddiod, neu adict yn cael ei orfodi i ddiddyfnu'i hun oddi ar gyffuriau, felly'n union mae gwaith, a'r ddibyniaeth arno, yn medru ennyn yr un teimladau ffyrnig pan mae'r gwaith hwnnw o dan fygythiad. Ofn yr anghyfarwydd ydy o. Ofn y dyfodol. Dyna sut mae'r cyfarwydd yn gallu caethiwo, sef drwy'ch gwneud chi'n rhy gyfforddus ynddo, yn rhy ddibynnol arno. Hebddo, wedyn, dim ond ofn ac ansicrwydd mawr sy'n bodoli.

Yn ystod y gyfres olaf o SWAP ro'n i wedi dechrau perthynas odinebus hefo dynes arall. Mwya sydyn, do'dd dim byd arall yn bwysig. Hi oedd yr un i mi, yn llenwi'r gwagle y tu mewn i mi; roedd y berthynas hon yn mynd i newid popeth. Waeth befo Meira, a'r plant. Waeth befo 'nheulu a'r ychydig ffrindiau o'dd gen i'n weddill, a'r loes fyddai'r berthynas hon yn ei achosi iddyn nhw, roedd llenwi'r twll anllanwadwy y tu mewn i mi'n bwysicach na dim. Pwysicach nag alcohol, hyd yn oed, am ychydig bach. Roedd rhaid aberthu popeth er ei mwyn hi. Mynnodd fy salwch 'mod i'n gwneud hynny.

Nid alcohol a chyffuriau'n unig sy'n caethiwo dyn. Yn fy achos i ro'n i'n gaeth i fwyd, i waith ac i ryw, hefyd. Cipiwyd y wraig hon ar y meri-go-rownd gwallgo drwy'r caethiwed olaf, ac yn ystod y blynyddoedd tywyll hynny, coeliodd hi fy nghelwyddau i gyd a dod yn ysglyfaeth i'r angen obsesiynol o'dd gen i erbyn hynny i deimlo'n well amdanaf fy hun waeth be fo'r gost.

Wrth edrych yn ôl, yr hyn sy'n eironig yw na allwn i gyflawni unrhyw orchestion rhywiol erbyn hynny p'run bynnag; oherwydd mae diymadferthedd rhywiol yn ganlyniad trist a real iawn i orddibyniaeth, tros gyfnod hir, ar alcohol a chyffuriau eraill! Ond doedd hynny ddim yn rhwystr i mi. Yr unig ffaith bwysig, oedd fod yma wraig ifanc a mam i ddau o blant oedd yn fodlon aberthu popeth i fod gyda mi! Roedd hynny'n gwneud i mi deimlo'n dda iawn amdanaf fy hun.

Mae fy ymddygiad i yn ystod y berthynas hon y tu hwnt i'm deall i i raddau. Yn un peth, do'n i ddim wedi stopio caru Meira a'r plant – i'r gwrthwyneb, trysorwn hwynt. Ond eto, nid dyna ddywedais i wrth fy nghariad newydd. Disgrifiais fy mhriodas fel *sham*, ac mai cyfleustra a'r plant yn unig oedd yn ein cadw gyda'n gilydd. Oni bai i mi'i thwyllo hi fel hyn, mae'n debyg, fyddai 'nghariad newydd ddim wedi parhau â'r berthynas, oherwydd dyna oedd holl sail y garwriaeth – y ddealltwriaeth ein bod ni'n dau mewn priodasau anhapus.

Roedd y straen a achosodd y berthynas hon ar Meira a'r teulu a theulu'r ddynes arall yn anferthol. Mwya sydyn, roedd fy alcoholiaeth yn eilradd i'r bygythiad newydd hwn i barhad ein priodas. Goddefai Meira fy yfed anghyfrifol yn y tŷ yn y gobaith y sylweddolwn, cyn i bethau fynd yn rhy ddrwg, y niwed ro'n i'n 'i achosi i bawb oedd yn annwyl i mi. Addewis bopeth i bawb – y gwnawn ddiweddu'r berthynas, i Meira; y gwnawn ei pharhau, i'r ferch arall. Drwy'r cyfan gwyddwn 'mod i'n arwain pawb i ddistryw. Gwyddwn mai dagrau fyddai'r diwedd, ac eto fi oedd yn gyrru'r meri-go-rownd gwallgo yn ei flaen, fel chwirligwgan, yn gyflymach ac yn gyflymach allan o reolaeth, yn nes ac yn nes at y dibyn.

Daeth T. J. Davies, fy ngweinidog ym Methlehem, Gwaelod-y-garth, i drio ymresymu hefo mi. Cofiaf ef wrthi yn fy stydi, yn fach o gorffolaeth, ond fel ymladdwr glew yn brwydro â'r salwch. 'Wynford! Wynford! 'Yt ti'n sylweddoli beth 'yt ti'n 'neud?' Rydw i wedi bod yn yr un sefyllfa fy hun, wedyn, droeon – mae'n union fel trio cadw pen rheswm â'r Diafol ei hun, ac mae dyn yn gorfforol glwyfedig ar ei ddiwedd. Wrandawn i ddim ar neb, ddim hyd yn oed ar fy ngweinidog dewr.

Gadewais y teulu. Dychwelais at y teulu. Anwybyddais bledio taer fy chwaer ar i mi gallio ac aros gyda Meira – a gadewais y teulu drachefn. Penderfynodd y ferch arall adael ei theulu hithau'n y gogledd a symud i'r Bontfaen. Caem fyw gyda'n gilydd wedi i mi, er priodoldeb meddai hi, fyw mewn fflat ar 'y mhen fy hun am flwyddyn. Byw mewn fflat ar 'y mhen fy hun? Allwn i ddim byw dau funud ar 'y mhen fy hun, heb sôn am flwyddyn! Beth o'dd yn bod ar yr hogan wirion! Dyna o'dd y broblem – methu goddef fi'n hun o'n i. Trio rhedeg i ffwrdd a dianc i rywle rhagof fy hun o'dd holl bwrpas y berthynas yn y lle cyntaf! Sut allai hi beidio â deall hynny?

Treuliais gyfnod yn y gwallgofdy. Awn yno pan fyddai pethau'n mynd yn ormod i mi. *Emotional problems* oedd diagnosis y seiciatrydd – dim byd i'w wneud ag alcohol! *'It's because of the affair, Wynford, and the guilt associated with causing so much hurt to your wife and children!'* Cawn loches yn ei ward gaeedig. Ond, yn fy achos i, gwnaed eithriad – cawn fynd a dod fel y mynnwn. Treuliais bob dydd yn meddwi yn y dafarn agosaf. Es â Meira allan am bryd o fwyd unwaith – i drafod cyflwr ein priodas fregus; roedd hi'n methu deall sut o'n i'n cael yfed cymaint a dychwelyd mor feddw i ward seiciatryddol mewn ysbyty'r meddwl, o bob man!

Yng nghanol y gwallgofrwydd hyn daeth *Dinas* i ben. Erbyn hyn doedd fawr o ots gen i beth oedd yn digwydd i mi mewn gwirionedd. Roedd popeth allan o reolaeth p'run bynnag. Os oedd S4C eisiau gwneud penderfyniad annoeth a chadw *Pobol y Cwm*, oedd wedi'i wreiddio yn y gorffennol, ar draul cynhyrchiad mwy modern, mwy perthnasol i'w cynulleidfa, pam ddylwn i boeni. Roedd chwalfa bwysicach ar droed; rhyw gorwynt, gyda mi'n ei ganol, yn sgubo popeth oedd unwaith yn annwyl i mi, o'i flaen. Cefais gynnig gwaith gan gwmni theatr Arad Goch yn Aberystwyth. Roedd Gwenlyn Parry wedi marw ac roedd y cwmni am drefnu taith deyrnged o *Saer Doliau* iddo. Wrth gwrs y gwnawn i gymryd rhan ynddi. Onid o'dd o'n gyfle arall i mi gael dianc o'r Uffern ro'n i ynddo? Dwi'n cofio teimlo'n genfigennus o Gwenlyn ar y pryd – wedi ca'l 'madael â'r fuchedd uffernol hon!

Y meddyg Richard Edwards achubodd fy mywyd yn Aberystwyth. Ro'n i wedi bod yn yfed yn ddi-baid ac yn llyncu tabledi fel *smarties* yn ystod wythnos gynta'r ymarferiadau. Fedrwn i ddim siarad yn iawn erbyn hynny. Roedd fy lleferydd yn floesg, roedd fy atal-dweud ar ei waethaf, ac roedd geiriau Gwenlyn yn neidio ataf o'r dudalen fel bod eu dysgu'n amhosib. Galwyd yr heddlu gan un gyrrwr tacsi, oherwydd ei fod o'n pryderu 'mod i'n colli arnaf fy hun wrth gael fy nghludo adre. Mrs Liz Ellis, perchennog y Shangrilâ, lle ro'n i'n aros, alwodd am y meddyg Richard Edwards. Cadarnhaodd yntau fod peryg i mi gael ffit farwol unrhyw eiliad; roedd y profion gwaed, wedyn, yn dangos bod fy iau dan fygythiad – gyda'r darlleniadau o weithgarwch hwnnw yn yr wyth cannoedd uchel. Byddai'n rhaid i mi stopio yfed. Addewais drio gwneud a chytunais i alw i'w weld yn ei feddygfa bob bore cyn dechrau gweithio.

Wrth ddychwelyd i Gaerdydd bore Sadwrn (ro'n i'n rhy feddw i deithio nos Wener), fe'm parlyswyd i gan ofn. Fedrwn i ddim gyrru fodfedd ymhellach na Rhaeadr; ofnwn fod rhywbeth ofnadwy ar fin digwydd i mi, fod y diwedd ar ddod. Treuliais weddill y penwythnos yn fy ngwely, 'rôl gorfod teithio adre mewn tacsi arall – mwy o dolc fyth i ddyled ariannol oedd eisoes yn y miloedd uchel. Galwodd fy chwaer a'i gŵr i'm gweld, 'Be' sy'n bod arnat ti, Wyn?'

'Wedi ca'l rhyw "fug" mae o!' medda Meira, wedyn. Y salwch yn parhau, wrth i bawb ddawnsio o'i gwmpas o yn ofn wynebu'r gwir, gwirionedd a oedd, erbyn hynny, mor amlwg â'r wawr i bawb oedd eisiau'i weld. Ro'n i'n alcoholig.

Cytunodd Meira i ddod i Aberystwyth i ofalu amdanaf. Nid dyma'r tro cyntaf iddi golli dyddiau lawer o'i hysgol er fy mwyn i. A thrwy weithio hyd oriau mân y bore bob nos, llwyddais i ddysgu – os nad meistroli – y sgript. Yn wyrthiol cafwyd cynhyrchiad go lew o'r ddrama ar daith o amgylch Cymru, wedyn – er dirfawr ryddhad i'm cyd-actorion a'r cyfarwyddwr, Jeremy Turner, rwy'n siŵr. (A fwynhaodd Gwenlyn y deyrnged sy'n beth arall!) Erbyn hyn ro'n i wedi stopio yfed. Bu'r profiad dwetha yma'n ddychryn i mi; oni bai am help Meira a Richard Edwards, fyddwn i ddim wedi goroesi – ro'n i'n sicr o hynny.

Heb yn wybod i mi, daeth y ddynes arall i weld fy mherfformiad yn Theatr Ardudwy, Harlech. Ro'dd o'n ysbrydoledig, medda hi o'dd yn dallt yr un gair! Yn sydyn, wedi cyfnod o bwdu'n dilyn ei sylweddoliad nad o'n i'n bwriadu symud i mewn i fflat ar 'y mhen fy hun, maddeuwyd pob camwedd – a thaniwyd y berthynas rhyngom drachefn. A chydag o, yr holl wallgofrwydd cysylltiol arferol.

Dyddiau hir a llwm o yfed fuodd hi wedyn, yn cael eu hatalnodi gan alwadau ffôn hirfaith i'r ferch arall (gostiodd saith gant o bunnau un chwarter) – ac i ambell berson amlwg, pan o'n i'n rhy feddw i gofio beth roeddwn wedi'i ddweud wrth eu henllibio. Dyddiau tywyll iawn i bawb gartre. A heblaw am ran fechan fel Dic Sark yng nghynhyrchiad Graham Laker o *Excelsior* gan Saunders Lewis, pan lwyddais i fyhafio'n weddol, prin oedd y cynigion o waith, wedyn, ar wahân i addewid o rywbeth dros yr haf yn Theatr Gwynedd. Do'dd hynny'n ddim syndod i mi. Do'n i ddim y math o berson y byddai neb yn dymuno'i gael fel cyd-weithiwr erbyn hynny. Graham Laker, am ryw reswm, oedd yr unig un oedd yn fodlon fy nghyflogi fi. Diolch amdano. 'Nôl gartre, yr un patrwm fyddai, fwy neu lai, i bob diwrnod, gyda'r ymweliadau achlysurol â'r gwallgofdy'n amrywio rhyw fymryn arno, pan âi'r pwysau'n ormod arnaf.

Dyma ddiwrnod nodweddiadol o yfed yn fy hanes fel yr eglurais ar y rhaglen radio *Tu hwynt i'w holl freuddwydion* a ddarlledwyd ar Radio Cymru yn ystod Ebrill 1997: 'Wel, trio cofio beth o'dd wedi digwydd y noson cynt fydda'r gamp gynta . . . Fydda Meira 'falla, wedi'i brifo, ac yn dawal – fydda'r plant yn ymwybodol o hynny. Fydda 'na hen awyrgylch annifyr yno, fydda chi'n deffro i hwnnw. Mi fydda'r gennod yn mynd i'r ysgol. Wedyn mi fyddwn i'n codi.Y cam cynta fydda trio ll'nau 'nannadd . . . ac mi fydda gen i'r boen ofnadwy 'ma yn fy stumog – ofn oedd o ma'n debyg, ynghyd â'r trafferthion yn fy stumog – ac mi fyddwn i'n ll'nau fy nannadd, a chyfogi . . . cyfogi . . . cyfogi . . . cyfogi. Wedyn mi fyddwn i'n meddwl, "Hei! Ma'r gennod wedi mynd i'r ysgol . . . fyddan nhw ddim adra tan bedwar." Wedyn mi fyddwn i'n dechra cyfri ar fy mysedd, "Ma' hi rŵan yn hannar awr wedi wyth: hannar awr 'di wyth, hannar awr 'di naw, hannar awr 'di deg, hannar awr 'di un ar ddeg, hannar awr 'di deuddeg, hannar awr 'di un, hannar awr 'di dau, hannar awr 'di tri . . . pedwar. Saith awr a hannar! Os ga i botal o win, rŵan, bydd effaith hwnnw wedi hen fynd erbyn iddyn nhw gyrradd yn ôl!"

'Wedyn, mi fyddwn i'n ista ar y toilet – o'dd rhaid i mi ista ar y toilet i'w yfad o, oherwydd mi fydda fo'n llifo drwydda i fel, fel . . . dŵr . . . o'dd o jest yn llifo drwydda i. Ro'n i'n ca'l y *diarrhoea* ofnadwy 'ma. Ac mi fyddwn i'n ista'n fana 'te, ac mi fyddwn i'n rhamantu am ba mor ffantastig o'dd bywyd yn medru bod! Ro'dd o'n dal i roid y cic yna i mi jest am 'chydig bach. A chyn i mi droi, mi fydda'r botal yn wag. Wedyn, mi fyddwn i'n dechra cyfri eto, "Naw ydy hi, rŵan: naw, deg, un ar ddeg, deuddeg, un, dau, tri . . . hannar awr 'di tri . . . pedwar.

Saith awr ar ôl o hyd. Mi gymra i . . . un botal arall!" Mi fydda gweddill y diwrnod wedi'i golli, wedyn . . .'

Roedd Bethan a Rwth yn byw dau fywyd ynghanol hyn i gyd. Un yn yr ysgol a thu allan i'r cartref, a'r llall pan ddychwelent o'r ysgol i gael y drws ffrynt yn agored, Meg y ci yn crwydro'r stad, a'u tad yn gorwedd yn feddw-anymwybodol ar y gwely. Dyma wynebai Meira, hefyd – un dydd ar ôl y llall. 'Paid â deud dim wrth Dad os 'dio 'di bod yn yfad, Rwth,' fyddai anogaeth ddyddiol Bethan wrth adael y bws ysgol am adre, 'neu mi fydd 'na ffrae arall, yli!'

Ond ffrae arall fyddai hi bob dydd, wrth i Rwth wylltio'n gacwn yn ei rhwystredigaeth, ac i minnau fanteisio ar hynny'n greulon er mwyn cael esgus arall i fynd allan i'r dafarn leol i feddwi mwy.

Mae'n syndod fod gen i deulu ar ôl. Mae'n fwy o syndod fod gynnon ni ffrindiau. Maen nhw'n gwybod pwy ydyn nhw; mae' fy nyled iddynt yn aruthrol. Drwy eu teyrngarwch maen nhw wedi'n dysgu ni i lacio'n raddol ar y gred fod pawb allan i wneud niwed i ni a'i bod hi'n bosib i ni garu'n cyd-ddyn. Yn bwysicach, y rhain sydd wedi dangos i ni gymaint oedden ni'n cael ein caru'n y lle cynta, p'run bynnag.

Ond caru rhywun arall o'n i ar y pryd. Ac wrth i mi ffarwelio â'r teulu i ddechrau gweithio ar gynhyrchiad llwyfan o'r *Druid's Rest* gan Emlyn Williams i Theatr Gwynedd ym Mangor, cyhoeddais i Meira, Bethan a Rwth, 'mod i'n bwriadu'u gadael nhw am byth a mynd i fyw hefo'r ddynes arall.

Dwi'n cofio'r olygfa drist fel 'tai hi'n ddoe. Roedd yr haul yn danbaid y tu allan a Meira'n crio fel 'taflud i fyny' yn y parlwr, wrth i Bethan a Rwth drio'n ofer i'w chysuro hi. 'Pam, Wyn? Be dwi wedi'i 'neud o'i le?' Mae'n rhyfedd fel mae'r ddioddefwraig yn mynnu beio hi'i hun. Ond, ar y pryd, ro'n i'n wirioneddol gredu 'mod i'n gneud y peth iawn, a bod fy mhenderfyniad i'n un anhunanol. 'Mi fydd hi'n haws i chi'n y pen draw,' meddwn yn hunandosturiol. ''Dach chi'n haeddu rhywun llawar iawn gwell na fi.'

'Ond *chi* 'dan ni ishio, Dad! Pam na fedrwch chi ddallt

hynny?' Ysgytiwyd fi gan yr angerdd yn llais Bethan. Ac yn ei llygaid hi mi welis i'r holl flynyddoedd o boen ro'n i wedi'i achosi i'r teulu. Poen oedd i gnoi a chnoi ar fy nghydwybod i nes byddwn i'n ildio'n gyfan gwbl i'r salwch ymhen ychydig ddyddiau a gofyn am help.

Petawn i'n onest, mi fyddwn i wedi cyfaddef 'mod i'n rhedeg i ffwrdd am reswm arall, hefyd: fedrwn i ddim, erbyn hynny, gadw'n addewid i'm plant. Dim ond ychydig ddyddiau'n gynharach, roedd Bethan a Rwth wedi gofyn i mi roi fy ngair na fyddwn i'n yfed cyn dod i'w gwylio nhw'n perfformio yn yr opera gerdd *Y Grisial Werdd* oedd i'w pherfformio yn y Miwni, Pontypridd, fel rhan o ddathliadau Eisteddfod Genedlaethol yr Urdd, Taf Elái. Roedd gan y ddwy rannau blaenllaw yn yr opera gerdd, ac wedi bod yn edrych ymlaen at y perfformiad na fu'r rotsiwn beth. Addewais na fyddwn i'n yfed. Wrth gwrs, erbyn y noson ro'n i'n feddw gaib. Ond nid yn rhy feddw, chwaith, i sylwi ar y siom a'r tor-calon yn llygaid y ddwy. Mi oedd geiriau Bethan wedi f'ysgwyd i bryd hynny, hefyd. 'Ond mi ddaru chi *addo* i ni, Dad!'

Cyn i mi gamu i mewn i'r car, mi gyrhaeddodd Arwel. Erbyn hyn roedd o wedi gadael y BBC, ac wedi cwblhau ysgoloriaeth y *Guardian* i Rydychen i sgwennu traethawd ar helyntion Gogledd Iwerddon. Bellach, roedd o'n rhedeg ei gwmni cynhyrchu ei hun, Cambrensis, yng Nghaerdydd. Fedra fo ddim peidio sylwi ar y dagrau yn llygaid y gennod. 'Pam 'na fedri di fod yn ddewr, Wyn?' medda fo gan ddyfalu'n gywir mai fy alcoholiaeth i oedd achos y cyfan.

'Bod yn ddewr?' medda finna, gan deimlo fod gadael y teulu yn un o'r gweithredoedd dewraf, mwyaf anhunanol i mi'i erioed ei wneud. 'Be wt ti'n feddwl, Arwel?' gofynnais yn haerllug.

'Wel, pam na fedri di fod yn ddewr, Wyn – a throi a wynebu'r salwch 'ma? Gwneud rhwbath amdano fo?'

Chwarddais yn ei wyneb. Doedd dim byd yn bod arna i. Bai pawb arall oedd o. Codais fy sgwyddau mewn un cwestiwn rhethregol olaf, 'Pam nad oes neb yn fy nallt i?' gan ddal y foment yn ddramatig. Ro'n i'n un da am wneud hynny, ac yn well fyth am wneud i Meira, Bethan a Rwth deimlo mai'u bai nhw oedd y cyfan. Syllais ar y tair yn rhy hir i wneud yn siŵr eu bod yn sylweddoli hynny. Yna, camais i mewn i'r car a gyrru allan o'u bywydau am byth.

Digwyddodd y rhan fwyaf o ymarferiadau'r wythnos gyntaf mewn blacowt. Chofia i fawr ddim amdanyn nhw. Doedd gen i nunlle i aros, cofiaf hynny. Roedd gen i ormod o ofn mynd i aros at fy chwaer a'i gŵr i Lanfairpwll. Gormod o gywilydd, hefyd. Bu dau aelod o staff y theatr yn dosturiol tuag ata i, a chynnig soffa i mi gysgu arni yn eu cartref am noson – efallai sawl noson, wn i ddim.

Diwedd bore dydd Gwener wythnos gynta'r ymarfer oedd hi, pan ddudodd Graham Laker wrtha i yr union eiriau cywir, yn yr union drefn gywir, ar yr union amser cywir, a arweiniodd ata i'n gwneud rhywbeth am fy alcoholiaeth. Ro'n i newydd gael fy ngalw i ymarfer, 'rôl bod yn llowcio fodca yn sedd flaen fy nghar. Baglais yn feddw wrth ymuno â Graham yn yr ystafell ymarfer. Edrychodd arna i'n drist, a gofyn, 'Pryd wyt ti'n mynd i wneud rhywbeth am dy yfed, Wynford?' Dyna'r cwbwl oedd o! Ond, roedd ei amseru'n berffaith, ac roedd o'r union gwestiwn ro'n i angen ei glywed. Oherwydd ar yr union foment honno, ro'n i'n barod, wedi saith mlynedd ar hugain o yfed, i wneud rhywbeth, o'r diwedd, am fy mhroblem.

Gwyddwn am y ganolfan driniaeth i alcoholigion, Rhoserchan, ym mhentref Capel Seion, i'r de o Aberystwyth. Soniodd Meira droeon am y lle. 'Mi fedran nhw dy helpu di'n fanno, Wyn! Mi adawa i'r rhif ffôn wrth ymyl dy wely di, yli – jest rhag ofn iti benderfynu gneud rhwbath am dy yfad . . .' Roedd yna ffrindiau eraill i mi wedi bod mewn lle tebyg o'r enw Broadway Lodge, yn Weston Super Mare. Hwnnw oedd y ffefryn a'r dryta. Ond arian ac aur nid oedd gennyf . . .! Ro'n i wedi clywed am ryw Joe South, hefyd. Dylai ei enw o fod fel Meseia i glustiau rhai fel fi, medda Meira, ac mi oedd ei allu i ddryllio'r ymwadiad creulon sy'n nodweddu pob alcoholig, yn ddiarhebol. 'Fo ydy arweinydd y tîm yno, Wyn. Mae o'n dipyn o foi mae'n debyg. Ond 'i fod o'n tyff – y lle, felly, nid Joe!'

Drwy niwl blith-draphlith fy medd-dod, ffurfiais atab o rywle i gwestiwn Graham, ateb oedd i ddechrau ar broses oedd i newid nid yn unig fy mywyd i'n gyfan gwbl, ond bywydau Meira, Bethan a Rwth, hefyd. 'Dwi'n barod i 'neud rhwbath rŵan, Graham. Dwi ishio mynd i Roserchan i drio gwella.'

Symudodd pethau'n gyflym iawn wedi hynny, yn union fel petai'r cread wedi troi ar ei echel i hwyluso fy mhenderfyniad. Cysylltwyd â Rhoserchan ac roeddynt yn fodlon fy nghymryd i'r prynhawn hwnnw, os medrwn gyrraedd yno erbyn pedwar o'r gloch. Bu'r actor, Rhys Richards, yn gymwynaswr heb ei ail yn gofalu am y car a threfniadau cyffelyb. Cysylltais am y tro cyntaf mewn bron i wythnos â Meira yng Nghreigiau. Ar yr amod 'mod i'n ateb dim cwestiynau, dwedais wrthi am fy mwriad i fynd i Roserchan am driniaeth, a gofynnais iddi beidio dweud wrth y ddynes arall ble'r oeddwn i. Ro'n i'n falch 'mod i wedi'i ffonio, er nad oedd dim oll wedi'i ddatrys.

Wn i ddim pwy gafodd ran yr heddwas yn *The Druid's Rest*. Dwedodd Graham wrtha i am beidio poeni am hynny, ac addawodd y byddai'n egluro i'r cast beth oedd wedi digwydd, gan ofyn iddyn nhw gadw'r holl beth yn gyfrinachol. Roedd hynny'n un o'm hofnau mwyaf. Beth ddywedai pobol! Wn i ddim, chwaith, a oedd Graham yn falch o 'ngweld i'n gadael y cynhyrchiad – siŵr o fod. O'm rhan i fy hun, gwnaeth y salwch un gymwynas olaf â mi – llwyddais i osgoi gorfod perfformio yn *The Druid's Rest*. Achubwyd fi, o leiaf, rhag crafangau'r adolygwyr!

Teithiais mewn tacsi i Roserchan. Teithio mewn steil reit i'r diwedd un! Erbyn cyrraedd, yn hwyr, ac wedi i mi stopio ym mhob off-leisans ar y ffordd, ro'n i'n feddw. Curais ar ddrws y ganolfan driniaeth, ac atebwyd y drws gan un o'r cynghorwyr yno. '*You're drunk!*'

'*Yessss, so what?*' meddwn innau gan bwyso yn erbyn postyn y drws i sadio.

'*Well, you're not coming in here if you're drunk!*' meddai. A chaeodd y drws yn glep yn fy wyneb.

Ro'n i'n methu dod dros y peth! Dyma ganolfan driniaeth

oedd i fod i drin alcoholigion, a dyma nhw'n troi un i ffwrdd am fy mod i wedi bod yn yfed. 'Be arall mae alcoholigion i fod i wneud ond yfed, y *bitch*?' Ond chefais i ddim ateb.

Erbyn heddiw, rwy'n ddiolchgar i'r cownsler arbennig honno am fy ngwrthod. Arferwn ddeffro'n chwys oer drostaf, ar un adeg, wrth ddychmygu beth allai fod wedi digwydd i mi petawn i wedi cael fy nerbyn y prynhawn hwnnw! Oherwydd, ar y dydd Gwener hwnnw, doeddwn i ddim yn barod. Roedd dau ddiwrnod arall o yfed ynof i o hyd! Dau ddiwrnod arall cyn y down i'n ddysgadwy. Mae amseru mor allweddol bwysig ar achlysuron fel hyn. Mae ychydig oriau y naill ochr neu'r llall yn gallu gwneud y gwahaniaeth, yn llythrennol, rhwng bywyd a marwolaeth i'r alcoholig. Mae amseru mor dyngedfennol â hynny.

Y Shangrilâ oedd fy unig obaith. Doedd gan neb o 'nheulu syniad ble'r oeddwn i; doedd gan y ferch arall, ddim, chwaith. Atebwyd y drws i mi gan Mrs Ellis, oedd yn fy nghofio i'n iawn wedi holl helyntion drama Gwenlyn. 'Oesss ganddoch chi sssstafall, i mi, Mrs Ellis?' Edrychwn yn druenus, mae'n debyg, yn fy nghrys-T a throwsus byr, gyda gwaed yn llifo i lawr fy nghoes o 'mhen-glin wedi i mi'i tharo yn nrws y tacsi. Ysywaeth, roedd y gwesty'n llawn! Ond roedd gan Mrs Ellis ffrindiau iddi oedd yn byw gerllaw; efallai y byddent hwy'n fodlon fy nghymryd i. Felly y cyflwynwyd fi i Ceredig a Pat, dau a ddangosodd gariad mawr a chonsŷrn anghyffredin tuag ataf. Byddaf yn dragwyddol ddiolchgar i'r ddau yma am gynnig lloches i mi'r noson honno – ac i Pat, yn arbennig, oherwydd hi helpodd fi pan o'n i ar fy mwyaf pathetig, ac yn mynd drwy'r awr dywyllaf un yn fy hanes.

Y Dr Meredydd Evans ofalodd amdana i ar y dydd Sadwrn. Cefais ei rif ffôn o rywle, a bu'n ddigon grasol i ymateb i'm hangen. Ro'n i ofn bod ar 'y mhen fy hun, erbyn hynny. A Merêd, am ryw reswm, oedd yr enw ddeuai i'm meddwl. Cawn fy nhynnu ato – roedd rhyw garisma arbennig yn perthyn iddo; a'r bore a'r prynhawn hwnnw bu'n gysur anghyffredin i mi. Fedrwn i ddim stopio yfed erbyn hynny – a wnaeth o ddim ceisio'n rhwystro fi. Yr hyn wnaeth o sut bynnag oedd cyflwyno llyfr *Y Cynganeddion Cymreig* gan David Thomas yn rhodd i mi, gan ddweud y cawn gadw'r llyfr os medrwn i roi'r gorau i yfed. Mae'r llyfr gen i o hyd yma'n rhywle, ac fe'i cadwaf tra bydda i'n sobr trwy ras Duw.

Wedi ffarwelio â Merêd, ffoniais Meira am yr ail waith. Roedd y ddynes arall wedi cysylltu hefo hi'n gofyn ble oeddwn i. Dwedodd Meira wrthi nad oedd yn gwybod, gan ychwanegu, *'You do realise don't you, that he's a very sick man?'* Mi roddodd y ddynes arall y ffôn i lawr arni, mae'n debyg.

Tŷ Yncl Ed oedd y gyrchfan fore Sul. Gwyddwn fod ganddo gwpwrdd diod. Brawd 'fenga Mam oedd o ac ro'n i'n dipyn o ffrindiau hefo fo. Wn i ddim beth wnaeth o ohona i'r diwrnod hwnnw, chwaith. Galwad ffôn, *'from Betty's youngest'* a hwnnw'n feddw am un ar ddeg y bore. Gwahoddais fy hun i ginio, ac yfed popeth oedd ganddo i'w gynnig i mi. Doedd dim digon i'w gael. Erbyn hynny, roedd unrhyw argoel o hunan-barch wedi diflannu'n gyfan gwbl. Dychrynwyd Yncl Ed, dwi'n siŵr: mae cael rhywun yn pledio am ddiod, a hynny ond prin wedi dweud helô, yn beth anghyffredin a dweud y lleiaf. Mae'i gael o'n beichio crio, wedyn, ac yn sôn am hunan-laddiad rhwng rhuthro i'r tŷ bach naill ai gyda dolur rhydd neu i gyfogi, yn ymylu ar fod yn swreal, os nad yn abswrd.

Y noson honno ro'n i'n sefyll y tu allan i'r off-leisans yn y dre, pan ddigwyddodd y peth. Roedd potel fodca wag neithiwr ar y llawr, ac un arall newydd ei hagor yn fy llaw. Yn sydyn, mi welis i fy hun fel ro'n i. Mae'n amod pob profiad ysbrydol, ddudwn i. Yr un i Saul ag oedd o i mi, a phob truan arall sydd wedi'i ddarostwng gan euogrwydd a chywilydd. Am foment symudwyd yr ymwadiad yn gyfan gwbl. A sylweddolais na allwn i feio 'nhad a 'mam (oedd wedi marw ers blynyddoedd) am beth oedd wedi digwydd i mi; na 'ngwraig, na 'mhlant. Nid bai fy mrawd na'm chwaer, oedd o, chwaith; na'r ychydig ffrindiau oedd yn weddill, nac unrhyw un arall. Yn bwysicach, sylweddolais na allwn i feio neb ond fi'n hun! Alcohol oedd yn penderfynu popeth yn fy mywyd i bellach – alcohol a'r tabledi cysgu, y tawelyddion, a'r

205

tabledi gwrth-iselder ysbryd a'r lliaws o ddibyniaethau dyrys eraill, oedd yn fy nghaethiwo. Doedd gen i ddim dewis.

Ac yn y foment honno – a allai fod wedi para chwinciad neu dragwyddoldeb am wn i – mi glywais lais yn sgrechian yn fy mhen: 'Mae'r cwbl drosodd! Mae popeth yn mynd i fod yn iawn o hyn allan!' Ac nid llais y ddraig oedd o. Doedd o ddim byd tebyg i lais y ddraig. Doedd o ddim yn dod o'r un lle, yn un peth. Roedd hwnnw'n dod o ddyfnderoedd fy stumog; dod o gyffiniau fy nghalon wnâi'r llais hwn. Mae'r Llais hefo fi o hyd – yn dal i gadarnhau, yn dal i gynnig ei sicrwydd dyddiol i mi, ddeuddeg mlynedd yn ddiweddarach. Yn wir, po fwyaf fy ymddiriedaeth yn y Llais, mwyaf y pellter rhyngof a'r salwch, a mwyaf y blodeua fy nghymeriad ac yr atgyfnerthir fy annibyniaeth barn.

Peth arall ddigwyddodd oedd i mi brofi parodrwydd anghyffredin i wella. Ro'n i'n fodlon gwneud unrhyw beth i wella, mwya sydyn – gwneud tin-dros-ben yn noeth i lawr yng nghanol Caerdydd os byddai raid! A'r parodrwydd hwnnw – dim byd i wneud hefo mi, gyda llaw – sy'n fy nghicio i allan o'm gwely yn y bore hyd heddiw, yn fy nghael i i ddweud fy mhader a darllen *The Plain Man's Book of Prayer* gan William Barclay a llyfrau myfyrdod eraill sy'n ymwneud â gwellhad, sy'n angenrheidiol i mi, a mynd i gyfarfodydd, rhannu fy mhrofiadau gydag eraill, a pharhau i dyfu'n ysbrydol a dwysáu fy mherthynas i hefo Duw. Y parodrwydd hwnnw sy'n gyfrifol 'mod i'n chwarae fy rhan wrth helpu eraill, er mor ddiflas ac anghyfleus mae hynny'n gallu bod ar adegau!

A'r trydydd peth ddigwyddodd oedd i mi sylweddoli fod popeth yn berffaith fel ag y mae. Pob un dim! Does dim eithriadau! O ganlyniad, dechreuais weld y gorffennol tywyll mewn goleuni gwahanol. Yn wir, hebddo, sylweddolais, a heb bob profiad diflas ac ymddygiad aflednais o'm heiddo, fyddwn i ddim wedi cyrraedd y fan honno, tu allan i'r off-leisans yn Aberystwyth ar y nos Sul honno ar yr 20fed o Orffennaf 1992, lle roeddwn i'n barod i ildio i bŵer uwch na mi – beth bynnag a olygai hynny ar y pryd!

Yn ara' deg, codais a sadio'n hun. Wedyn, fel petawn i'n

gweld yn glir, ymlwybrais yn ôl i'r stafell yn y tŷ teras. Llyncais lond dwrn o dabledi gwrth-iselder ysbryd (doeddwn i ddim wedi ildio'n gyfan gwbl eto!) a gorwedd ar y gwely . . . cyn syrthio i drwmgwsg ac i'r freuddwyd ryfeddaf erioed.

Yn fy nrama *Gwin Coch a Fodca* i Theatr Powys, 1998, a addaswyd ar gyfer BBC Cymru, disgrifiais yr hyn a welais . . .

'Ac yn y freuddwyd, mi ro'n i'n yfad o ddyfroedd clir a phur tarddiad ffynnon bywyd, ac am y tro cynta erioed roedd fy enaid yn cael ei fodloni a'i ddiwallu, ac roeddwn i'n cyd-gyfranogi gyda fy mam a 'nhad, fu farw ddegawdau 'nghynt, a chyda'm ffrindiau bora oes, Miss World a Mr Jones y Saer, a'r anwyliaid garodd fi fel fi'n hun – ac fe sylweddolis i nad oedd marwolaeth yn bod, ac mai rhith oedd o, ac fe ddiflannodd pob ofn oedd yn gysylltiedig ag o. Mi roeddwn i'n byw i gyflawni rhwbath – i gario rhyw negas, ac i fod yn arf pwerus, effeithlon yn ei ddwylo O . . .! Ond gwyddwn, 'run pryd, fod taith arall i'w chyflawni'n gyntaf – y daith hir ac anodd i wellhad meddyliol a chorfforol. A gwyddwn, heb fod angen dweud dim wrtha i, rywsut, y byddai angen cymorth pobol eraill arna i fynd ar y daith honno: byddai'n rhaid i mi ofyn am help . . .'

Erbyn bore dydd Llun, allwn i ddim symud. Hwn, o'r cyfan, oedd y profiad gwaethaf i mi erioed ei gael. Ro'n i wedi fy mharlysu. Allwn i ddim symud na bys na bawd. Gorweddwn fel corff ar y gwely sengl yn yr atig yn syllu ar y nenfwd, a phrofais ofn o'r fath na phrofais erioed o'r blaen. Ro'n i'n cofio Tudur Roberts, blaenor yng nghapel 'nhad 'stalwm, yn cael strôc. Collodd ei leferydd a'r defnydd o ochr dde'i gorff yn gyfan gwbl – bu ei fywyd yn un diflastod wedi hynny. Ai dyna fyddai fy nhynged i? Ai dyma fyddai cosb Duw i mi am oferu 'mywyd ar ddiod a chyffuriau eraill? Am yr affêr a'r torcalon i Meira a'r plant? Am ddinistrio'i botensial Ef ynof i?

Fe'm magwyd i i gredu mewn Duw cosb. Duw dial. 'Cofia di, ma' Duw yn gwatsiad! Tydi Duw byth yn cysgu!' Ymhlyg yn y bygythiadau hyn, oedd yr addewid bendant y byddai Duw yn fy nghosbi i ryw ddydd. Ai hon, felly, oedd fy awr, fy awr ofnadwy a dychrynllyd i? Awr fy nhynged? Awr Barn?

Yn sydyn, gallwn symud fy ngheg. A gwneud sŵn. Gwnes sŵn cwynfanllyd, tila fel trwy fwslin.

'Heeeelp! . . . Heeeelp!'

Wedi'r hyn a deimlai fel tragwyddoldeb, daeth Pat i mewn a syllu arna i.

'Helpa fi, Pat? . . . Plîs? . . . Dwi'n methu symud . . .?'

Cofiaf fel 'tai ddoe yr ymdrech feddyliol ar fy rhan i godi o'r gwely y bore hwnnw. Roedd lefel y canolbwyntio'n aruthrol – fel rwy'n siŵr y tystia unrhyw un sydd wedi cael strôc go iawn. Bu'n rhaid i mi ddibynnu'n gyfan gwbl ar Pat. Yn sydyn dechreuais grynu'n afreolus. Roedd pob cymal ohona i'n crynu fel yr ystrydebol jeli. A dyna lle'r oedd Pat a mi yn sefyll ar ganol y stafell wely, yn cydio'n dynn yn nwylo'n gilydd – ac yn crynu. Jest yn sefyll yno, yn methu, yn ofn, symud dim. Jest yn crynu fel dau jeli.

Yn sydyn, gwaeddais o waelodion fy mod, 'Helpa fi o Dad Nefol?' *Ac yn y foment honno, mi ildiais yn gyfan gwbl i ddyfnderoedd isaf fy enaid i'r ffaith mod i'n alcoholig.*

Nid amgylchiadau allanol ddaeth â mi i fa'ma; *inside job* oedd o. Sylweddolais 'mod i'n wag yn ysbrydol. Y mateb i'r methdaliad hwnnw oedd y waedd am help. Y weddi berffaith.

Yna'n araf, wedi distawrwydd llethol, cododd Pat ei phen a gwenodd arna i. Drwy 'nagrau gwenais innau arni hithau. Roedden ni'n dau'n gwenu ar ein gilydd. Gwyddwn, a gwyddai Pat, hefyd, fod fy hen fywyd i wedi dod i ben.

Y DIAFOL MEWN DILLAD NYRS
(Gorffennaf–Hydref 1992)

Dwn i ddim sut y cyrhaeddon ni'r Shangrilâ. Mrs Ellis gariodd y cesys i mi mae'n debyg – a finna, yn chwe throedfedd crynedig o hunandosturi a phoen, yn prin fedru llusgo'n hun y tu ôl iddi. Erbyn deall, mynd am asesiad i Roserchan wnes i ar y dydd Gwener ond, wrth gwrs, methwyd gwneud hynny gan i mi gael fy anfon oddi yno oherwydd fy medd-dod. (Mae'n ofynnol iddyn nhw wneud asesiad er mwyn gwahaniaethu rhwng alcoholiaeth, sy'n gallu cael ei drin, ac afiechydon meddyliol eraill, seicotig, sy'n peri bod eu rhaglen o wellhad yn aneffeithiol.) Cytunais, mae'n debyg, i ddychwelyd yno am asesiad pellach y bore dydd Llun hwnnw. Pe gellid fy nhrin, byddai'n ofynnol i mi fynd ar y rhestr aros, wedyn, a chysylltu bob wythnos ar y ffôn nes byddai gwely ar gael i mi. Ond yn ôl Dr Huw Edwards, y seiciatrydd ymgynghorol, byddai'n rhaid i mi anghofio am fynd i Roserchan am y tro, a mynd i ysbyty'r meddwl, North Road, i gael fy niddyfnu oddi wrth alcohol ond, yn bennaf, oddi wrth y tabledi faliym a allai, yn ôl yr ymgynghorydd, achosi trawiad ar fy nghalon o stopio'u cymryd yn rhy sydyn.

I'r diawl â phawb! Caent wneud fel y mynnent hefo mi! Erbyn hynny, ro'n i wedi ildio'n gyfan gwbl, beth bynnag. Fe'm trechwyd yn derfynol. Doedd gen i ddim bwriad na nerth ar ôl i frwydro dim mwy. (Tydw i ddim yn un sy'n rhegi, fel arfer – tydi ysbrydoliaeth byth yn tyfu mewn ceg front! Ond 'i'r diawl â phawb!' (ac mae rhegfeydd gwaeth i'w cael!) yw'r ffurf fer ar y Weddi Dangnefedd, sy'n ganllaw i'r alcoholig wrth iddo wella. 'Duw dyro i mi dangnefedd, i dderbyn y pethau na allaf eu newid, gwroldeb i newid y pethau a allaf, a'r doethineb i wybod y gwahaniaeth.' Mewn geiriau eraill, 'i'r diawl â phawb!')

Mae'r daith yn arwain i ysbyty North Road, ac i ward sengl

ddrewllyd yn llawn arogl pi-pî rhyw hen greadur oedd wedi mynd i weld ei Wneuthurwr ond ychydig ddyddiau ynghynt. Ond doedd hynny'n poeni dim arna i. Dwi'n cofio ffrind i mi'n cael profiad ysbrydol unwaith. Dioddefai'n ddrwg o arthritis ar y pryd, a gofynnais iddo sut oedd o'n teimlo wedi'i brofiad ysbrydol? 'Mae'r arthritis gen i o hyd,' medda fo, 'ond tydio ddim yn poeni rhyw gymaint arna i, rŵan!' Doedd pethau ddim yn fy mhoeni innau gymaint â hynny, chwaith. Er bod fy mhriodas i ar ben; er bod fy iechyd i wedi'i ddifetha, a'm cymeriad i wedi'i barddu o gan alcoholiaeth; er fod gen i ddyledion ariannol sylweddol; er 'mod i'n anghyflogadwy i bob pwrpas – doedden nhw'n poeni dim iota arna i.

Yn fy ngwewyr y bore hwnnw ro'n i wedi siarad hefo Meira yng Nghaerdydd. 'Wyt ti ishio i mi ddod i fyny i Aberystwyth, Wyn?' Mae'n debyg i mi ateb, 'Ydw plîs.'

Yn sydyn, clywais sŵn sodlau esgidiau rhywun, yn prysuro'n gadarnhaol i lawr y coridor ac yn agosáu at y ward. Edrychais i fyny'n obeithiol, a gweld wyneb hawddgar Meira'n edrych i lawr arna i. Rhuthrodd tuag ata i, a'm cofleidio. Cofleidiais innau hithau. Ro'n i mor, mor falch o'i gweld. Wedi gwneud y daith hon droeon o'r blaen mewn sawl ysbyty arall, roedd Meira'n hen gyfarwydd â'm gweld yn y fath gyflwr. Ond y tro hwn, synhwyrodd fod pethau'n wahanol, ac adlewyrchwyd hynny yn sŵn ei thraed oedd yn curo rhythm cadarnhaol, gobeithiol i'm clustiau. Synhwyrais innau rywbeth gwahanol, hefyd. Synhwyrais ei bod hithau wedi cyrraedd y stad honno lle roedd hi'n fodlon ildio a cholli rhywbeth er mwyn ei gadw – y briodas, o bosib, a phopeth oedd yn gysylltiedig â mi. Roedd yna bellter newydd rhyngom. Efallai'i bod hi wedi'i brifo un waith yn ormod. Beth bynnag oedd o, teimlais fod y cyfrifoldeb o beidio yfed ar fy ysgwyddau i, bellach, ac nad oedd Meira'n fodlon bod yn ysglyfaeth i'r salwch ddim mwy, na'i esgusodi. Er y 'gwahanu' wythnos yn gynharach, roedd am fynnu dal ei gafael ynof, meddai. Diolch i'r Nefoedd! Ond byddai'n rhaid i bethau newid. Deallais y neges yn glir: roedd o i fyny i mi, rŵan. Doedd Meira na'r gennod ddim yn fodlon dioddef un eiliad yn fwy.

Hwn oedd fy mhrofiad cyntaf o'r term Saesneg *detachment* – datgysylltiad. Roedd rhywbeth yn heriol ynddo fo, a doeddwn i ddim yn rhy siŵr a oeddwn i'n hoffi'r teimladau cymysg a gynhyrfodd ynddai. Fel arfer byddai gair o ymddiheuriad wedi gwneud y tro'n iawn i oresgyn creisis o'r fath – roedd deud 'sori'n' dod yn hawdd i mi. Nid felly'r tro yma. Gwyddwn y byddai'n rhaid i mi ddangos fy ymddiheuriad mewn ffordd wahanol, amgenach, a thros hir-dymor, os oeddwn i obeithio parhau'n briod hefo hi. Byddai'n rhaid i mi aros yn sobr y tro yma.

Chwistrellwyd fi hefo fitamin B12 (complex) yn fy mhen-ôl! Mae'n debyg fod Margaret Thatcher yn derbyn chwistrelliad rheolaidd o hwn pan oedd hi'n Brifweinidog. Gallaf ddeall pam. Adnewyddwyd fi drwodd! Oherwydd diffyg deiet call a chytbwys, mae'r alcoholig yn dioddef o brinder y fitamin holl-bwysig hwn yn y corff, sy'n effeithio ar y nerfau, ar ei archwaeth at fwyd, ac ar ei allu i gysgu'r nos. Mwya sydyn, ro'n i'n cysgu'n well, yn bwyta'n well ac, ar y cyfan, roedd fy stumog i'n well hefyd. O leia, doeddwn i ddim yn dioddef y crampiau rheolaidd fyddai'n fy nyblu mewn poen. Dechreuais gerdded milltiroedd bob dydd. 'Nôl a 'mlaen ar hyd y prom, ddwywaith, deirgwaith, yn y bore a'r p'nawn. Roedd gen i rywbeth i edrych ymlaen ato, hefyd. Addawodd Meira y byddai'n dod i aros i'r Eisteddfod Genedlaethol oedd i'w chynnal yn Aberystwyth ymhen wythnos – addawodd y byddai'n dod â'r gennod i'm gweld bryd hynny, gan fod Bethan yn perfformio yno. A thrwy'r cyfan ro'n i'n cael fy niddyfnu oddi wrth alcohol, y faliym a'r cyffuriau eraill trwy'r defnydd o'r cyffur Librium – gyda'r dôs yn cael ei leihau dros ddeg diwrnod i ddim. Erbyn y degfed diwrnod, felly, ar wahân i nicotîn, dylwn i fod yn gymharol lân o effaith unrhyw gyffur arall yn y corff. Yn gymharol lân fy nghorff, efallai – ond ymhell, bell o fod yn lân fy meddwl!

Er bod yr ysfa i yfed wedi'm gadael yn rhyfeddol, doedd fy meddwl alcoholaidd i ddim. Roeddwn i'n dal i feio a beirniadu. Yn dal i gyfiawnhau fy ymddygiad, ac yn dal dig yn erbyn pobol a sefydliadau. Ofnwn y byddai popeth yn disgyn yn deilchion ar fy mhen rŵan 'mod i wedi cyfaddef beth oeddwn i. Y byddwn i'n colli'r tŷ, yn cael fy ngwneud yn fethdalwr, ac na fyddai neb yn fy nghyflogi eto a neb yn fodlon gwneud dim â mi. Roedd cadw'r peli hyn yn yr awyr wedi mynd yn job llawn amser pan o'n i'n yfed. Cadw'r craciau rhag ymddangos. Cadw'r gwir rhag y byd. Beth ddigwyddai i mi, tybed, rŵan fod y gath allan o'r cwd? Yn rhyfeddol eto, ddigwyddodd dim. Arhosodd y peli yn yr awyr heb i mi ymdrechu dim i'w cynnal yno. Yn lle sen a chondemniad, derbyniais gefnogaeth ac ewyllys da oddi wrth bawb – gan gynnwys dyn y dreth incwm, oedd yn fodlon aros am ei bres. Roedd pobol i'w gweld yn falch eithriadol 'mod i'n fodlon gwneud rhywbeth o'r diwedd am fy alcoholiaeth. Gwneud rhywbeth, sylwch. Yn y gweithredu mae'r wyrth yn digwydd, bob tro. Wrth weithredu mae gwroldeb yn dod, hefyd. Ac os oeddwn i'n mynd i obeithio gwella byddai angen llond troliau o hwnnw arna i. Oherwydd roedd y mynydd o 'mlaen yn anferthol. Dim ond trwy roi un droed o flaen y llall, un cam araf ar y tro, y gallwn i obeithio'i goncro.

Gwyddwn, erbyn hynny, y byddai'n rhaid i mi fynd i Roserchan. Gwyddwn nad oedd gen i unrhyw siawns i frwydro yn erbyn y salwch 'ma ar 'y mhen fy hun – roedd o'n gryfach na mi. Yn Rhoserchan, cawn fy arfogi hefo'r tŵls angenrheidiol i fyw heb alcohol un dydd ar y tro. Ro'n i eisiau'r tŵls hynny'n fwy na dim byd. Roedd o'n hanfodol 'mod i'n eu cael nhw. Y drafferth oedd bod mynd i Roserchan am dri mis yn costio dros bedair mil o bunnau! Gyda'm gor-ddrafft i i'r banc yn ddeuddeg mil o bunnau, sut yn y byd y gallwn i ddod o hyd i swm felly?

Roedd yna ferch ifanc yn y stafell drws nesa i mi, oedd yn mynnu niweidio ei hun bob cyfle a gâi. Rhyfeddais at allu Jane i wneud hyn. Heb rybudd, byddai cwpan neu soser ddiniwed neu'r teclyn mwyaf annhebygol, yn cael ei droi'n arf niweidiol, peryglus yn ei dwylo. Rhwygai ei breichiau a'i hwyneb yn ddidrugaredd nes byddai gwaed yn pistyllio ar hyd y lle, a byddai'n gorfod cael ei chloi'n gyson, wedyn, mewn ward fechan wedi'i phadio er mwyn ei diogelwch ei hun. Pan oedd yn ei hiawn bwyll, sut bynnag, hi oedd y ferch ffeindia'n fyw, a daethom yn dipyn o ffrindiau. Gofynnais iddi, unwaith, pam ei bod yn mynnu niweidio'i hun fel hyn? Dywedodd wrtha i fod yna ryw ysfa angerddol ynddi i gosbi ac i niweidio'i hun.

'Am beth?' holais.

Doedd dim rheswm penodol, meddai. Dim ond nad oedd yn teimlo'i bod yn haeddu cael byw heb benyd yn y byd – bod yna ryw bechod gwreiddiol yn cnoi ynddi oedd yn mynnu cael ei gosbi, drachefn a thrachefn. Darnio ei chorff oedd ei dewis-ddull hi o benyd, meddai.

'Oedd 'na leisiau'n dweud wrthi am wneud hyn?' holais gan gymryd arnaf rôl seiciatrydd ymgynghorol, mwya sydyn.

'*No. Just one voice,*' meddai. '*I've got a very hateful, vindictive dragon inside me. It's the dragon's voice that I hear. It's the dragon's voice that I obey.*' A chyda hynny, dechreuodd losgi'i breichiau a'i garddyrnau â sigarét o'm blaen nes bod arogl cnawd deifiedig yn llenwi'n ffroenau'n gyfoglyd, droëdig. Gwaeddais mewn dychryn a cheisio'i rhwystro rhag anafu'i hun ymhellach, a daeth y nyrsys o rywle gan gydio ynddi'n greulon a'i dychwelyd dan brotest i'w chell diogelwch dan glo.

Gwallgofrwydd yn wir! Ond roedd yna debygrwydd mawr rhyngom, hefyd! Ddyddiau'n ddiweddarach, clywais stori oedd yn egluro'i gwallgofrwydd yn well – ac fy un i, hefyd. Roedd y dyn yma'n gadael ei gartref yn blygeiniol un bore i fynd i'w waith mewn swyddfa yn y dref. 'Rôl agor y drws, a chusanu'i wraig yn dyner ar ei boch, cerddodd i lawr y llwybr at y giât. Wedi agor y giât, cododd ei law ar ei wraig mewn un ffarwél olaf, cyn troi ei olygon tua'r dre. Yn anffodus, syrthiodd i lawr twll dwfn yn y palmant, oedd wedi'i adael gan weithwyr y Cyngor Sir, ac anafodd ei hun yn ddrwg.

Y diwrnod wedyn, gwnaeth yn union yr un peth. Codi'n blygeiniol, cusanu'i wraig yn dyner ar ei boch, a cherdded i lawr yr un llwybr at yr union un giât. Wedi codi'i law ar ei wraig, drachefn, mewn un ffarwél olaf, syrthiodd i lawr yn union yr un twll yn y palmant ag o'r blaen, gan niweidio'i hun yn waeth y tro yma. Gwnaeth ein cyfaill hyn bob dydd, wedyn, am saith mlynedd ar hugain – wythnos ar ôl wythnos, fis ar ôl mis, flwyddyn ar ôl blwyddyn! Erbyn y diwedd, roedd o wedi anafu'i hun gymaint yn syrthio i'r un twll, a thorri'r fath esgyrn yn ei gorff, nes bod ei fywyd yn y fantol.' Ond am ryw reswm gwallgo, yn ystod yr holl amser yna, wnaeth o ddim meddwl unwaith am gerdded o amgylch y twll; lai fyth wnaeth o feddwl y gallai adael am ei waith drwy'r drws cefn, ac osgoi'r twll yn gyfan gwbl!

Byddai pawb, rwy'n siŵr, yn gweld ymddygiad o'r fath yn wallgofrwydd pur ar ran y dyn druan. Byddent wrth gwrs! Dim ond dyddiau'n ddiweddarach wedi clywed y stori, sut bynnag, y dechreuais i sylweddoli'r tebygrwydd rhyngddo a'm hymddygiad i wrth gamddefnyddio alcohol! Syrthiais innau i'r un twll hefyd yn ddyddiol am saith mlynedd ar hugain, heb sylweddoli fod 'na ddrws cefn – bod yna ffordd allan o'r Uffern ro'n i ynddi! Dim ond yn araf, hefyd, y dechreuais i weld y tebygrwydd rhwng fy ymddygiad i ac ymddygiad Jane, y ferch ifanc. A'n bod ni'n dau'n wallgof; ein bod ein dau yn niweidio'n hunain er mwyn cyflawni penyd hunanddinistriol i fodloni rhyw euogrwydd a chywilydd anesboniadwy, rhyw bechod gwreiddiol oedd yn ddwfn y tu mewn i eneidiau clwyfedig y ddau ohonom. Gwrando ar lais y ddraig – dyna oedd gwallgofrwydd Jane a minnau. Yn wahanol i Jane, sut bynnag, doedd dim rhaid i mi wrando arni ddim mwy. Mwya sydyn, am ryw reswm, ro'n i wedi cael y nerth a'r doethineb i ddewis peidio.

Un noson, yn methu cysgu, ro'n i'n syllu drwy ffenest y ward sengl dros doeau tai Aberystwyth draw am y môr yn y pellter. Yn sydyn, cefais ymweliad gan y Diafol ei hun. Daeth i mewn i'r stafell ym mherson y *key worker* – nyrs bert, yn ei thridegau cynnar, oedd yn gofalu amdanaf. Wedi i mi egluro na fedrwn i gysgu oherwydd 'mod i wedi dechrau poeni am y teulu a beth ddeuai ohonom – croesodd y stafell ata i a rhoi ei braich amdanaf. *'You're not an alcoholic, Wynford,'* meddai gan edrych arna i'n dyner, *'you just want to punish yourself for hurting your family, for the affair with the other woman and for damaging your children. That's why you want to go to Rhoserchan, Wynford – to punish yourself. 'Cos it's tough there, you know – you're not going to like it.'*

Edrychais arni'n syn, oherwydd gwyddwn, erbyn hynny, 'mod i'n alcoholig cronig; pam fyddai hi'n meiddio peryglu 'mywyd drwy ddweud y ffasiwn beth o gofio bod yr esgus lleiaf yn ddigon i alcoholig ailddechrau yfed? Dyna pryd y welais i O – y Diafol ei hun mewn gwisg nyrs, ac yn gwenu mor brydferth â Jezebel arna i. Er bod ei lysnafedd o'r golwg, roedd ei bresenoldeb mor real nes oerodd fy ngwaed. Roeddwn ym mhresenoldeb y Diawledig. Oherwydd fy mod i'n gwybod beth oeddwn i erbyn hynny, cefais nerth rhyfeddol i wrthsefyll y demtasiwn. Nerth nid ohonof fi'n hunan, a nerth oedd yn fwy pwerus na Satan ei hun. Nerth sydd wedi gweithio ar fy rhan yn ddibaid ers y noson dyngedfennol honno. Nerth Duw.

Daeth miri'r Eisteddfod Genedlaethol i Aberystwyth, ac ro'n i'n dal yn glaf yn y ward seiciatryddol, er 'mod i'n cael treulio llawer iawn o amser yng nghwmni'r teulu a'n ffrindiau. Roeddwn yn ofnus iawn o gyfarfod Llio a Mari a gweddill ffrindiau Bethan a Rwth oedd yn aros hefo nhw yn y garafán. Ond wnes i ddim teimlo'n anghyffordddus yn eu cwmni un waith. Dyma'r agosaf i ni ddod at fod yn deulu cyffredin. Yr unig beth anghyffredin oedd fod Dad yn gorfod ffarwelio hefo'i deulu bob nos, i ddychwelyd i'r ysbyty meddwl. Ond pris bychan iawn i'w dalu oedd hynny am gael rhannu yn eu hwyl.

Erbyn hynny, roedd Huw Edwards, y seiciatrydd ymgynghorol, wedi penderfynu fy nghadw i yn yr ysbyty fel 'mod i'n mynd yn syth i Roserchan. Doedd o ddim eisiau i mi ddychwelyd adre i Gaerdydd. Gwelai beryg mawr yn hynny. Yn y cyfamser, ro'n i wedi cael fy asesu gan staff Rhoserchan, ac wedi'm derbyn am driniaeth yno. Cefais wybod pryd byddwn i'n dechrau'r driniaeth, hefyd – dydd Llun y 10fed o Awst. Yr unig beth oedd heb ei wneud oedd ffeindio pedair mil o bunnau o rywle i dalu amdano. Awgrymodd Meira 'mod i'n gofyn i Arwel a Rowenna am fenthyciad. Byddent ond yn rhy falch i gael helpu, meddai. Doeddwn i ddim mor siŵr â hynny ond cefais nerth i drechu fy malchder a'm hofnau. Roedd Meira'n iawn; roedd Arwel a Rowenna ond yn rhy hapus i fedru helpu.

Meira a'r gennod aeth â fi i Roserchan. Roedden nhw'n

dychwelyd i Gaerdydd yn syth wedyn. Bu dagrau mawr wrth ffarwelio. Ro'n i'n casáu dagrau. Yn enwedig dagrau Meira. Dros y blynyddoedd, ro'n i wedi gweld gormod ohonyn nhw, mae'n debyg. *'See what you've done to your family?'* oedd y geiriau cyntaf o groeso ges i wrth i mi gael fy arwain i un o'r ystafelloedd gwely i archwilio 'magiau. Roedd pob newydd-ddyfodiad yn cael ei archwilio fel hyn rhag ofn bod alcohol neu gyffuriau eraill yn cael eu smyglo i mewn i'r ganolfan. Roedd rhai alcoholigion, mae'n debyg, yn ddyfeisgar iawn wrth feddwl am ddulliau i drechu'r gwaharddiad ar alcohol – rhai'n llenwi'u poteli dŵr poeth gydag alcohol, eraill eu poteli *after shave*; ambell un yn chwistrellu alcohol i mewn i orennau a ffrwythau cyffelyb.

Dau gwt pren un-llawr, wedi'u cysylltu â dau goridor byr oedd Rhoserchan bryd hynny, gyda mynedfa a gardd flodau fechan yn y ffrynt, a gardd lysiau anferth yn y cefn, lle roedd ceffyl a nifer o gathod yn byw. Roedd y ganolfan, a allai gysgu deuddeg ar y tro, yn hunangynhaliol o ran llysiau a ffrwythau, gyda'r cleifion yn gofalu am yr ardd fel rhan allweddol o'u triniaeth. Dod â disgyblaeth a threfn i fywyd yr alcoholig, a dysgu iddo sut i gymryd cyfrifoldeb, oedd sail y rhaglen o wellhad yno. Wedi'i fodelu ar y 'Minnesota model' o'r UDA, dyfeisiwyd ef gyntaf ar gyfer trin milwyr oedd yn dychwelyd o'r rhyfel yn Vietnam. Ofnai llywodraeth America, ar y pryd, y byddai'r wlad yn cael ei boddi gan alcoholigion a rhai'n gaeth i gyffuriau pan ddychwelent adref o'r rhyfel afradlon hwnnw. O ganlyniad, agorwyd cannoedd ar gannoedd o ganolfannau led-led y wlad i ddelio â'r broblem, a bu'r ymgyrch yn llwyddiant digamsyniol. Gorfodwyd miloedd o ddioddefwyr i wynebu'u problem a gwella. Y dull o wneud hynny, o bosib, oedd yr unig beth dadleuol ynglŷn â'r 'Minnesota Model'. Gallai'r driniaeth ymddangos yn greulon, oherwydd mai torri'r ymwadiad oedd y cam cyntaf a'r pwysicaf yn yr holl broses. I wneud hynny, byddai'r alcoholig druan yn cael ei herio'n agored a'i gwestiynu'n galed am ei weithredoedd a'i gymhellion o fore gwyn tan nos, nes byddai pob styfnigrwydd a gwrthwynebiad i'r drefn yn cael eu dryllio. Cael yr alcoholig i gydymffurfio oedd y nod. Yn fy achos i, fyddwn i ddim wedi medru gwella heb y dull hwn o driniaeth. Roedd pobol eraill, sut bynnag, yn ei gael yn wrthun. Byddai'r driniaeth yn rhy galed iddynt, a byddent yn gadael. Y gwirionedd, wrth gwrs, oedd bod eu salwch yn gryfach na'u hawydd am wellhad. Gwrthod ildio oedden nhw oherwydd eu bod eisiau yfed eto. Doedd dim yn dristach na gwylio pobol felly'n gadael. Oherwydd gadael oedden nhw i ladd eu hunain gydag alcohol neu gyffuriau eraill. Rydw i wedi gweld gormod o ddioddefwyr, dros y blynyddoedd, yn eu lladd eu hunain oherwydd y salwch yma. Mae'n un o'r mathau gwaethaf, mwyaf ffiaidd, o farwolaethau.

Am y chwe wythnos cyntaf, edrych ar y niwed a achosais i i eraill wnes i. Ddydd ar ôl dydd byddwn yn sgwennu o leiaf dair enghraifft o sut y bu i fy yfed i amharu ar eraill a'u niweidio. Wedi ichi wneud hynny, am ryw dair wythnos, mae'r holl beth yn mynd yn flinderus. Gwnewch o am chwe wythnos, ac mae'r peth yn mynd dan eich croen go-iawn. Mae canlyniadau'ch yfed ym mhobman o'ch amgylch ar ddu a gwyn. Mae'n amhosib dianc oddi wrth y wybodaeth glir, erbyn hynny, o'r hyn ydach chi mewn gwirionedd, sef alcoholig. Roedd y nyrs honno gymerodd arni fantell Satan yn ysbyty North Road yn iawn yn hynny o beth. Mi o'dd hi'n tyff yn Rhoserchan. Yr hyn oedd yn ei wneud o'n tyff, sut bynnag, oedd nid y gweiddi a'r herio parhaol i'ch cael i gydymffurfio, ond bod rhaid ichi edrych arnoch chi'ch hun – y drwg a'r gwachul – a hynny heb gyffuriau na help alcohol i leddfu'r boen. Bu'n un o'r profiadau anoddaf i mi erioed ei wynebu – darganfod y gwir amdanaf fy hun. Bu'n un o'r profiadau mwyaf bendithiol, hefyd, gan i mi ddarganfod rhinweddau yn ogystal â diffygion. Oherwydd ar y rhinweddau hyn ro'n i'n gobeithio adeiladu fy mywyd newydd.

Byddai cyfarfodydd rheolaidd, lle disgwylid i chi rannu eich profiadau, eich nerth, a'ch gobaith gydag eraill. Yr anhawster pennaf, bryd hynny, oedd nad oedd gen i lawer o obaith i'w rannu. Düwch, erbyn hynny, welwn i o'm cwmpas ym mhobman. Ac wrth i mi ddelio gydag un broblem, byddai un arall ar ei gwartha yn cyfarth wrth fy sodlau.

217

Cyrhaeddodd llythyr oddi wrth y ferch arall. Roedd wedi darganfod ble'r oeddwn i rywsut. Llythyr blin iawn oedd o, fel byddai rhywun yn disgwyl. Ro'n i wedi difetha bywyd y wraig ifanc hon. Erbyn hynny, roedd yn byw ar gyrion Caerdydd, gyda'i phriodas ar ben, a heb fod yn gwybod beth oedd hanes y person achosodd y rhwyg yn ei phriodas yn y lle cyntaf. Ysgrifennais atebiad iddi, yn ceisio egluro pethau'n well – am fy salwch a'r amgylchiadau rhyfeddol, erbyn hynny, yn fy mywyd. Pan ddangosais i'r llythyr i weddill y grŵp, sut bynnag, bu'n rhaid i mi ailsgwennu'r cyfan. 'Oeddwn i eisiau i'r berthynas barhau?'

'Nag oeddwn.' Erbyn hynny, gwelwn y berthynas fel yr oedd – ymdrech ar fy rhan i geisio trefnu dihangfa i mi'n hun, rhywle i lochesu pe byddai amgylchiadau wedi dirywio'n ormodol gartref. Gwelwn yn glir fel ro'n i wedi mynd i drafferth mawr i feithrin y garwriaeth er mwyn camu'n syth o'r briodas i mewn i'r berthynas newydd. Roedd y cyfan wedi'i drefnu er mwyn diogelu fy yfed, a sicrhau bod y salwch yn parhau ac yn cael lle i flodeuo.

Cyfarwyddwyd fi i ddiweddu'r berthynas yn syth, heb adael unrhyw ddrws yn gil-agored yn unman rhag rhoi esgus i'r berthynas ailgydio'n ddiweddarach. Byddai'n rhaid iddo fod yn llythyr swta, creulon, terfynol. Roedd yn rhaid i mi sylweddoli, os oeddwn am obeithio gwella, meddai'r grŵp, y byddai'n rhaid i mi roi fy ngwellhad i o flaen popeth. Doedd dim cyfaddawdu i fod. Gwella neu ddim. Dewisais innau'r unig opsiwn oedd ar gael i mi. Diweddais y berthynas.

Cymysgwch o gleifion oedd yn Rhoserchan, y mwyafrif yn gaeth i alcohol, ond ambell un â phroblemau cyffuriau ac eraill â phroblem bwyd. Un yn gaeth i ryw, ac un arall i gamblo. Ac eithrio'r gamblo, ro'n i'n gaeth i'r lleill i gyd. Ro'n i'n berchen ar bersonoliaeth gaethiwus, ro'n i'n gaeth i bopeth fyddai'n newid y mŵd. Rhyw bump y cant o'r boblogaeth, mae'n debyg, sydd yn debygol o fynd yn ysglyfaeth i alcohol a chyffuriau eraill. Dyna ddarganfuwyd yn America wedi i'r milwyr ddychwelyd o Vietnam. Dim ond pum y cant ohonynt oedd yn gaeth i alcohol a chyffuriau eraill. Roedd y mwyafrif llethol yn medru rhoi'r gorau iddi ar eu dychweliad i'r wlad heb unrhyw drafferth. Dim ond y lleiafrif bychan yma oedd yn methu – y lleiafrif bychan yr oeddwn i'n perthyn iddo. Erbyn hyn rwy'n un o'r *three percenters*, sef un o'r grŵp bychan iawn sy'n llwyddo i gael sobrwydd hir-dymor! Mae'r rhai sy'n gwella mewn dosbarth mor elitaidd â hynny.

Ar ddiwedd yr wythnos gyntaf, roedd pawb wedi dod i'r casgliad 'mod i'n berson gonest a diffuant. *'I don't know how you do it, Wynford – but you're nothing of the sort! You're devious and dishonest!'* Joe oedd wrthi. Joe oedd fy nghownslar i, ac roedd o wedi dechrau gweld drwyddo' i o'r cychwyn. Roedd cael fy hoffi gan eraill bob amser wedi bod yn bwysig i mi. Ac roedd gen i nifer o driciau y byddwn i'n eu defnyddio i sicrhau hynny – wincio ar rywun, ffalsio, gwenieithu – unrhyw beth i'w hennill i'm hochr ac o'm plaid. Gosodwyd nod i mi ar ddiwedd yr wythnos gyntaf, felly, i beidio defnyddio'r triciau yma, ac i fod yn onest ym mhopeth roeddwn i'n wneud. Haws dweud na gwneud. Ond o dipyn i beth dois i weithredu'n weddol onest gyda'm teimladau gan ddweud wrth bobol sut oeddwn i'n teimlo mewn gwirionedd am bethau a thuag atynt hwy. Pan fyddwn i'n methu, sut bynnag, roedd y grŵp wastad yna i'm herio ac i arthio arna i.

Fel rhan o'r broses, anfonwyd holiadur allan at Meira a'r gennod, a bu'n rhaid i minnau ateb un, hefyd. Proses boenus iawn fu gwrando ar ymatebion y gennod i'r holiaduron yn cael eu darllen allan o flaen y grŵp. Dyna'r tro cyntaf i Meira, Bethan a Rwth fod yn onest ynglŷn â'u teimladau tuag ataf pan o'n i'n yfed. Mae gonestrwydd yn brifo. Dyna pryd y sylweddolais i wir faint y niwed ro'n i wedi'i achosi iddynt.

Pan ddaeth yn dro i mi ddarllen allan fy ymatebion i i'r holiadur, rhyfeddodd pawb at y teimladau cariadus oedd gen i tuag at eraill – yn enwedig fy rhieni. Disgrifiais fy nhad a'm mam fel y rhieni perffaith, yn enwedig Mam; ystyriwn hi y fam orau bosib, a chlodforais hi i'r entrychion.

Ar ddiwedd y sesiwn, galwodd Joe fi draw i'w stafell am

sgwrs. Yn sydyn, ro'n i i sylweddoli pa mor greulon mae iaith iachâd yr alcoholig yn gorfod bod. Does dim lle i sentiment, dim lle i gamddehongli; does dim dihangfa rhag y gwir. Mae'n gallu bod yn brofiad erchyll a dirdynnol – fel roeddwn i i ddarganfod y bore hwnnw. *'You describe your mother as "the perfect mother", Wynford?'* meddai Joe.

'Yes,' meddwn innau. *'My mother meant everything to me, Joe. She was perfect in every way. A spectacular woman!'*

'I don't think so . . .' meddai wedyn, gan ofyn i mi eistedd am funud. Daliais fy ngwynt. Beth oedd Joe'n mynd i ddweud wrtha i nesa? Gwyddwn ei fod yn medru bod yn ddidrugaredd o onest – fel sy'n rhaid bod i gael unrhyw obaith i wella o alcoholiaeth. *'Your mother suffered from an illness, Wynford.'* Eisteddais gyferbyn ag o. Ro'n i'n ofnus o'r gwir, mwya sydyn. *'She was hopelessly addicted to barbiturates. Obsessive, compulsive; your mother was also bulimic, Wynford – when the word hadn't even been invented.'*

Gwyddwn, er mor greulon oedd geiriau Joe – ac er cymaint y dymunwn beidio'u credu – 'mod i newydd glywed y gwir am Mam. Cofiais, yn sydyn, fel y byddai'n siglo 'nôl a 'mlaen yn feddw gan effaith y tabledi cysgu cryfion bob nos wrth geisio cribo'i gwallt. Ro'n i'n casáu'i gweld hi felly. 'Ewch i'ch gwely, bendith Nefoedd ichi Mam!'

'I'm going now . . .' atebai fi'n floesg, gan barhau i siglo 'nôl a 'mlaen. Ond sut gwyddai Joe, hyn. *'How do you know this, Joe?'* gofynnais iddo.

'I'm familiar with addiction, Wynford – the addictive process, and addictive behaviour. It was all in your questionnaire.'

Damia! Fi oedd wedi'i bradychu hi, felly! Ro'n i'n flin hefo fi'n hun. Sut allwn i fod mor annheyrngar? Ro'n i wedi trio bod yn onest wrth ateb y cwestiynau diddiwedd – a dyma'r canlyniad: pardduo cymeriad fy mam.

'Your mother was obviously in a lot of pain, Wynford.' Roedd llais Joe'n dawelach, erbyn hyn. *'Didn't you ever wonder why that was? Didn't you ever wonder about what caused her heartache?'*

'*What heartache?*' meddwn innau'n flin. '*My mother never suffered from any heartache!*'

Oedodd Joe am eiliad. '*Didn't she...?*' Gadawodd y cwestiwn yn hongian yn yr awyr.

Yn sydyn, ffrwydrodd y llifddorau. O waelod fy enaid wylais fel plentyn dwyflwydd. Doedd dim cysuro arna i. Ro'n i wedi torri 'nghalon yn lân o glywed y gwir – gwir roeddwn i wedi'i wybod erioed ond 'mod i ofn ei wynebu. Ac wylo dros Mam oeddwn i. Dros ei phoen, fy nghariad. Dros yr afiechyd oedd ynddi hi, ac am na chafodd yr un cyfle â mi i wella ohono. Roedd 'nhad dan y lach, '*Why didn't my father try to stop her taking those sleeping tablets, Joe, and the laxatives that killed her? Couldn't he see what they were doing to her?*'

Pwysodd Joe ymlaen a chydio yn fy mraich yn dyner. '*Could your father have stopped you drinking, Wynford?*'

Roedd o wedi cyffwrdd â rhywbeth ynof i. Ac yn y foment honno mi gwelais i o. O'r tu hwnt i'r bedd, roedd fy mam a 'nhad wedi estyn ata i, ac wedi codi'r ymwadiad olaf yn gyfan gwbl, derfynol, oddi ar fy llygaid. Gwelwn mai salwch oedd ar Mam, ac na fedrai hi wneud dim amdano. O ganlyniad, gwelais y salwch ynof i fy hun. Doedd gen innau ddim rheolaeth drosto, chwaith – mwy nag unrhyw un arall sy'n dioddef o annwyd, dyweder, neu glefyd y siwgr neu ba afiechyd bynnag arall. Salwch oedd o. Roedd iddo'i symptomau pendant, hefyd, 'run fath â phob afiechyd arall – y blacowts gythral, a'r ymwadiad, oedd tan hynny wedi llwyddo i'm cadw innau rhag y gwir, i enwi ond dau. Sychais fy nagrau ac eisteddais yn dawel am yn hir, cyn codi, o'r diwedd, a diolch i Joe. Cododd yntau a'm cofleidio. '*If the World Health Organization can accept the illness concept in alcoholism, Wynford, perhaps you can also accept it now?*'

'*Oh, I do Joe,*' meddwn innau. '*All of a sudden, thanks to Mam, I do.*'

Yn yr ardd y prynhawn hwnnw clywais synau natur am y tro cyntaf yn fy mywyd. Hyd hynny roedd 'na ormod o ddwndwr wedi bod yn fy mhen – pwyllgorau'n cweryla a lleisiau'n anghydweld â'i gilydd yn ffyrnig; fy meddwl i fyth yn llonydd, bob amser yn anfodlon, anniddig. Clywais yr adar bach yn y coed, mwyaf sydyn, a'r barcud yn cylchdroi'n osgeiddig ymhell uwchben y dyffryn, a sisial yr awel rhwng brigau'r coed. Clywn risial y nant fechan gerllaw, a gweryru'r hen geffyl ar y gwynt a miaw'r cathod barus wrth iddyn nhw gweryla â'i gilydd yn y llwyn. Y prynhawn hwnnw, roedd rhyfeddod natur yn melysu'n ffroenau a'm synhwyrau i gyd. Teimlais mod i'n rhydd o'r diwedd i ddechrau blasu bywyd yn ei berffeithrwydd newydd. Ro'n i wedi fy rhyddhau drwy gaethiwed a chariad fy mam.

Y gwahaniaeth mwyaf a achosodd hyn yn fy mywyd i oedd bod llais y ddraig ymhlith y lleisiau a dawelwyd y diwrnod hwnnw. Ers hynny, tydw i ddim wedi clywed ei nadau cwynfanllyd na'i hymdrechion difaol i'm dilorni. Wyddwn i ddim, ar y pryd, am ba hyd y byddai'i llais beirniadol yn diflannu o 'mywyd i, felly fedrwn i ddim fforddio bod yn hunanfoddhaus. Ro'n i bob amser ar fy ngwyliadwriaeth. Byth yn cymryd ei diflaniad yn ganiataol. Dwi ar wyliadwriaeth hyd heddiw. Ac mi fydda i'n parhau i fod ar wyliadwriaeth tra byddaf fyw. Ond o ganlyniad i ymyrraeth Mam yn y broses o wellhad y digwyddodd y wyrth. Dyna pam fod y digwyddiad mor allweddol, ac na fedrwn i osgoi'i gynnwys yn fy hanes. Mam fu un o'r allweddau pwysicaf i'm galluogi i agor y drws yn llawn i'm bywyd newydd.

Canlyniad corfforol hyn i gyd, sut bynnag, oedd 'mod i'n gallu ymlacio drwydda i, o'r diwedd. Gorweddwn yn llipa braf ar hyd y lle, ac ar draws pob cadair sbâr, fel pry' copyn mawr, bodlon. Am y tro cyntaf i mi fedru cofio, roeddwn i heb densiynau yn fy nghorff o gwbl. Yn lle neidio mewn dychryn fel ymateb i bob smic a sŵn, mwya sydyn, doedd fawr o ots gen i petai to'r ganolfan ei hun yn syrthio am fy mhen! Fy unig anhawster oedd y boen yn fy stumog o hyd. Roedd hwnnw'n gwrthod yn lân ag ymateb i na thriniaeth na byw'n dda.

Un diwrnod galwodd Joe fi ato. Roedd ffenest ei stafell ar agor pan gerddais i mewn. *'I want you to ventilate!'* meddai. Dull yw hwn i gael gwared o ddicter a thensiynau'n y stumog.

Gofynnodd i mi feddwl am rywun oedd yn gas gen i. Roedd gen i ddigon o ddewis! Gosododd fi i sefyll, wedyn, o flaen y ffenest agored, a dwedodd wrtha i am weiddi ar yr unigolyn druan, gan ddychmygu'i fod o ar ben arall y cae. Cawn ddefnyddio synau ond dim geiriau; a byddai'n rhaid i'r synau ddod o waelodion fy stumog (lle mae'r dig), nid o'r *solar plexus* (lle mae casineb), os oedd yr ymarferiad i weithio. Bûm wrthi'n gweiddi am ryw ddeg munud. Rhyddhaodd rywbeth yndda i, beth bynnag. Oherwydd, wedi i mi ddechrau 'gwyntyllu', agorodd y llifddorau unwaith yn rhagor. Unwaith eto, roeddwn fel babi mam hefo'r dagrau'n llifo'n rhydd. Y tro yma, sut bynnag, doeddwn i ddim yn gwybod pam oeddwn i'n crio! Ond digwyddodd rhywbeth arall i mi, hefyd. Yn wyrthiol, dechreuodd fy stumog i wella.

Dros y blynyddoedd, mae'n debyg, doeddwn i ddim wedi bod yn delio ag unrhyw deimladau o ddicter tuag at neb. Yn lle dweud wrth berson fy mod i'n flin ag o – oherwydd 'mod i eisiau plesio – byddwn yn celu fy ngwir deimladau, a chymryd arnaf nad oedd dim byd yn bod. Y teimladau hyn oedd wedi bod yn crynhoi yn fy stumog i dros yr holl flynyddoedd, mae'n debyg. Y rhain oedd achos y boen. Yn wir, nid *ulcer* oedd gen i yn fy stumog, erbyn deall, ond teimladau cryfion heb eu treulio. Wrth 'wyntyllu', felly, roedd yr emosiynau hyn yn cael eu rhyddhau, dipyn wrth dipyn – dyna oedd y crio. Dros yr wythnosau nesaf, wrth i mi 'wyntyllu' mwy, gwellodd fy stumog yn rhyfeddol. Erbyn heddiw, fy stumog i sy'n fy rhybuddio i gyntaf os oes rhywbeth o'i le ar fy ngwellhad, neu os nad ydw i'n bod yn onest gyda'm teimladau. Caf boen dirdynnol yn fy stumog – sy'n fy ngwarchod i rhag mynd yn hunanfodlon. Mae'n un o'r systemau rhybuddio cynnar mwyaf effeithiol sydd gen i, bellach. Ond pan dwi'n sobr (yn feddyliol ac yn gorfforol) mae fy stumog i'n berffaith.

Gyda llaw, teimladau heb eu treulio sy'n gyfrifol am *road rage* ac enghreifftiau eraill o gamymddwyn cymdeithasol a helyntion torfol. Fwy-fwy mae unigolion yn colli'r gallu i fod yn onest yn emosiynol â'i gilydd. Fy null i o ryddhau'r tensiynau anorfod sy'n dilyn, oedd diflannu i mewn i botel o alcohol. Mae nifer cynyddol o unigolion yn defnyddio'r dull yma, hefyd – a chyffuriau a chaethiwon eraill. Ond mae'n cael ei amlygu fwyaf, drwy drais mewn cymdeithas, neu gamymddwyn cymdeithasol. Diffyg cyfathrebu â'n gilydd ar bob lefel sy'n gyfrifol. Dyn yn ynysu'i hun oddi wrth ei gyd-ddyn, ac fel pelican yn gwrthod (neu fethu) rhannu'i emosiynau gyda'r dyn nesaf. Anarchiaeth yw ei ben draw; mae'n amhosib deddfu yn ei erbyn a'r unig waredigaeth rhagddo yw ymyrraeth ysbrydol: dyn yn dod i delerau ag ef ei hun, yn sylweddoli'i werth ei hun ac yn dechrau parchu'i hun. Mae parch at gyd-ddyn (a threfn gyhoeddus) yn deillio o'r fan honno.

Profiad ysbrydol oedd fy unig obaith i am waredigaeth, hefyd. Mae'n gallu digwydd mewn sawl ffordd, wrth gwrs. Y profiad ysbrydol dramatig – fel yn achos Paul ar ei ffordd i Ddamascus, neu'r profiad ysbrydol araf, addysgiadol, sy'n datblygu dros flynyddoedd lawer – fel yn fy achos i. Ei fan cychwyn i mi oedd y sylweddoliad bod alcohol wedi'm trechu. Ro'n i'n ddi-rym yn ei erbyn. Roedd yn rhaid i mi ddarganfod grym arall, felly, os oeddwn i obeithio byw bywyd sobr. A dyna'r ddêl a gyflwynwyd i mi yn y ganolfan driniaeth: ffeinda bŵer arall, neu marwa.

Hyd hynny, ro'n i wedi dibynnu ar fy mhŵer fy hun i geisio rheoli'n yfed. Bu'n fethiant ar bob achlysur. Bob tro yr yfwn un ddiod – dim ond un – byddai'n arwain at y llall, ac at golli rheolaeth yn y pen draw. Yn y gêm ddichellgar hon, a barodd am saith mlynedd ar hugain yn fy achos i, y Brenin Alcohol enillodd bob tro. Os oeddwn am obeithio concro alcoholiaeth, felly, byddai'n rhaid i mi ffeindio pŵer cryfach na fi'n hun. A chan fod Duw yn cael ei ddisgrifio fel 'Duw yr holl bŵer', roedd o'n gwneud synnwyr, felly, i mi chwilio amdano Fo.

Ar hyd y canrifoedd mae dyn wedi teimlo'r dynfa at Dduw. Mae Duw yn gallu bod yn rhywbeth gwahanol i bawb, wrth gwrs. Mae nifer y gwahanol grefyddau yn y byd yn adlewyrchu hynny. Gall eraill roi eu ffydd mewn natur, dynoliaeth – neu mewn dim byd, sydd eto'n fath o ffydd. Mater o resymu fy ffordd at Dduw oedd o i mi. A Duw fy nhad – Duw'r Testament Newydd fyddai hwnnw, nid Duw dial, annifyr, yr Hen Destament. Dyna'r peth hwylusa i mi gredu ynddo, ar y pryd, beth bynnag. Fel dwedais i o'r blaen, roeddwn i eisoes yn gwybod y geiriau – dod i adnabod y gair fyddai 'nghamp fawr o hynny 'mlaen. Roedd o'n un cysur i mi wybod, sut bynnag, nad Duw oedd ar goll. Doedd dim rhaid i mi fynd i chwilio amdano, felly. Pan fyddwn i'n barod, Duw fyddai'n fy ffeindio i. I hwyluso'r broses honno, awgrymwyd tri pheth i mi oedd yn angenrheidiol i mi'u gwneud: dangos parodrwydd i ddod i adnabod Duw; bod yn agored fy meddwl i hynny ddigwydd; a bod yn ddidrugaredd o onest ynghylch popeth ro'n i'n ei wneud a'i feddwl. Gallwn ddechrau'r holl broses, sut bynnag, drwy smalio 'mod i'n credu yn Nuw, fel oedd fy arfer. A dyna wnes i. Ond bod un gwahaniaeth sylfaenol y tro yma. Ro'n i *eisiau* Duw yn fy mywyd erbyn hyn yn fwy na dim arall.

Un prynhawn, mi es i at lan cornant fechan oedd yn igam-ogamu'i ffordd drwy ran isaf gardd lysiau Rhoserchan. Yno, yng nghysgod coeden onnen hardd, ac i gyfeiliant murmur y nant, plygais ar fy ngliniau mewn gweddi gyda chyfaill o'r ganolfan oedd wedi cytuno i ddod gyda mi. Gweddïais yr union weddi hon:

'O Dad, dwi'n cynnig fy hun i Ti – i adeiladu gyda mi, ac i wneud gyda mi fel y mynnot. Rhyddha fi o gaethiwed yr hunan, fel y gallaf wneud dy ewyllys Di yn well; a dwg ymaith oddi wrthyf fy holl anawsterau, fel bod goruchafiaeth drostynt hwy yn tystiolaethu i'r rhai a wnawn eu helpu am dy nerth, dy gariad, ac am dy ffordd Di o fyw. Boed i mi wneud dy ewyllys Di'n wastadol, o Dad; a rho wybod i mi dy ewyllys Di i mi'n y byd. A rho nerth, doethineb a dewrder i mi'i gario fo allan. Amen.'

Ro'n i wedi disgwyl i'r Nefoedd agor, ac i golomen, o leiaf, lanio ar fy mhen. Chefais i ddim cymaint ag un jac-do! Doeddwn i ddim yn teimlo'n wahanol, chwaith. Y fath siom! Duw wedi'n siomi fi eto! Ond na. Atgoffodd fy ffrind 'mod i'n sobr a heb yfed y diwrnod hwnnw, nac ers wythnosau, bellach. Roedd rhyw bŵer yn gweithredu yn fy mywyd, roedd hynny'n amlwg. Soniodd rywbeth am roi 'amser i amser', beth bynnag a olygai hynny! Bod eisiau i mi fod yn amyneddgar – bod pethau'n digwydd yn ôl amserlen Duw, nid yn ôl fy amserlen i. Addawodd un peth i mi, sut bynnag: y gwelwn i arwyddion pendant o fodolaeth Duw yn fy mywyd, os parhawn i wella un dydd ar y tro. Ac fe'i coeliais i o. Oherwydd roedd hi'n amlwg, erbyn hynny, bod fy lles i'n bwysig iddo. P'run bynnag, doedd gen i ddim dewis arall ond ei goelio. Doedd yfed eto ddim yn opsiwn.

Arferai Meira a'r gennod ymweld â mi bob prynhawn dydd Sul am ddwy awr. Dyma'r unig gysylltiad â'r byd mawr y tu allan; chaen ni ddim derbyn papurau newydd na gwylio fawr ddim ar deledu, a gwrando ar y *top twenty* ar y radio ar nos Sul oedd ein hunig ddifyrrwch. Roedd yr ymweliadau yma'n aruthrol bwysig i mi, felly, ac yn gyfle i ni adeiladu pontydd ac yn gyfle i Meira a'r gennod ddod i wybod mwy am y salwch. Byddai darlith yn cael ei thraddodi ar y pwnc, neu dangosid ffilm neu dâp fideo ac roedd wastad un o'r cwnselwyr ar gael i drafod unrhyw broblem. Caem gyfle, weithiau, pan fyddai'r gennod yn difyrru'r ceffyl, i ddiflannu i gefn yr ardd i ddwyn cusan fach slei – roedd gwaharddiad swyddogol ar wneud unrhyw beth arall!

Mae priodas yr alcoholig dan y bygythiad mwyaf pan mae'n rhoi'r gorau i yfed. Rhyfedd hynny. Ond mae'n ffaith. Salwch teuluol ydy alcoholiaeth. Mae pawb sy'n dod i gysylltiad â'r alcoholig yn rhannu yn y salwch. Fedr yr alcoholig ddim gweithredu'n alcoholaidd heb 'ganiatâd' aelodau eraill y teulu. Yn ddiarwybod iddynt mae hyn yn digwydd, wrth gwrs; cânt eu sugno i mewn i'r salwch dros gyfnod hir. Ond pan mae'r alcoholig, o'r diwedd, yn llwyddo i roi'r gorau i yfed, dyna pryd mae'r briodas yn dod dan straen fwyaf. Oherwydd, mae'n 'well' i briod neu i bartner yr alcoholig, ei gael o'n yfed. Bryd hynny, mae'n haws i'w reoli – rhowch ddiod iddo ac fe wnaiff gydymffurfio, neu fynd i gysgu. Pan mae'r alcoholig yn rhoi'r gorau i yfed, sut bynnag, mae'n dod i'w bwyll yn araf, ac mae'n newid ei ymddygiad alcoholaidd, gan weld ynfydrwydd ei hen ffordd o feddwl ac o weithredu, ynfydrwydd sydd, i'w briod neu'i bartner, yn gwbl normal, ac sy'n ffordd dderbyniol o ymddwyn, o hyd. Fedr yr oen ddim cydorwedd gyda'r blaidd. Fedr y salwch a'r gwellhad ddim cydorwedd o fewn yr un berthynas. Mae'r gwellhad yn gryfach. Oni bai bod y gŵr a'r wraig yn gwella gyda'i gilydd (a gorau oll y plant, hefyd), gwahanu fydd eu tynged. Dyna pam fod Al-anon mor bwysig. Yno, mae partner yr alcoholig yn gallu derbyn help i wella. Ac o dderbyn help, mae'r briodas yn gallu cael ei harbed. Wrth lwc, roedd Meira wedi bod yn mynd i gyfarfodydd Al-anon ers rhai wythnosau. Roedd Bethan a Rwth wedi bod yn mynychu Alateens, hefyd. Roedd teulu'r Ellis Owen yn prysur roi'r salwch y tu cefn iddyn nhw.

Y cam nesaf oedd paratoi arolwg moesol di-ofn ac ymchwilgar ohonof fi fy hunan. Roedd gen i ddiffygion cymeriad oedd yn achosi i mi yfed: ofn, hunandosturi, llwfrdra, hunanbwysigrwydd, euogrwydd, dal dig, tymer ddrwg, dweud celwydd, cenfigen, meddwl yn negyddol ac yn y blaen. Beirniadu pobol eraill, bod yn berffeithydd, hel clecs a mwy. Am weddill fy arhosiad yn Rhoserchan, dyna fûm i'n ei wneud, wedyn. Ysgrifennu llithoedd yn dangos fel oedd pob un o'r diffygion cymeriad hyn wedi amlygu'i hunan yn fy mywyd. Dyma'r maes newid. Byddai'n rhaid i mi'u troi nhw'n rhinweddau cadarnhaol, oherwydd y rhinweddau hyn fyddai sail fy mywyd newydd i: maddeuant, gwrhydri, gwyleidd-dra, gonestrwydd, cariad, goddefgarwch, ymddiriedaeth, meddwl yn gadarnhaol a.y.y.b.

Roedd hi'n broses boenus iawn – fel mae ysgrifennu'r llyfr hwn wedi bod yn broses boenus. Ond sylweddolais ei bwysigrwydd. Hwn oedd fy nghyfle i dderbyn cyfrifoldeb am fy ngweithredoedd yn y gorffennol ac i gau'r drws arnynt. Profiad annifyr iawn fyddai deffro yng nghanol y nos yn chwys oer drosta i, wrth feddwl am ryw weithred feddw oedd wedi codi cywilydd ac euogrwydd mawr arna i. Drwy fod mor drylwyr â phosib wrth ymchwilio'n foesol i fi'n hunan, fel hyn, gallwn ddileu'r euogrwydd a'r cywilydd am byth.

Erbyn i mi orffen y gwaith, doedd gen i ddim cyfrinachau ar ôl yn fy mywyd. (Mae'r llyfr wedi bod yn wahanol. Rhag niweidio pobol eraill, rydw i wedi dewis peidio cynnwys dwy stori o'm gorffennol. Mae osgoi niweidio pobol eraill yn gyfrifoldeb mawr ar fy sgwyddau i erbyn hyn.) Rhannu'r cyfan gydag unigolyn arall ac o flaen Duw oedd fy ngham olaf i cyn gadael Rhoserchan. Ar brynhawn Iau, felly, yn llwythog gan fagad y gorffennol cerddais i mewn i stafell fechan yng nghefn yr uned. Yno roedd gŵr bonheddig yn aros amdana i. Adroddais fy hanes wrtho'n ofnus, ar y dechrau. 'Ar un adeg ro'n i'n mynychu tafarndai, ac yn dweud wrth bobol 'mod i'n marw o gansar pan nad oeddwn i ddim,' meddwn, gan ddisgwyl i'r gŵr bonheddig grychu'i wyneb mewn condemniad ohona i.

'Ro'n i'n arfer gwneud yn union 'run fath fy hun,' meddai hwnnw, gan uniaethu hefo fi. O'r foment honno 'mlaen, roedden ni'n siarad yr un iaith. Uniaethodd gyda mi bron ym mhopeth. Doeddwn i ddim ar fy mhen fy hun, bellach. Bu rhannu gydag enaid hoff cytûn, ac o flaen Duw, yn fendith ac yn llesol y diwrnod hwnnw. Pan ddois i allan o'r stafell ar ddiwedd y dydd, ro'n i'n ddyn gwahanol. Teimlwn fod llwythi'r greadigaeth wedi cael eu tynnu oddi ar fy ysgwyddau.

Am ormod o flynyddoedd, ro'n i wedi cael fy sigo dan bwn euogrwydd a chywilydd. Am fethu bod yn fab gweinidog teilwng i 'nhad; am ymddygiad afreolus, meddw ar fy rhan; am siomi pawb; am fod yn frawd gwael; am ddifetha bywyd Meira a bywydau Bethan a Rwth; am yr affêr a'r niwed achosais i'r ferch arall; am fethu galaru marwolaeth fy mam; am niweidio'n hun. Roedd y rhestr yn ddiddiwedd. Yn sydyn, roedden nhw i gyd wedi diflannu. Wrth gwrs, roedd rhaid i mi wneud iawn i bobol ro'n i wedi'u niweidio – allwn i ddim osgoi hynny; fynnwn i ddim osgoi hynny. Ond o ran teimlo cywilydd ac euogrwydd am f'ymddygiad yn y gorffennol, chollis i ddim winc o gwsg wedi hynny, na chael fy mhigo gan fy nghydwybod un waith wedi i mi edifarhau. A'r fath ryddhad! Fel hyn y dylwn i fod wedi teimlo ar ôl y weddi honno ger y nant fechan! Roedd hi'n werth aros amdano. Hwn *oedd* y profiad ysbrydol go iawn. Duw yn fy mywyd a minnau'n profi maddeuant am fy holl gamweddau. Daeth emyn David Morris i'm meddwl:

'. . . Y maglau wedi eu torri,
A'm traed yn gwbwl rydd;
Os gwelir fi fel hynny,
Tragwyddol foli a fydd.'

Yn sicr, roedd moliant yn fy nghalon i'r diwrnod hwnnw. Ac mae'n foliant sydd wedi parhau a dwysáu dros y blynyddoedd wrth i mi brofi'r gwir ryddid o gaethiwed y mae maddeuant Duw yn ei gynnig wrth i'm ffydd droi'n sicrwydd.

'Dring dring i Fynydd Heulwen, lle mae'r pysgod bach yn rhydd. Dring dring i Fynydd Heulwen, wyneb fel y dydd. Paid troi dy gefn ar drallod – mynna fod yn ffri. Dring dring i Fynydd Heulwen, ti a fi.' A chyda chân gwellhad Rhoserchan yn atsain yn fy nghlustiau, daeth fy seremoni ffarwelio i ben. Cofleidiais fy nghyd-gleifion – fy nghyd-fforddolion ar y daith i sobrwydd. Ffarweliais â'r cwnselwyr a achubodd fy mywyd; a Jenny, y gogyddes, a gyflwynodd rysáit o sut i bobi bara cartra i mi – syrthiais mewn cariad hefo bara cartra Jenny. Ro'n i'n mentro allan i fyd diarth, erbyn hyn, i fyd bygythiol lle nad oedd dim rhyngof a'r ddiod, dim ond Duw a'r tŵls gwerthfawr ro'n i wedi'u cael ac wedi'u miniogi yn Rhoserchan.

Ar Hydref 24 1992, daeth Meira, Bethan a Rwth i'm casglu yn y car. Cyflwynodd Bethan a Rwth drosiad Cymraeg o'r Weddi Dangnefedd yn anrheg i'r ganolfan driniaeth, am gael eu tad yn ôl yn sobr.

Wrth ddychwelyd i Gaerdydd ro'dd arna i ofn. Ofn yr hyn oedd o 'mlaen i. Fedrwn i ddarganfod y system gefnogaeth yno oedd yn mynd i fod mor allweddol i'm gwellhad? Sut wynebwn i'r Dolig cyntaf? A ble cawn i waith? A beth am y gor-ddrafft? 'Hei!' Daeth y llais bach i 'mhen. 'Digon i'r diwrnod ei ddrwg ei hun!' Cytunais ag o. A mynd i gysgu.

Y GWELLHAD
(1992–1999)

Roedd Tomi'n ddisgybl anystywallt yn nosbarth Miss Jones, ei athrawes ddosbarth. Yn lle gwrando ar y wers, byddai Tomi'n camfyhafio, fel rheol – yn tynnu gwallt y disgyblion eraill, neu'n gwneud rhyw ddrwg neu'i gilydd, drwy'r amser. Roedd Miss Jones wedi cael llond bol arno, oherwydd roedd Tomi'n ddylanwad drwg ar y disgyblion eraill. Un diwrnod, sut bynnag, aeth Tomi'n rhy bell. Cafodd afael ar siswrn yn rhywle, a thra bod Miss Jones yn rhoi gwers ddaearyddiaeth i weddill y dosbarth, bu Tomi wrthi'n ddygn yn torri map o'r byd yn ddarnau mân tu ôl i'w ddesg. Pan sylweddolodd Miss Jones beth roedd e wedi'i wneud, roedd yn flin iawn gydag o. 'Rhag dy g'wilydd di, Tomi,' meddai wrtho, gan gydio yn ei war a'i lusgo o'i ddesg. 'Dos wir. Dos i sefyll yn y gornel ar dy ben dy hun, ac mi gei di ludo'r map yna'n ôl at ei gilydd, fel cosb – bob tamed ohono, nes ei fod o'n gyfan unwaith eto.' Ochneidiodd Tomi'n drist wrth groesi i'r gornel gyda'i dun glud, oherwydd gwyddai y byddai'r dasg yn cymryd gweddill y dydd iddo'i chyflawni. Roedd y map wedi'i dorri'n gannoedd os nad miloedd o ddarnau mân, digyswllt. Parhaodd Miss Jones gyda'r wers. Yn dawel fach, roedd yn falch bod Tomi wedi'i neilltuo i'r gornel – o leia, câi hi a'r plant eraill heddwch rhagddo am weddill y diwrnod. O fewn pum munud, sut bynnag, roedd Tomi'n ôl gyda'r map o'r byd yn gyflawn. Rhyfeddodd Miss Jones at ei gamp. 'Sut wnest ti hynny mor gyflym, Tomi?'

'Wel,' meddai Tomi'n falch. 'Roedd 'na lun o ddyn ar gefn y map, ylwch, Miss Jones – a phan rois i'r dyn yn ôl at ei gilydd, mi wnaeth y byd jest syrthio i'w le!'

Dyna'r un egwyddor sydd y tu cefn i'r rhaglen o wellhad – rhowch y dyn at ei gilydd, ac mae'i fywyd yn syrthio'n rhyfeddol yn ôl i'w le. Mae'n anodd i'r alcoholig amgyffred hyn. Ro'n i'n meddwl mai yfed oeddwn i oherwydd bod fy mywyd i'n anhydrin. Mi gymerodd hi amser maith i mi sylweddoli, sut bynnag, mai'r yfed oedd yn achosi'r anhrefn yn fy mywyd. A phe gwnawn i rywbeth am hwnnw, byddai pob problem arall jest yn syrthio i'w lle.

Pan ddychwelais i i Gaerdydd, dychmygwn y byddai 'mywyd yn gwella'n syth bìn. Dychmygwn y byddwn i'n cael fy ngyrfa'n ôl, ac y gallwn i ddatrys fy holl broblemau ariannol heb fawr o drafferth. Ddim o'r fath beth. Ddigwyddodd dim i mi'n broffesiynol, a gwaethygodd fy sefyllfa ariannol. Yn wir, erbyn diwedd tair blynedd o sobrwydd, byddai fy nyledion i wedi treblu i bron dri deg o filoedd o bunnau gan fy ngorfodi i ailforgeisio'r tŷ. Roedd yn sefyllfa hunllefus. Yn union fel gyda llong ar y môr sy'n nesáu at graig beryglus ddeng milltir o'i blaen, mae'r capten yn rhoi gorchymyn i'r criw roi'r injan mewn rifyrs, ac i gyfeirio'r llong i'r dde. Ond er bod holl rym peiriannau'r llong yn gweithio i'w harafu, ac er bod y llyw wedi'i gyfeirio oddi wrth y peryg – mae'n parhau i ddrifftio'n agosach, agosach, at y graig. Felly'n union oedd fy mywyd i. Roeddwn i'n gwneud y pethau iawn – mynd i gyfarfodydd, helpu eraill, fel sy'n angenrheidiol. Erbyn hynny, ro'n i wedi dod o hyd i noddwr, hefyd – Bryn – oedd yn cynghori ac yn gwneud popeth i'm helpu. Serch hynny, gwaethygu oedd pethau'n faterol – a nesáu'n agosach, agosach, at y graig. Wyddwn i ddim ar y pryd fod y newidiadau yn fy mywyd yn gorfod cael eu derbyn yn fewnol gen i'n gyntaf, cyn y gallen nhw amlygu'u hunain yn allanol. Yn union fel yn achos y llong, felly, byddai pethau'n gwaethygu'n gyntaf, cyn gwella – a throi oddi wrth y perygl. Dyma pryd mae amynedd a ffydd yn hollbwysig. Heb y ddau rinwedd hyn, mae'n amhosib i alcoholig aros yn sobr. Mae'n naturiol iddo fod eisiau cael deng mlynedd o sobrwydd mewn dau fis. Ond cynta'n y byd y bydd o'n sylweddoli mai breuddwyd ffŵl ydy hynny, gorau oll.

Ac er bod pethau'n dal i waethygu'n faterol, roedd yna bethau pwysicach i mi fod yn poeni amdanynt. Fy mherthynas i hefo Meira a'r gennod oedd un ohonynt. Gwaith gwrando oedd gen i i'w wneud. Gwrando ar yr hyn oedd ganddynt i'w ddweud wrtha i. Cyfiawnhau dim, nac esgusodi dim – na cheisio brwshio dim o dan y mat. Bu'n brofiad poenus – cael fy atgoffa o'r hyn ro'n wedi'i wneud. Ond wrth i'r gennod agor eu calonnau, a chael y gwenwyn allan yn yr agored, roedd ein perthynas yn gwella ryw fymryn, gyda phob aflendid yn cael ei olchi'n lân gan ddagrau edifeirwch a maddeuant.

Mi gymerodd hi tua naw mlynedd cyn i mi ennill eu hymddiriedaeth yn ôl yn llwyr. Dwi'n falch mai felly y bu. Dyw rhywbeth sy'n dod yn rhy hawdd ddim yn werth ei gael. Mae cael ymddiriedaeth Meira, Bethan a Rwthi, yn bopeth i mi erbyn hyn. Ac mae'r pris uchel rydan ni wedi'i dalu i'w adfer, yn rhan o wead cryf fy sobrwydd i – un dydd ar y tro.

Pam a sut y goroesodd fy mhriodas i, wn i ddim. Mae'r diolch am hynny'n bennaf i Dduw – ac i ddyfalbarhad a gwaith caled ar ran Meira a fi. (O! Mae'n rhaid i ninnau wneud ein rhan, hefyd!) Tydi cadw priodas gyda'i gilydd ddim yn hawdd y dyddiau yma, hyd yn oed o dan y gorau o amgylchiadau. Mae diogelu priodas pan mae wedi gorfod dioddef ein math ni o anawsterau, yn wyrthiol. Y flwyddyn ddiwethaf buom yn dathlu ein degfed mlynedd ar hugain o briodas. Ac fel hen win, mae'n gwella wrth fynd yn hŷn.

Eisoes, ro'n i wedi cyfarfod y ferch arall! Roeddwn i yng nghartref Bryn yn y Bontfaen, un diwrnod, pan ddaeth hi i'r drws. Yn naturiol iawn, roedd yn flin am y ffordd ro'n i wedi'i thrin ac ymosododd yn gorfforol arna i. Fedrwn i ddim ymresymu â hi, na thrio egluro dim. Roedd ei theimladau wedi'u brifo'n ormodol i hynny ddigwydd. Weithiau, mewn achosion o'r fath, yr unig ffordd i wneud iawn i'r personau hynny yr ydych wedi eu niweidio, yw trwy gadw allan o'u bywydau'n gyfan gwbl. Hyd yma, rydw i wedi llwyddo i wneud hynny, er i mi gael cyfle i wneud iawn i'w chyn-briod, flynyddoedd yn ddiweddarach, hefyd, a thrwyddo ef, yn anuniongyrchol, i'w phlant. Ond mae'r affêr yn parhau i fod yn loes i'm calon. Ac yno i'm hatgoffa'n barhaus o ba mor niweidiol ac andwyol y mae'r salwch yn gallu bod. Rydw i'n derbyn yn llawn fy nghyfrifoldeb am yr hyn ddigwyddodd, ac yn ymddiheuro iddi fel hyn am ei chamarwain drwy addo iddi'r byd, pan nad oedd gen i, mewn gwirionedd, ond torcalon a dichell i'w gynnig.

Yr adeg yma digwyddodd dau beth a gododd fy nghalon i, a'm hatgoffa i fod Duw ar waith yn fy mywyd. Ers wythnosau, roedd Rwthi wedi bod yn edrych ymlaen na fu'r rotsiwn beth at gael mynd i sgïo gyda'r ysgol. Dyna oedd ei hunig sgwrs. Y noson cyn gadael, sut bynnag, roedd yn cael bàth yn y llofft, tra oedd Meira yn tendio arni – ac roedd yn lladd ei hun yn crio. Pan es i holi beth oedd yn bod, cefais ateb a atgyfnerthodd fy ffydd. 'Dwi ddim ishio mynd i sgïo rŵan, Dad – rŵan bo chi 'di mendio.'

Yn fuan, wedyn, daeth Bethan ata i, a thaflu ei breichiau amdana i'n gariadus. 'Dad,' medda hitha wrtha i, 'dwi mor, mor browd ohonach chi!' Fedra i ddim pwysleisio gymaint fu effaith y ddau ddigwyddiad yna arna i. Freuddwydiais i fyth y byddwn i'n clywed geiriau felly gan y ddwy – a hynny mor fuan wedi i mi ddychwelyd o Roserchan. Roedd y ddwy enghraifft yn ernes o bethau gwell i ddod. Addawodd Bryn wrtha i y gallwn i obeithio byw bywyd tu hwnt i'm holl freuddwydion, ond i mi aros yn sobr a thyfu'n ysbrydol. Fe wnaeth y ddwy enghraifft syml yna brofi i mi fod hynny'n bosib.

Dangoswyd ewyllys da anghyffredin tuag ata i yn ystod y cyfnod yma. Daeth Equity ac Urdd yr Ysgrifenwyr (Writers' Guild) i'r adwy, a rhyngddynt cyfranasant ddwy fil a hanner o bunnau i'n helpu ni fel teulu. Peter Frost a gydlynodd y cyfan ac mae o'n dal i gadw mewn cysylltiad hefo mi – er ei fod wedi ymddeol ers blynyddoedd, bellach. Rhodd oedd hon oddi wrth fy nghyd-weithwyr i – oddi wrth y rhai roeddwn i wedi'u pardduo, unwaith, yn fy salwch. Gwnaeth y rhodd i mi deimlo'n wylaidd iawn. O ganlyniad, addunedais chwarae rhan fwy blaenllaw yng ngweithgarwch fy undeb, pan ddôi cyfle. Ymhen rhai blynyddoedd, etholwyd fi'n aelod o bwyllgor cenedlaethol Equity yng Nghymru. Erbyn hyn fi yw cadeirydd y pwyllgor, ac rydw i wedi bod yn gadeirydd arno ers blynyddoedd, bellach, ynghyd â bod yn aelod o bwyllgorau dylanwadol eraill yn Llundain – sydd wedi'm cyfoethogi i'n fawr.

Bu nifer o unigolion yn garedig iawn tuag aton ni fel teulu. Ond rhag achosi unrhyw embaras, gwell peidio'u henwi yn y fan yma. Digon yw dweud i'w consýrn amdanon ni fel teulu, bryd hynny, fynd ffordd bell iawn tuag at adfer ein ffydd ni mewn dynoliaeth.

Ond roedd fy nyledion i'n gwaethygu, serch popeth – a chyda nhw fy ofn i o ansicrwydd ariannol. Gall y dyn cyfoethocaf yn y byd ddioddef o ofn ansicrwydd ariannol. Does ganddo ddim byd i'w wneud â chael gormod neu ry ychydig o bres. Ofn ydy o – ac mae'n taro pob alcoholig wrth iddo wella. Yn union fel mae taith pob alcoholig i'r gwaelodion yn dilyn yr un patrwm, waeth be fo'i amgylchiadau. Felly, hefyd, mae taith pob un i wellhad. Ac mae delio gydag ofn ansicrwydd ariannol yn rhan o'r gwellhad hwnnw. Mae'n rhaid iddo, mewn gwirionedd, golli pob dibyniaeth ar bres a phethau materol. Mae dod i'r casgliad hwnnw'n fater arall, sut bynnag. Fe'i hwyluswyd o yn fy achos i gan fy nyledion!

Gwyddwn erbyn hynny mai fi fy hun oedd yr unig un allai fy niweidio – drwy yfed. Iawn. Gallwn gael fy ngwneud yn fethdalwr a cholli 'nghartref. Ond cyn belled â 'mod i ddim yn yfed, roedd gobaith y gallwn i, hyd yn oed, adfer y sefyllfa, dros amser. Sylweddoli oeddwn i, mewn gwirionedd, yr hyn oedd yn wir bwysig yn fy mywyd. Sylweddolais i ar y pryd nad oedd prinder arian yn ddiwedd y byd ac y gallen ni fyw hefo'r ddyled, pe byddai raid – wedi'r cyfan roedd wastad gyflog Meira wrth gefn. Ochr yn ochr â fy sobrwydd i doedd o'n cyfri dim yn nhrefn pethau. Ffug-falchder oedd yn ei fwydo. 'Beth fyddai pobol yn ei ddweud?' Wel, erbyn hynny, doedd gen i ddim cyfrinachau i'w cuddio rhag y bobol, beth bynnag. Câi pobol, a'u barn ohona i, fynd i'r diawl! Amddiffyn fy sobrwydd oedd yn bwysig yn fy mywyd i. Roedd o'n bwysicach na'm perthynas i hefo Meira. Pwysicach, hyd yn oed, na'm perthynas i hefo 'mhlant i fy hun. Oherwydd pe collwn i'n sobrwydd – mi gollwn bopeth arall o werth, beth bynnag, cyn sicred â bod nos yn dilyn dydd. Sylweddoli hyn wnaeth ddileu fy ofn i o ansicrwydd ariannol. Hynny, a'r ffaith i siec go sylweddol gyrraedd yn y post un diwrnod.

Ar fy llw! Wyddwn i ddim fod gen i'r polisi yswiriant bywyd yma! Roedd o'n un o'r amryw bethau wnes i yn ystod fy medddod, na chofiwn ddim oll amdanyn nhw. Sut bynnag, ro'n i yn y doldryms un diwrnod oherwydd y ddyled gynyddol, pan gyrhaeddodd y post – ac ynddo roedd siec sylweddol am ugain mil o bunnau. Roedd y polisi na wyddwn amdano wedi aeddfedu! Haleliwia! Ond na, roeddwn i'n dal yn y doldryms. Nid y ffaith fod gen i ddyledion sylweddol oedd yn fy ngwneud i'n drist. Oherwydd, mwya sydyn, roedd pethau ar i fyny'n ariannol. Na, roedd rhywbeth arall heblaw pres wrth wraidd fy niffyg archwaeth i at fywyd. Bryn, fy noddwr, roddodd ei fys ar y peth.

Negyddiaeth oedd fy mwgan mawr i. Hynny oedd yn difetha pob dydd newydd o'n sobrwydd i, meddai Bryn. O arferiad, edrychwn ar ochr ddu bywyd. Bob amser hefo'n llygaid ar y broblem yn hytrach nag ar sut i'w datrys. Methu deall oeddwn i na fyddai Duw yn fy helpu. Wedi'r cyfan, os oeddwn i wedi trosglwyddo fy ewyllys a'm bywyd i ofal Duw, onid ei job Ef oedd gofalu am bethau felly? 'Cofio'r dyn hwnnw'n llongyfarch y garddwr ar ei ardd brydferth, Wynford?' atgoffodd Bryn fi.

'Na,' meddwn innau. 'Pa stori oedd honna, Bryn?'

'Wel, mi ddudodd y dyn 'ma wrth y garddwr, "Ma Duw wedi bod yn hael iawn wrthoch chi – yn rhoi gardd brydferth fel hyn ichi." "Ddyla chi weld yr ardd pan o'dd Duw yn gofalu amdani," medda'r garddwr yn ôl wrtho fo. "Doedd hi'n ddim byd ond jyngl, bryd hynny!" Yr hyn roedd o'n feddwl, wrth gwrs, oedd na fedr Duw wneud popeth drosom – bod disgwyl i ni wneud ein rhan i feithrin a datblygu'r deunydd crai mae Duw yn ei roi i ni.

Ro'n i'n llawn ofnau, yn un peth. Ofn llwyddo, ofn methu, ofn mentro, ofn cymysgu hefo pobol, ofn sefyll ar fy nhraed a dweud fy marn, ofn bod yn onest hefo 'nheimladau, ofn agor fy ngheg. Ofnau oedd y rhain oedd yn mynd i'm rhwystro i rhag

235

gwneud pethau da yn fy mywyd – rhag cyrraedd fy llawn botensial. Un o'r ffyrdd mwyaf effeithiol i gael gwared o'r ofnau hyn yw trwy wneud rhestr sy'n cynnwys pedair colofn. Yn y golofn gyntaf ar y chwith, ro'n i'n sgwennu beth oedd yr ofn: ofn methu, dyweder. Yn yr ail golofn ro'n i'n rhoi'r rheswm pam fod gen i'r ofn – heb fynd yn rhy ddwfn a dadansoddol, wrth gwrs. Er enghraifft, ro'n i'n ofn methu oherwydd i mi syrthio'n fflat ar fy nhrwyn y tro dwetha i mi wneud rhywbeth cyffelyb. Yn y drydedd golofn ro'n i'n rhestru sut oedd yr ofn arbennig hwn yn effeithio ar fy mywyd. Oedd o'n effeithio ar fy sicrwydd ariannol? Fy sicrwydd emosiynol? Fy hunan-werth? Fy uchelgais personol a chymdeithasol i mewn bywyd? Fy mherthynas bersonol i â rhywun arall? Fy mherthynas rywiol i â rhywun arall? Oedd o'n effeithio arna i'n gorfforol? Ac yn y golofn olaf, ro'n i'n edrych ar yr hyn roeddwn i wedi'i wneud i achosi'r ofn yma'n y lle cyntaf. O'n i wedi bod yn anonest? O'n i wedi bod yn hunanol? O'n i wedi bod yn ffuantus? O'n i wedi bod yn ofnus a myfïol? Myfyrio uwch y rhestr oedd y peth nesaf i'w wneud, gan feddwl am y newidiadau y gallwn wneud yn fy mywyd fyddai'n sicrhau na fyddai'r ofn yn dychwelyd eto. Wedi i mi wneud hynny, ro'n i'n gweddïo'r weddi syml hon oedd yn allwedd i ryddhau'r ofn: 'O Dad, dwi'n gofyn iti gymryd yr ofn yma oddi arna i, a chyfeirio fy sylw at beth rwyt Ti eisiau i mi fod. Er gogoniant i'th enw, Amen.' A chyda hynny, byddai'r ofn wedi diflannu. Felly diflannodd yr ofn hwnnw o daflud i fyny oedd gen i. Aeth i ble mae pob ofn yn mynd pan mae'n cael ei herio gan ffydd.

> 'Curodd ofn ar y drws.
> Agorodd ffydd y drws:
> Doedd dim byd yno.'

Ffordd gyflymach, fwy uniongyrchol, o symud yr ofnau hyn oedd trwy'u hwynebu'n eofn. Teimlo'r ofn ond ei wneud beth bynnag. Erbyn hyn, rwy'n defnyddio ofn fel rheswm dros wneud pethau yn hytrach nag fel yn y dyddiau drwg, fel esgus i beidio.

O dipyn i beth fe giliodd yr ofnau. Ond hyd yn oed wedyn, roedd y negyddiaeth yn parhau. Ro'n i'n deffro'n y bore o hyd gan ddychmygu bod y gwaethaf yn mynd i ddigwydd i mi yn ystod y dydd. Nid dyma'r math o sobrwydd roeddwn i wedi gobeithio amdano. Dyma pryd y dechreuais i ddefnyddio 'datganiadau cadarnhaol' i newid fy agwedd meddwl. Ro'n i wedi sylwi wrth ffilmio ers talwm, nad oedd angen cloc larwm arna i – y gallwn i ddweud wrtha i'n hun cyn cysgu 'mod i eisiau deffro am hyn a hyn o'r gloch. Byddwn yn deffro, wedyn, ar yr union amser hwnnw – nid eiliad ynghynt nac yn hwyrach – ond ar yr union amser cywir. Os oedd fy isymwybod yn ymateb i gyfarwyddyd felly, meddyliais, efallai y byddai'n ymateb i gyfarwyddiadau cadarnhaol eraill, hefyd – y gallwn i greu hapusrwydd allan o anhapusrwydd. Ysgrifennais nifer o ddatganiadau cadarnhaol amdanaf fy hun ar ddarn o bapur. Mae'n bwysig sgwennu'r rhain yn y person cyntaf presennol – fel petawn i eisoes wedi'u gwireddu. Hynny ydy, 'Rydw i'n deffro yn y bore ac mae gen i iechyd da, egni, ac rwy'n llewyrchus!' 'Rydw i'n deffro yn y bore ac mae pethau anhygoel yn digwydd i mi drwy'r amser!' 'Rydw i'n deffro yn y bore ac rydw i wedi datrys fy holl broblemau!' 'Rwy'n deffro yn y bore ac rwy'n ennill digon o bres i beidio gorfod poeni am bres!' Roedd hi'n bwysig 'mod i'n darllen y rhain bob un noson yn ddiffael. Ar ben hynny, gallwn ychwanegu rhai ar gyfer y dydd, hefyd: 'Os yw Duw trosof pwy all fod i'm herbyn?' A'r un mwyaf effeithiol ohonyn nhw i gyd: 'Mi wna i ddelio hefo pethau pryd, ac os, y gwnân nhw ddigwydd!' Ac un arall: 'Mae'r gorau eto i ddod.' Un rhyfeddod am y meddwl dynol yw na fedr feddwl ond am un peth ar y tro! Rhowch rywbeth cadarnhaol iddo feddwl amdano, felly, ac mae'ch holl agwedd chi'n troi'n gadarnhaol. Mae'n amhosib methu gyda'r dull yma.

Gosodais nodau i mi'n hun, hefyd. Nodau realistig, cyraeddadwy. Doedd dim pwrpas dweud fy mod i'n ennill can mil o bunnau, pan oeddwn ond yn ennill deng mil ar y pryd. Wnaiff yr isymwybod ddim derbyn hynny. Ond roedd codi'n incwm 50 y cant yn fwy yn gyraeddadwy. Felly, nod realistig, cyraeddadwy oedd dweud 'Rydw i'n ennill pymtheg o filoedd o bunnau bob blwyddyn!' Mater hawdd fyddai codi'r nod wedi i mi gyrraedd y pymtheg mil. Sylwch 'mod i'n dweud, 'wedi i mi gyrraedd y pymtheg mil' a nid 'os cyrhaedda i'r pymtheg mil'! Gosod nodau realistig, cyraeddadwy i mi'n hun fu'r ffordd orau un o newid fy amgylchiadau. Ac eto, fel gyda'r 'datganiadau cadarnhaol', roedd hi'n hanfodol 'mod i'n sgwennu'r nodau ar ddarn o bapur fel petaent eisoes wedi'u gwireddu, ac yn eu darllen bob bore a nos. Mae'n syniad cynnwys nodau ysbrydol, hefyd. Er enghraifft, 'Rydw i'n caru fi'n hun a'm cyd-ddyn yn well bob dydd' neu 'Rydw i'n tyfu i fod yr hyn mae Duw eisiau i mi fod' a 'Mae gen i dawelwch meddwl a thangnefedd yn fy mywyd.'

Un nod a osodais i mi fy hun oedd, 'Dwi'n gweithio'n rheolaidd a dwi'n clirio fy holl ddyledion!' Herciog oedd datblygiad fy ngyrfa. Cawn job am fis neu ddau, yna dim byd am bum mis. Dau gam ymlaen, tri yn ôl. Felly roedd pethau. Cafodd fy nghyfaill o actor, John Pierce Jones, a fi gomisiwn i sgwennu cyfres gomedi deledu i blant. Dyna pryd y magwyd *Watcyn a Sgrwmp*, cyfres sydd eto i'w ffilmio, gyda llaw, oherwydd i gomisiynwyr S4C newid swyddi yn ystod y cyfnod paratoi. Mae pethau fel hyn yn digwydd weithiau – a does fai ar neb. Daw person newydd i'r swydd, ac mae gan y comisiynydd newydd ei gynlluniau'i hun. Sut bynnag, cyn i hynny ddigwydd roedd John a fi wedi bod yn holi am gwmni annibynnol i ymgymryd â'r gwaith o gynhyrchu'r gyfres. Chwilio am y cwmni gorau oeddem fyddai'n gallu cynnig i ni'r telerau ariannol gorau. Daeth dau gwmni i'r fei: Cwmni Teledu Elidir (cwmni Emlyn Davies), a Chwmni Cambrensis (cwmni Arwel, fy mrawd). Bu'r dewis yn un anodd. Yn y diwedd fe wnaeth John a fi ddewis Elidir.

Roedd siom Arwel yn amlwg o'r cychwyn. Roedd o'n teimlo y dylai fod rhyw fath o deyrngarwch rhyngom; y dylen ni fod wedi ffafrio Cambrensis. Efallai wir. Ond ar y pryd, gan Elidir oedd y profiad – nid oedd Cambrensis wedi cynhyrchu dim un drama, bryd hynny. Roedd John yn gryf iawn o blaid y cwmni, ac roeddwn innau'n teimlo, efallai, bod angen i mi wneud iawn i Emlyn am y gorffennol. Beth bynnag oedd y rhesymau, dwi'n falch erbyn hyn i ni ddewis mynd hefo Elidir. Oherwydd dangosodd y broses rywbeth pwysig i mi – os oedd Arwel a fi'n mynd i fedru gweithio'n llwyddiannus gyda'n gilydd i'r dyfodol (fel oedd fy nymuniad tawel i), y byddai'n rhaid bod newid agwedd rhyngom. Byddai'n rhaid i ni ddileu'r hen focsys bach caethiwus hynny oedd wedi eu creu ar yr aelwyd gartref. Nid *light relief* o'n i'n mynd i fod o hyn ymlaen. Ro'n i am gael fy nghymryd o ddifri a chael fy mharchu fel partner cyfartal, neu ddim. Sut oedd gwireddu hyn, wyddwn i ddim. Bryn awgrymodd 'mod i'n trosglwyddo'n perthynas i ofal Duw – a gofyn iddo Ef ein galluogi ni i ddod at ein gilydd o'r newydd, a chydag agweddau newydd, iachach, tuag at ein gilydd. Rhaid ichi gofio hefyd 'mod i wedi bod yn genfigennus iawn o lwyddiant Arwel ar hyd y blynyddoedd. Roedd yn rhaid i'r newid mwyaf ddigwydd ynof fi.

Yn araf, roedd fy mywyd proffesiynol i'n dechrau gwella. Cefais job gan Opus, y cwmni teledu annibynnol, i ffilmio pennod o'r gyfres deledu *Halen yn y Gwaed*. Golygai hynny deithio i Iwerddon am wythnos o waith. Wedyn addawyd rhan i mi yn nrama gomisiwn Eisteddfod Genedlaethol Castell-nedd a'r Cylch. Es am glyweliad i ganolfan Theatr Gorllewin Morgannwg yng Nghastell-nedd. 'Fedri di roi garantî i mi na wnei di ddim yfed fory, Wynford?' holodd Tim Baker y cyfarwyddwr dawns.

'Dim ond os fedri di roi garantî i mi'n gyntaf, Tim, y byddi di'n dal yn fyw 'ramsar yma fory,' meddwn innau. Chwarae teg, wyddai o ddim am y salwch. A pham y dylai o wybod? Y ffaith amdani oedd bod fy nhynged i fel ei un yntau yng ngofal Duw. Fedrai'r un ohonom roi garantî! Serch hynny, mi gefais waith gan Tim, ac roedd gwybod fod gen i'r cynhyrchiad hwn ar y gorwel yn galondid mawr i mi.

Arferwn ddweud, bryd hynny, na fedrwn i feddwl am ddim byd fyddai'n gwneud i mi yfed eto, heblaw am rywbeth yn digwydd i un o'r plant, efallai. Mae'n beryg rhoi amodau ar eich sobrwydd. Oherwydd, bob tro, fe gewch eich profi. Ar Mehefin 18fed 1994, digwyddodd y prawf hwnnw. Nos Sadwrn oedd hi, ac ro'n i'n paratoi i hwylio i Iwerddon fore trannoeth i ffilmio *Halen yn y Gwaed*. Hanner awr yn gynharach, roedd Bethan wedi gadael gyda'i ffrindiau, Mari a Llio a'i chariad, am noson allan yn y dref. Canodd y ffôn. Yr heddlu oedd yno. *'It's nothing to worry about, but you daughter's been involved in an accident. Could you come straight down to the Infirmary?'* Erbyn i ni gyrraedd yr adran ddamweiniau, roedd Mari a Llio a'i chariad yn ddiogel. Doedd dim golwg o Bethan, sut bynnag. Erbyn deall, roedd dynion y frigâd dân yn ceisio'i rhyddhau o'r sedd gefn lle roedd wedi'i gwasgu. Yn y man, cyrhaeddodd ar stretsier – wedi'i lapio fel na fedrai symud fodfedd. Roedd wedi torri'i chefn, ac roedd toriad drwg yn ei choes dde, hefyd. Roedd gweld Bethan Glwc felly yn torri'n c'lonnau. Fedren ni wneud dim y noson honno, ond ei chyflwyno i ofal Duw a dychwelyd adre.

Pam y penderfynais i hwylio'r bore wedyn am Iwerddon, wn i ddim. Ffoniais yr ysbyty cyn gadael y tŷ, a dwedwyd wrtha i ei bod wedi cael noson reit esmwyth ac y byddai'n derbyn triniaeth lawfeddygol y p'nawn hwnnw i archwilio'i chefn a gosod pìn yn ei choes. Dwedwyd wrthon ni am beidio poeni, y byddai popeth yn iawn. Pe bai'r un peth wedi digwydd heddiw, fyddwn i ddim wedi gadael. Ond bryd hynny, ro'n i'n dal i fod eisiau plesio, i ryw raddau, i gael fy hoffi, a ddim eisiau gadael pobol i lawr. (Wyddwn i ddim ar y pryd bod rhai pobol yn mynd i'n hoffi fi dim ots be wnawn i, bod eraill ddim yn mynd i'n hoffi fi, dim ots be wnawn i, a bod y mwyafrif ddim yn mynd i deimlo'r naill fford na'r llall tuag ata i, dim ots be wnawn i.)

Ar ddec y llong y bore hwnnw wrth hwylio allan o Abergwaun, roedd fy meddwl ym mhobman. Gadewais weddill y criw – yr actorion, Stewart Jones, Dewi Rhys a'r cyfarwyddwr, Gwyn Hughes Jones – a mynd i eistedd ar ddec uchaf y llong i gael bod ar 'y mhen fy hun. Yno fe glywais i'r llais bach yma'n dweud wrtha i y byddai popeth yn iawn. Dwedodd y llais bach wrtha i am edrych ar ôl fy hun: i fwyta'n dda, a mynd i gyfarfod yn Iwerddon, i gael cefnogaeth rhai eraill 'run fath â mi yno. Teimlais yn well. Ymddiriedais wellhad Bethan i Dduw yn y fan a'r lle.

Ychydig wythnosau'n ddiweddarach, roeddwn i ar lwyfan neuadd y dre yng Nghastell-nedd yn perfformio yn y ddrama gomisiwn *Combrogos* gyda Morfudd Hughes, Richard Elfyn, Delyth Morgan a Gwyn Vaughan Jones. Ac roedd Bethan ar lwyfan yr Eisteddfod Genedlaethol ar ei ffyn baglau, ac yn ennill Gwobr Richard Burton fel yr actores orau.

Prysurodd pethau wedyn. Ro'n i wedi dechrau ad-dalu'r ddyled i 'mrawd a'n chwaer – ond roedd tipyn o ffordd eto i fynd cyn y byddwn i wedi setlo'r cyfan. Cafodd John Pierce Jones a fi gomisiwn i sgwennu *Yr Aelod*, cyfres gomedi i Radio Cymru gydag Emyr Wyn yn chwarae'r brif ran. Hyd heddiw, rwy'n meddwl mai'r gyfres hon yw un o'r doniolaf, mwyaf gwreiddiol erioed i gael ei darlledu yn y Gymraeg. Roedd Emyr Wyn ar ei orau gwych: doedd y sgript ddim yn ddrwg, chwaith! Yn syth wedyn, daeth Graham Jones i'm helpu. Cynigiodd ran Simon Lyons i mi yn y gyfres deledu *Glan Hafren*. O'r diwedd, roedd gen i ychydig o arian cyson yn dod i mewn, a'r gobaith o gyfresi lawer i edrych ymlaen atyn nhw. Bu'r actor Dafydd Hywel (D.H.) yn garedig tuag ata i, hefyd. Perfformiais mewn dau bantomeim iddo fo a'i gwmni Mega. Beth oedd yn arbennig am D.H. oedd iddo dalu cyflog anrhydeddus i mi ar adeg pan oeddwn i wir angen y pres. Anghofia i mo'i garedigrwydd. Yn araf, roedd y pwysau ariannol yn cael ei symud oddi ar f'ysgwyddau. O fewn ychydig fisoedd ro'n i wedi llwyddo i ad-dalu'r ddyled yn gyflawn i Arwel a Rowenna. Roedd pethau'n edrych ar i fyny.

Addasiad llwyfan gan Valmai Jones a Gruffudd Jones o nofel T. Rowland Hughes, *William Jones*, ddaeth â mi i'r gogledd nesaf. Cefais gyfle i actio nifer o rannau yng nghynhyrchiad Graham Laker i Theatr Gwynedd oedd i gynnwys Mici Plwm yn y brif ran. Bu'n gynhyrchiad hapus, a bu'r daith o amgylch Cymru wedyn yn ystod un o hafau gorau'r blynyddoedd diwethaf yn nefoedd i bawb oedd yn y cwmni. Ond cofiaf y cyfnod yn arbennig oherwydd i mi ddarganfod llyfr, tra o'n i'n ymarfer, oedd i newid fy mherthynas i hefo'n Nuw.

Yn y llyfrgell gyhoeddus ym Mangor y dois i ar draws y llyfr. Hen beth clawr brown, disylw oedd o yn adrodd hanes Meister Eckhart (1260–1327). Archesgob yn yr eglwys gatholig yn yr Almaen oedd Eckhart ac roedd o'n weledydd poblogaidd ar y pryd. Yn 1326 cyhuddwyd ef o heresi gan yr awdurdodau oedd yn genfigennus ohono, ond chafodd o ddim mo'i draddodi'n euog nes wedi'i farwolaeth. Cofiaf y cynnwrf ro'n i'n deimlo wrth eistedd i ddechrau darllen y llyfr. Ro'n i'n eistedd ar flaen fy sedd, oherwydd gwyddwn fod ganddo ryw wybodaeth arbennig i'w chyfleu i mi. Ac, wrth gwrs, roedd rhaid i mi ddefnyddio geiriadur i ddeall ystyron rhai geiriau'n llawn gan fod arddull y llyfr a'i eirfa'n henffasiwn ac yn gymhleth. Yn fyr, dyma ddysgais i: y gallwn i gael perthynas uniongyrchol hefo Duw; nad oedd dim rhaid i mi gymryd y ffordd hir, y ffordd *scenic* draddodiadol at Dduw; y gallwn i, pe dymunwn i, ddal Duw yn ei gegin ei hun. Dyma'r math o berthynas oedd yn hanfodol i mi'i chael. Oherwydd wyddwn i ddim 'y dydd na'r awr' y deuai'r temtiad nesaf i yfed. Bryd hynny, pan fyddai fy mywyd ar y lein, byddai'n rhaid i mi fedru troi at Dduw am help yn syth ac yn uniongyrchol. O hynny 'mlaen, datblygu a dwysáu fy neall i a'm perthynas i hefo'n Nuw, fyddai bennaf yn fy mywyd. Ochr yn ochr â diogelu fy sobrwydd – oherwydd yr un oedd y ddau beth – dyma fyddai patrwm fy mywyd i am weddill fy oes; llacio 'ngafael ar y byd a'i bethau a thrystio Duw. Ei drystio'n gyfan gwbl. Pe gwnawn i hynny, gwyddwn, wedyn, y byddai Duw yn gofalu amdana i ym mhob agwedd o 'mywyd.

Bûm mewn cynhadledd fyd-eang o alcoholigion rai blynyddoedd yn ddiweddarach, ym Minneapolis UDA. Ar y nos Sadwrn, yn lle ymuno â'r dyrfa oedd yn ymgynnull yn yr Edgar Hoover Convention Centre, mi es i a chyfaill i mi o'r enw Stuart i wasanaeth yn yr eglwys gadeiriol gatholig gerllaw. Sôn oedd yr offeiriad am ddameg y wraig honno oedd yn dioddef o'r gwaedlyf, ac a gyffyrddodd yng ngodre mantell yr Iesu yn y sicrwydd y câi wellhad. Clodfori'i ffydd yn yr Iesu oedd o – a thrwy hynny 'i ffydd yn Nuw. Ac fe gymharodd ei ffydd â ffydd yr alcoholig sy'n gwella. Mi ddwedodd o hyn, *'We in the church believe God exists. Alcoholics – and there are eighty thousand of them in Minneapolis tonight – know He exists!'* Dwi'n un o'r *'eighty thousand'* hynny. Wnaiff Duw mo'n siomi. Dwi'n *gwybod* hynny.

Mae gwneud iawn i bobol sydd wedi'u niweidio'n rhan annatod o wellhad unrhyw alcoholig. Mae'n bwysig gwneud iawn i'r bobol hynny sydd wedi marw, hefyd, yn ogystal ag i'r rhai sy'n dal yn fyw. Roedd gen i Mam a Dad ar fy rhestr i, a Mr R. H. Pritchard-Jones, fy mhrifathro. Weithiau mae'n amhosib gwneud iawn i berson oherwydd fod ganddoch chi deimladau negyddol o hyd tuag at y person hwnnw. Felly roedd hi gyda'r prifathro. Y cam cyntaf oedd newid y teimladau hynny. Yn yr achos yma, gweddi oedd yr unig ffordd. Gweddïais y byddai'r prifathro 'yn derbyn yr un bendithion y byddwn i'n eu deisyfu i mi fy hun – a dymunais iddo'r gorau ym mhopeth roedd o'n wneud, ac yn lle bynnag roedd o.' Gweddïais y weddi hon dan ysgyrnygu am rai nosweithiau. Ond o dipyn i beth fe wellodd pethau. Ymhen mis, sut bynnag, roedd fy nheimladau tuag at Pritchard-Jones wedi newid yn gyfan gwbl. Gwelwn ein perthynas mewn goleuni gwahanol, yn un o gamddeall ac yn un o gamddehongli bwriadau'n gilydd. Maddeuais iddo, ac yntau i minnau. Dim ond wedi hynny y gallwn i wneud iawn i'r prifathro. Mi sgwennais i lythyr ato yn ymddiheuro am fy ymddygiad tra oeddwn i yn yr ysgol, ac am fy agwedd tuag ato. Gwnes seremoni fer o losgi'r llythyr yn yr ardd gefn. Gweddïais weddi fer. Ac roedd y cyfan drosodd – a phob malais tuag at fy nghyn-brifathro wedi'i ddileu. Rwy'n ei garu heddiw.

Gwnes yr un peth gyda'm rhieni. Ond fel gyda Bethan a Rwth yn fy achos i, mae'n bwysig bod yn onest a delio gyda rhai agweddau annifyr o'r gorffennol cyn y gellir adeiladu perthynas o'r newydd. Roeddwn i'n flin gyda Mam am rai pethau – am ddefnyddio'i salwch i'm rheoli, am wneud i mi boeni cymaint amdani. Ro'n i'n flin hefo 'nhad, hefyd – am ddisgwyl i mi fod yn rhyw fath o giwrat iddo, ac am roi pwysau arna i i fod yn rhywbeth nad oeddwn i ddim. Dim ond wedi i mi fod yn onest fel hyn y medrais i wneud iawn i'm rhieni – derbyn eu maddeuant a dechrau'u caru go iawn. Roedd fy rhieni yn ffaeledig fel pob un arall ohonon ni – meidrolion ydan ni, wedi'r cyfan. Ac fe wnaethon nhw'r gorau i mi gyda'r hyn oedd ganddyn nhw i'w gynnig ar y pryd. O weld eu ffaeledigrwydd – dechreuais eu caru'n iawn.

Heddiw, mae gen i'r berthynas orau posib gyda'm rhieni. Mae'n un o gariad angerddol, diamod, ac o barch absoliwt. Soniais ar ddechrau'r llyfr 'mod i'n mynd i ardd baradwysaidd yn fy nychymyg wrth fyfyrio. Fy ngardd i ydy hi, ac mi fedra i blannu unrhyw blanhigyn rwy'n dymuno'i blannu ynddi hi. Mae fel 'gardd Eden ger talcen tŷ'. Yno mae fy ffrindiau i gyd – yno mae Mam a Dad, a Mr R. H. Pritchard-Jones. Ac yno mae Duw. Os ydw i angen datrys rhyw sefyllfa, neu ddarganfod yr ateb i ryw ddirgelwch neu'i gilydd, mi af i'r ardd yn fy nychymyg, a holi Duw yn uniongyrchol. Bob amser caf atebiad – un ai o enau Duw neu, cyn diwedd y dydd, o enau rhywun arall. Mae'n wyrthiol sut mae'n gweithio. Ond mae'n gweithio – dyna'r unig beth sy'n bwysig.

Emlyn Davis oedd y nesa ar fy rhestr i wneud iawn iddo. Gwelwn ef mewn achlysuron cymdeithasol yn rheolaidd – roedd o'n perthyn i'r un mudiadau â mi, yn mynychu'r un math o ddigwyddiadau. Roedd pethau rhyfedd yn digwydd, sut bynnag, i'm rhwystro i rhag siarad ag o: gwelais ef ar fore Sul unwaith, a chroesais y ffordd ato i wneud iawn iddo, ond daeth rhywun arall i dorri ar ein sgwrs. Gwelais ef ar y stryd yng Nghaerdydd, dro arall, ond daeth bws rhyngom, ac erbyn i mi groesi'r ffordd tuag ato, roedd wedi diflannu. Mi ddois i i'r casgliad nad oeddwn i'n barod i wneud iawn iddo eto, a bodlonais i aros. Un noson, rai misoedd yn ddiweddarach, sut bynnag, mewn dawns werin yn Neuadd Bentref Pentyrch, cefais gyfle i ymddiheuro i Emlyn am fy ymddygiad yn y gorffennol, a gofynnais iddo am ei faddeuant (er nad yw hynny'n amod wrth wneud iawn, chwaith. Sgubo'n rhan i o'r palmant sy'n bwysig). Sicrhaodd Emlyn fi nad oedd o'n dal dim malais tuag ata i. Yn wir, synnodd fi. Dwedodd wrtha i ei fod o'n fy ngharu i – ac wastad wedi 'ngharu i. Doedd dim iddo faddau, meddai.

A dyna ddylai fod diwedd ar y mater. Ond na. Er i mi wneud iawn i Emlyn, doeddwn i ddim yn teimlo damaid gwell tuag ato. Achosodd hyn broblemau i mi oherwydd ro'n i wedi disgwyl y byddwn i'n cael teimladau o gynhesrwydd tuag ato, fel y digwyddodd gyda'r prifathro a'm rhieni. Roedd rhywbeth mawr o'i le gyda'm gwellhad. Bryn awgrymodd y dylwn i roi caniatâd i mi'n hun i beidio'i hoffi. Eglurodd nad oedd disgwyl i mi hoffi pawb. Gallwn garu pawb – ond nad oedd raid i mi hoffi pawb. Pan wnes i hyn o'r diwedd, yn wyrthiol, disgynnodd pob drwgdeimlad tuag at Emlyn oddi arna i, gan ddisgyn, fel mantell drom, yn rhwydd oddi ar fy ysgwyddau i'r llawr. Digwyddodd mor sydyn ac mor rhyfeddol â hynny. Beth roeddwn i wedi'i wneud, wrth gwrs, oedd derbyn y sefyllfa. A derbyniad (*acceptance*) yw'r ateb i'm holl broblemau! Erbyn heddiw rwy'n gyfeillgar iawn ag Emlyn. Yn bwysicach, rwy'n gyfforddus iawn yn ei gwmni, ac yn meddwl y byd ohono. Emlyn, maes o law, gynhyrchodd y rhaglen *Dechrau Canu Dechrau Canmol* honno pan ges i'r cyfle i ddewis fy hoff emynau rhwng rhannu peth o'm profiad, fy nerth a'm gobaith gyda Huw Llywelyn Davies. Gwnaeth y rhaglen argraff fawr ar rai pobol, mae'n debyg. Os felly, i Emlyn mae'r diolch am hynny. Oherwydd ef a'i golygodd, ac yn y golygu y crisialwyd y neges gref o obaith oedd yn y rhaglen honno.

Mae derbyn y chwerw a'r melys, fel ei gilydd, yn allweddol i fwynhau bywyd cyflawn. Ar ddechrau 'ngwellhad, disgwyliwn i bopeth fod yn felys yn fy mywyd. Os nad oeddwn yn teimlo'n hapus, yn un â'r cread ac yn fodlon gyda'r hyn oedd gen i, roedd rhywbeth mawr o'i le. Roeddwn i fel y plentyn hwnnw oedd eisiau i'r pen lanio wyneb i waered bob tro y taflai ddarn o arian i'r awyr. Os glaniai ar y gynffon, byddai'n anhapus, wedyn, am weddill y dydd. Hapus drwy'r amser, neu ddim – dyna oedd agwedd y plentyn, fel fy agwedd i. Dwi ddim yn cofio pwy dynnodd fy sylw i at y peth, ond dwedwyd wrtha i na fedrai'r plentyn ddim gobeithio meddiannu'r darn pres hyd nes iddo dderbyn y pen a'r gynffon gyda'i gilydd – y melys a'r chwerw. Yn wir, dywedwyd wrtha i mai'r un peth oedd y ddau, mewn gwirionedd. A bod presenoldeb un yn profi bod y gwrthwyneb gerllaw. Heb dderbyn y tlodi yn fy mywyd, fedrwn i ddim profi'r cyfoeth, na'r chwerthin heb y dagrau, nac ychwaith y gobaith heb yr anobaith. Os oeddwn i am feddiannu bywyd yn ei gyfanrwydd, byddai'n rhaid i mi dderbyn bywyd fel ag yr oedd. Dim ond wedyn y gallwn i ei brofi a'i fyw yn llawn – fel roeddwn i eisiau. Heb fod wedi derbyn y chwerw yn fy mherthynas ag Emlyn, fyddwn i ddim, maes o law, wedi dod i fwynhau'r melyster oedd yn gudd yno drwy'r amser.

Adroddodd Bryn stori i brofi'r peth, ac i bwysleisio bod bywyd yn berffaith fel ag y mae. 'Roedd ffarmwr o Hapsburg wedi colli stalwyn gwyn, amhrisiadwy – carlamodd ymaith un bore, a welwyd mohono byth wedyn. Roedd y bobol leol yn galarnadu, 'Ow! Am anlwc!' Y cwbl ddywedai'r ffarmwr oedd, 'Anlwc? Lwc dda? Pwy a ŵyr?' Drannoeth, syrthiodd ei unig fab i lawr clogwyn serth wrth chwilio am y stalwyn, a thorri'i goes mewn tri lle. Galarnadai'r bobol leol drachefn, 'Ow! Am anlwc!' Y cwbl ddywedai'r ffarmwr oedd, 'Anlwc? Lwc dda? Pwy a ŵyr?' Wythnos yn ddiweddarach, dychwelodd y stalwyn gwyn gyda chant a hanner o stalwyni gwyllt o'i ôl – a phob un mor amhrisiadwy â'r gwreiddiol. 'Ow! Am lwc dda!' meddai'r bobol leol. 'Lwc dda? Lwc ddrwg?' meddai'r ffarmwr, 'Pwy a ŵyr?' Fis yn ddiweddarach, cyhoeddodd y brenin fod rhyfel ar ddigwydd rhwng Hapsburg a'u gelynion yn y wlad nesaf. Gorfodwyd pob dyn ifanc dan ddeg ar hugain oed i ymuno â'r fyddin. Ac yn ystod y rhyfel hwnnw, lladdwyd y rhan fwyaf o wŷr ifanc Hapsburg. Wrth gwrs, ni fu'n rhaid i fab y ffarmwr ymuno â'r fyddin: roedd wedi torri'i goes mewn tri lle! 'Ow! Am lwc dda!' meddai'r bobol leol.

'Lwc dda? Lwc ddrwg? Pwy a ŵyr?' Dyna'n unig ddywedai'r ffarmwr. Ac felly mae bywyd yn mynd yn ei flaen, gyda phob digwyddiad yn berffaith, o'i dderbyn.

Cysylltodd Llinos Wyn hefo mi drwy Morfudd Hughes yr

actores a'i chwaer-yng-nghyfraith. Cynhyrchydd gyda'r BBC oedd Llinos, ac roedd eisiau gwneud rhaglen ar alcoholiaeth i Radio Cymru. Fydden ni fel teulu'n fodlon cydweithredu? Nid oedd yn broblem i mi. Rydw i wedi bod yn awyddus i gario'r neges o wellhad o'r cychwyn cyntaf. Felly hefyd Bethan a Rwth; roeddent hwythau'n awyddus iawn i gymryd rhan yn y rhaglen. Nid felly Meira, sut bynnag. Roedd hi'n poeni'n arw beth fyddai ymateb y rhieni yn yr ysgol i'r ffaith fod athrawes y babanod yn wraig i alcoholig.

Roedden ni'n gytûn ar un peth o leiaf – byddai'n rhaid i ni gyd fod yn fodlon cyfrannu i'r rhaglen cyn y bydden ni'n mynd ymlaen hefo'r syniad. Ac er i ni gytuno i recordio'r rhaglen ar wahân, fel bod rhyddid i bawb ddweud yn union yr hyn oeddent am ei ddweud, gyda Meira'n ofni ymateb y rhieni o'r ysgol, doedd fawr o obaith i'r syniad fynd dim pellach. Wn i ddim o ble cafodd Meira'r gwrhydri, ond un diwrnod cyhoeddodd ei bod wedi newid ei meddwl ynglŷn â recordio'r rhaglen. Roedd hi wedi sylweddoli, meddai, ei bod, trwy beidio cymryd rhan, yn cyfrannu at gynnal y stigma a'r rhagfarn tuag at alcoholigion. Ei dymuniad oedd siarad yn onest am beth oedd wedi digwydd yn ein teulu ni yn y gobaith y byddai eraill yn dod i sylweddoli bod ffordd allan o'r salwch, a bod modd profi hapusrwydd wedi'r gyflafan.

Daeth Llinos i Gaerdyd i recordio cyfraniadau Meira, Bethan a Rwth. Recordiais innau fy nghyfraniad yn y gogledd. Ychydig iawn o siarad fu rhyngom wedyn am beth oedd wedi'i ddweud; dim ond bod consensws cyffredinol fod pawb wedi bod yn onest. Pan gyrhaeddodd tâp o'r rhaglen yn y post un bore – roedden ni i gyd yn ofnus iawn. Aethom i'r ystafell wely i wrando ar y tâp. Ddywedodd neb yr un gair yn ystod y rhaglen. Erbyn ei diwedd roedden ni i gyd yn ein dagrau ac yn cofleidio'n gilydd. Roedden ni'n falch ein bod ni wedi cytuno i siarad mor agored am y salwch. O hynny 'mlaen, gallem ddal ein pennau i fyny'n gyhoeddus, heb unrhyw gywilydd.

Bore'r darllediad daeth fy chwaer ar y ffôn i ddweud ei bod wedi crio wrth wrando arno, a bod ambell beth wedi'i styrbio'n arw. Doedd hi ddim yn hapus iawn 'mod i wedi cyfeirio at gaethiwed Mam yn y ffordd y gwnes i, ond roedd yn gefnogol ar y cyfan ac yn meddwl ein bod wedi bod yn ddewr iawn. Ddywedodd Arwel fawr ddim. Mae Arwel yn gwybod 'mod i'n cymryd ei gefnogaeth yn ganiataol.

Er mwyn gwella, wrth gwrs, mae'n rhaid bod yn onest. Mae'n anodd i'r teulu estynedig ddeall a dygymod â hyn. Mae o wedi bod yn gredit tragwyddol i 'mrawd a'm chwaer eu bod wedi ymateb yn y ffordd y gwnaethon nhw.

Cawson ni bedair blynedd pan oedd hi'n un arholiad ar ôl y llall yn ein tŷ ni. Gan fod cyn lleied o fwlch oedran rhwng y gennod, roedd un yn sefyll TGAU neu Lefel A bob blwyddyn am bedair blynedd. Ac mi fuon nhw'n llwyddiannus, y ddwy ohonyn nhw – gyda Bethan yn mynd yn fyfyrwraig i goleg Cerdd a Drama Brenhinol Cymru, fy hen goleg i, a Rwth yn mynd yn fyfyrwraig i Goleg Meddygol Prifysgol Cymru, Caerdydd. Fedra i ddim cymryd unrhyw glod am eu llwyddiant, ond o leiaf rŵan 'mod i ddim yn yfed, doeddwn i ddim yn rhwystr iddyn nhw rhag canolbwyntio ar eu gwaith.

Mae 'na bosibilrwydd bob amser i blant yr alcoholig etifeddu'r salwch. Fel rheol mae pob alcoholig ar ei wyliadwriaeth rhag i hynny ddigwydd. Er, pan ddigwydd, does fawr ddim y gall o 'i wneud i'w rwystro – ond parhau i fod yn esiampl ei hun drwy beidio yfed. Roedden ni wedi sylwi, ers talwm, fod Bethan wedi dechrau ymddwyn mewn ffordd obsesiynol. Mynnai fynd drwy ryw ddefod bob nos wrth fynd i'r gwely, gan godi'n y bore a dilyn yr un rwtîn. Os byddai'n anghofio gwneud rhywbeth, byddai'n gorfod mynd yn ôl i'r cychwyn a dechrau eto. Mynnai boeri drwy'r twll yng nghanol plwg y sinc ar ôl glanhau'i dannedd, neu âi hi ddim i'w gwely. Yr un modd wrth ddringo'r grisiau, byddai'n rhaid iddi daro un llecyn arbennig ar y nenfwd â'i llaw, neu byddai gweddill y diwrnod, credai, wedi'i felltithio. Hynny ydy, roedd yn gadael i amgylchiadau allanol benderfynu sut oedd hi'n teimlo. Dim ond mater o amser fyddai hi, felly, nes byddai'n defnyddio rhywbeth allanol i ddechrau gwneud iddi deimlo'n well.

Fe gyfaddefodd Bethan ei bod yn camddefnyddio bwyd, ar ôl iddi fynd i'r coleg. Mae ymddygiad rhywun felly'n union 'run fath â'r alcoholig – yn dwyllodrus, cyfrinachol, dichellgar ac anonest. Ond roedd y ffaith i Bethan gyfaddef hyn, pan oedd ond yn ei hugeiniau cynnar – o'i gymharu â fi, pan oeddwn i'n bedwar deg pedwar – yn arwydd gobeithiol iawn. Arferai ffonio'n hwyr y nos wedi iddi orfwyta, neu oryfed. Arferwn innau fynd i'w chartref yng Nghaerdydd, wedyn, i siarad hefo hi, a thrio'i chysuro, a chyfleu'r neges o wellhad a gobaith iddi. Wedi i hyn ddigwydd unwaith yn ormod, es i'w gweld un noson a doedd gen i ddim neges arall o wellhad i gario iddi. Y noson honno, neges arall, fwy terfynol, oedd gen i ar ei chyfer. 'Gwranda, Beth,' meddwn wrthi, 'fedra i wneud dim byd arall i dy helpu di. Ma'n rhaid i mi sefyll yn ôl rŵan, a jest edrych arnat ti'n lladd dy hun.' A chyda hynny, mi godais i, rhoi cusan iddi, a dychwelyd adre. Ysgytwodd hynny Bethan. Sylweddolodd, mwya sydyn, ei bod ar ei phen ei hun; nad oedd neb arall yn mynd i'w helpu ac y byddai'n rhaid iddi helpu'i hun. Ar ddiwedd ei thymor olaf yn y coleg, penderfynodd Bethan fynd i TUKES yn Aberystwyth am driniaeth. Hillary, partner Joe South, ofalodd amdani. Ac fe dalodd Bethan am y driniaeth gyfan ei hun (gan iddi fod yn actio am gyfnod ar *Rownd a Rownd* a chyfresi cyffelyb). Yn Aberystwyth, dwi mor falch o fedru dweud, cafodd Bethan afael yn rhywbeth arbennig, hefyd – newidiodd ei bywyd hithau, fel fy un i. Heddiw, mae'n holliach – un dydd ar y tro. Mae hi'n briod gyda'm gweinidog, Gareth Rowlands (pan groesewais ef ar ran yr Eglwys, doeddwn i ddim yn disgwyl iddo ddwyn fy merch!), mae hefyd yn fam i Begw Non ac Efa Grug – ein dwy wyres fach sydd wedi rhoi ystyr a phwrpas newydd i fywydau Meira a minnau. Fel 'trysorau'r byd' mae Taid yn eu disgrifio nhw. Ein dyhead pennaf ni fel teulu, bellach, yw bod y salwch wedi'i rwystro rhag difwyno dyfodol plant ein plant. Ond os digwydd, y newyddion da yw fod ffordd allan ohono. Llwyddodd Bethan a minnau i ddarganfod y ffordd gyfriniol honno, un dydd ar y tro. Ac os gallon ni, gallant hwythau – gyda help Duw.

Galwodd Arwel heibio un diwrnod gyda gwybodaeth am gystadleuaeth rhwng cwmnïau teledu Ewropeaidd i sgwennu drama deledu fer i blant. Oedd gen i ddiddordeb mewn cystadlu? Roedd gen i stori fer y 'porc pei' pan ddygais y *filling* o'i du mewn a gwneud brechdan gydag o, a pheidio cyfaddef hynny, wedyn, pan alwodd Robert Roberts of Portdinorwig i weld beth oedd wedi mynd o'i le gyda'i borc pei. Cytunodd Arwel y byddai'r stori'n gweddu i'r dim. Cefais hwyl ar ei dramadeiddio, hefyd, ac wrth bostio'r cynnig i S4C, roeddwn yn dawel hyderus fod gen i gystal siawns â neb arall o ennill y gystadleuaeth.

Yn fuan wedyn, derbyniais wahoddiad gan Arwel i sgriptio rhaglen ddogfen iddo am Syr Charles Evans, y dringwr enwog gyrhaeddodd o fewn canllath i gopa Everest, a chyn-Brifathro Coleg Prifysgol Cymru, Bangor. Hwn oedd y tro cyntaf i ni weithio gyda'n gilydd. Dwi'n meddwl fod Arwel yn reit hapus gyda'r gwaith. Mae'n rhaid ei fod, oherwydd ymhen dim, gofynnodd i mi gymryd rhan mewn rhaglen ddogfen arall o'i eiddo, am filwr marw o Bedwas a gafodd ei ryddhau o long danfor yn ystod y rhyfel d'wethaf, gyda'i bocedi wedi'u stwffio â mapiau a gwybodaeth ffug, er mwyn camarwain y gelyn. Mwynheais weithio i Arwel. Roedd o'n ddechrau'r daith at gael gwireddu 'mreuddwyd o gael cydweithio gydag o ar brosiectau mwy.

Yn dilyn gweithdy yng Nghaerdydd gyda chwmni theatr Dalier Sylw ar ddwy ddrama, *A View from the Bridge* gan Arthur Miller a *Siwan* gan Saunders Lewis, o dan gyfarwyddyd meistrolgar Bethan Jones, penderfynodd yr actores Morfudd Hughes a fi wneud cais i Gyngor Celfyddydau Cymru am nawdd i gael llwyfannu *Siwan* yn ei chyfanrwydd. Roedd Morfudd wedi bod ar gwrs yn Llundain i feistroli technegau newydd o gyfarwyddo, '*the science of acting*', ac roedd yn awyddus iawn i gael cyfle i'w hymarfer yn broffesiynol. Cynghorodd Wilbert Lloyd Roberts ni gyda'r cais ac, wrth gwrs, buom yn llwyddiannus.

Er hwylustod, trefnwyd mai cyd-gynhyrchiad fyddai'r cyflwyniad rhwng Theatr Gwynedd a Theatr y Dyfodol, sef yr enw roeson ni arnon ni'n hunain. Byddai Theatr Gwynedd yn gweinyddu'r cynhyrchiad ar ein rhan a threfnu'r daith. Er nad oedd gynnon ni lawer o gyllid, llwyddwyd i roi cynhyrchiad digon dethe at ei gilydd, a daeth cynulleidfaoedd sylweddol i'n gwylio ar daith fer o amgylch Cymru. Roedd y dull o weithredu'n newydd i ni, gyda Morfudd Hughes yn herio'r actorion, Rhian Morgan, Ryland Teifi, Sara Lloyd a minnau, i anghofio'n hen ddulliau, ac i ymddiried yn y gwahanol a'r newydd. Mae newid bob amser yn boenus i bawb. Mae'n gofyn i ni ffarwelio hefo'r cyfarwydd a mentro. Ac, wrth gwrs, mae'r ffrwyth mwyaf blasus, aeddfetaf, bob amser ar y brigyn uchaf, yr un anoddaf cyrraedd ato. Mae'n rhaid mentro bob amser er mwyn cyrraedd hwnnw.

'Nôl yng Nghaerdydd roedd Arwel wedi'n gwahodd i ginio blynyddol BAFTA. Dyma'r tro cynta i Meira a fi fod mewn cinio ysblennydd o'r fath. Cwestiwn sy'n cael ei ofyn i mi'n aml yw sut y mae dyn yn gallu wynebu sefyllfa felly lle mae'r ddiod, yn naturiol, yn llifo? Yn y lle cyntaf, rhaid sicrhau 'mod i'n mynd yno am y rheswm iawn. Wedyn, gwnaf yn siŵr fod gen i ddihangfa rhag ofn i mi deimlo'n anghyfforddus ac angen gadael ar frys. Mae hynny'n golygu mai fi fydd yn gyrru, fel 'mod i ddim yn gorfod dibynnu ar neb arall. Byddaf hefyd yn cymryd cyfrifoldeb dros yr hyn rwy'n ei yfed, gan wrthod derbyn diodydd ysgafn gan neb heb i mi weld yn union beth sy'n cael ei roi yn fy ngwydryn. A thrwy gydol y noson byddaf yn cadw llygad barcud ar fy ngwydryn rhag ofn iddo gael ei gyfnewid yn ddamweiniol am wydryn rhywun arall. Rwy hefyd yn osgoi bwydydd sy'n cynnwys alcohol. Mae dyn ar bigau'r drain ar adegau fel hyn oherwydd er fod yr ysfa i yfed wedi'i chymryd oddi arna i, mae gofyn i mi fod ar fy ngwyliadwriaeth drwy'r amser. Gwn y byddai chwarter llond llestr wy o alcohol yn ddigon i'm lladd. Mae'r rhestr uchod yn swnio'n ddramatig a thrafferthus, efallai, ond erbyn hyn, maent yn ail natur i mi.

Ond i ddychwelyd at ginio blynyddol BAFTA. Roedd hi'n noson fythgofiadwy. Yn ystod egwyl yn y gweithgareddau, cefais air â Meirion Davies, comisiynydd rhaglenni plant a phobol ifanc

S4C. Roeddwn i wedi anghofio popeth am y ddrama fer i blant a'r gystadleuaeth Ewropeaidd. Gofynnodd i mi pryd sgwennais i'r ddrama? Eglurais mai rhywbeth brysiog oedd y sgript fel ymateb i gais gan Arwel. Erbyn deall, roedd Meirion yn un o'r beirniaid. Dywedodd fod *Porc Pei* wedi cyrraedd y rhestr fer o'r tair orau yn Ewrop, ond oherwydd gwleidyddiaeth pethau, nad oedd wedi'i gwobrwyo. Cynghorodd fi i gynnig y syniad o'r newydd i S4C. Roedd ganddo ffydd, meddai, y byddwn yn derbyn comisiwn i'w throi'n ffilm.

Trwy gyd-ddigwyddiad derbyniais y comisiwn ffurfiol yr un pryd ag y cafodd Angharad Jones ei phenodi'n Gomisiynydd Drama S4C. Erbyn hynny, ro'n i wedi derbyn comisiwn i sgwennu drama i Theatr Powys, hefyd. *Gwin Coch a Fodca* fyddai teitl honno, a byddai'n olrhain fy nhaith i waelodion alcoholiaeth. Ro'n i'n meddwl fod Theatr Powys wedi bod yn ddewr iawn yn cynnig comisiwn i mi; teimlais fod yna gefnogaeth gan bawb yn y cwmni tuag at y syniad. Roedd eu hagwedd tuag at alcoholiaeth, a'u dyhead i ddysgu mwy amdano, fel chwa o awyr iach.

Rhoddodd y prysurdeb newydd yma gyfle i mi roi heibio fy arferiad o bobi bara. Ers i mi adael Rhoserchan ro'n i wedi bod yn pobi bara cartref ddwywaith bob wythnos. Fy rheswm dros wneud hynny oedd i'm cadw i allan o ddistryw ar un o adegau peryclaf y diwrnod i mi – yn syth wedi cinio. Dyna'r amser, yn yr hen ddyddiau, yr arferwn ildio i demtasiwn a mynd i'r dafarn leol i ddechrau yfed. Cadwodd y pobi bara fi o'r peryg hwnnw am gyfnod hir iawn, nes 'mod i'n gryfach. Y drafferth oedd bod pawb yn y tŷ wedi cael llond bol ar fwyta bara cartref erbyn hynny, a bod pob rhewgell a rhewgist yn llawn dop o fara. Bu'r pobi'n help pan rois y gorau i ysmygu, hefyd. Erbyn y diwedd, smociwn dros hanner cant o sigarennau bob dydd; byddwn wedi mygu fy hun i farwolaeth petawn i heb roi'r gorau iddi. Helpodd y pobi bara fi drwy gymryd fy sylw oddi ar y sigarét nesaf. Bu'n help hefyd wrth i mi benderfynu peidio cymryd *caffeine* fel rhan o'm deiet. Wrth i mi lanhau pob cemegolyn estron o'm corff bu'r pobi bara'n gymorth hawdd ei gael bob amser. Gyda'i ddefnyddioldeb wedi dod i ben, felly, a phethau amgenach wedi dod i gymryd fy sylw, rhois heibio'r arferiad a chanolbwyntio ar fy nghyfrifoldebau newydd.

Ro'n i wedi colli'r plot yn gyfan gwbl mor bell ag oedd sgript y ffilm *Porc Pei* yn y cwestiwn. Am ryw reswm, penderfynais y byddai'n drasiedi fawr fyddai'n olrhain bywyd trist Kenneth (fy hunan arall i) drwy losgach, a phob math o drychinebau dyrys eraill, gan ddiweddu gyda'n harwr yn cyflawni hunanladdiad drwy lyncu tabledi cysgu'i fam! Cyflwynais y sgript i S4C gyda chopi ohoni i 'mrawd. Ddwedodd neb fawr ddim am wythnosau. Yn y diwedd, roedd un sylw gan Angharad Jones yn ddigon i ddangos i mi ffolineb fy ffyrdd. 'Rwt ti'n sylweddoli fod y ffilm yn mynd i gael ei dangos noswyl y Nadolig, wyt ti, Wynford?'

Dechreuais o'r dechrau eto. Y tro yma comedi fyddai'r ffilm – fel y'i bwriadwyd yn y lle cyntaf. Bûm wrthi'n ddygn am dair wythnos yn saernïo sgript newydd fyddai'n adlewyrchu fy newid agwedd. Ro'n i'n reit falch ohoni, nes i mi gyfarfod Angharad, Arwel a Gruffudd Jones, y golygydd sgriptiau, mewn caffi Eidalaidd yn y dre. Chofia i ddim byd am y pryd bwyd. Darniwyd fy sgript o'r dechrau i'r diwedd gan y tri. Ac roedd pob beirniadaeth fel cyllell yn torri i'r byw, ac yn difetha hynny o hyder oedd gen i ynof fi'n hun fel sgwennwr. Chofia i fawr ddim ddywedwyd wrtha i, chwaith – ar wahân i linell Angharad wrth iddi adael, 'Rhaid i bopeth droi o gwmpas y porc pei!'

Roeddwn i wedi anobeithio'n llwyr wedi hynny. Bytheiriais yn erbyn Duw, a'i feio am ddifetha 'nghyfle euraid. Ro'n i wedi dychmygu y byddai'r sgript yn fy ngosod i ar fy nhraed o'r diwedd, wedi holl fethiannau'r gorffennol. Beth wnawn i rŵan? Doedd gen i ddim syniad i ba gyfeiriad i droi. Penderfynais sgwennu'r ddrama lwyfan i Theatr Powys a gadael i *Porc Pei* fynd i'r diawl.

Wrth lwc, daeth y ddrama *Gwin Coch a Fodca* yn weddol rwydd. Roedd rhywbeth cathartig ynghylch ei sgwennu. Wyddwn i ddim sut y byddai pobol yn ymateb i'r gwirioneddau oedd ynddi, a phoenwn yn fawr beth fyddai ateb fy mrawd a'm chwaer iddi. Ond, wrth gwrs, fel gyda phob ofn arall erbyn hynny, defnyddiwn hwynt fel rheswm i weithredu, ac nid fel esgus i beidio.

Rhoddodd y ddrama gyfle i mi ddechrau gwneud iawn i Mici Plwm, hefyd, am fy ymddygiad tuag ato yn y gorffennol. Mae dweud 'sori' yn rhywbeth sy'n dod yn hawdd iawn i alcoholig. Mae newid agwedd, a gweithredu'n wahanol tuag at y person hwnnw, yn anoddach peth i'w wneud o beth coblyn. O'r herwydd, mae'n golygu llawer iawn mwy yn fy marn i. Penderfynais wneud popeth i helpu Mici o'r foment honno 'mlaen, a gwnes yn siŵr mai ef fyddai'n cael y cyfrifoldeb o gyfarwyddo *Gwin Coch a Fodca*. Bu'r profiad, mi wn, yn fwynhad mawr iddo.

Teithio i gyfeiriad Abergwaun oedd Meira a mi ar y pryd. Roeddwn i wedi derbyn na fedrwn i gwblhau comisiwn *Porc Pei* erbyn hyn. Mater o ladd amser oedd hi bellach, nes y byddwn i'n gorfod cyfaddef i Angharad Jones nad oedd yr ysbrydoliaeth wedi dod. Gwelsom arwydd 'coffi ffres' ger tafarn oddi ar y brif ffordd, a phenderfynu oedi yno am baned. Yn sydyn, wrth aros i'r coffi gyrraedd daeth y ffilm i 'mhen, un olygfa ar ôl y llall. Roedd Meira a minnau'n sgwennu ar ddarnau o fatiau cwrw fel ffyliaid gwirion. Roedd o'n anhygoel. Ac erbyn i ni adael y dafarn y bore hwnnw, hanner awr yn ddiweddarach, roedd y ffilm yn gyflawn gyda phob cymeriad a phob ystryw yn ei le. Wrth gwrs, bu'n rhaid i mi ychwanegu ychydig o ddeialog yma ac acw, ond o fewn yr wythnos roedd y sgript derfynol yn barod. Pleser oedd clywed ymateb canmoliaethus Angharad Jones iddi. Oherwydd nid fy sgript i oedd hi. Rhodd oedd hi a ddaeth yn berffaith ac yn gyflawn oddi wrth Dduw.

Roedd y profiad yma'n bwysig iawn i mi. Oherwydd effeithiodd ar fy ffordd i o weithio i'r dyfodol. Erbyn hyn, tydw i'n gwneud dim o'r gwaith. Wrth ddechrau sgriptio ar fore Llun, does gen i ddim un syniad yn fy mhen beth yw'r stori i fod am y bennod arbennig honno. Rwy'n agor fy hun i'r Drefn ac yn ymddiried y daw pethau. Erbyn prynhawn dydd Mawrth, yn ddiffael, mae'r sgript gen i'n barod i'w theipio. Yn ystod y gyfres gyntaf o *Porc Peis Bach*, newidiwyd ond un reg mewn pedair awr o deledu. Newidiwyd dim byd arall – roedden nhw'n dderbyniol fel ag yr oedden nhw. Roedden nhw'n berffaith, ddudwn i, oherwydd nid fy ngwaith i oedden nhw. Rhodd oeddynt, a hyd heddiw mae'n ddirgelwch i mi sut mae'r holl beth yn gweithio.

Paul Turner gafodd y gwaith o gyfarwyddo'r ffilm *Porc Pei*. Roedd yn enwog oherwydd ei ffilm arobryn, *Hedd Wyn*, ac roedd hi'n fraint i'w gael o'n cydweithio gyda Siân Davies (y cynhyrchydd), Arwel a fi. Y fraint fwyaf, wrth gwrs, oedd fy un i wrth i mi wireddu'r freuddwyd o gael cydweithio gydag Arwel, oherwydd ei gwmni e, Cambrensis, fyddai'n cynhyrchu'r ffilm.

Cefais wahoddiad i'r gogledd i ddewis pwy fyddai'n portreadu Kenneth Robert Parry, arwr y ffilm gyfan. Cythraul deng mlwydd oed mewn trowsus byr oedd o i fod, ac roedd dau actor i mi ddewis rhyngddynt yn ysgol Glanaethwy, ger Bangor. Siôn Trystan Roberts, ŵyr i'r actor W. H. Roberts, ddewiswyd ar gyfer y rhan. Wel, fo ddewisodd ei hun, deud y gwir. Roedd o'n wych, fel mae miloedd wedi tystio i'w berfformiadau meistrolgar fel Kenneth ar hyd y blynyddoedd. Dros y misoedd yn arwain at y ffilmio ro'n i wedi poeni'n arw a fydden ni'n llwyddo i gael actor digon da i bortreadu'r rhan ai peidio. Roedd popeth yn dibynnu arno – roedd y cymeriad yn ymddangos ymhob golygfa yn y ffilm, bron. Sicrhaodd Angharad Jones fi y byddai actor addas yn ymddangos mewn pryd. Doedd ganddi ddim amheuaeth am hynny. Roedd gweld gwireddu'r sicrwydd hwnnw, a chael cyfarfod â Thrystan yn y corff y prynhawn hwnnw, yn brofiad na wna i ddim mo'i anghofio. Roedd o'n gymaint rhan o'r jig-so rhyfeddol yma ag oedd y ffordd y cyflwynwyd y sgript gyfan i mi dros goffi, yn y lle cyntaf. Roedd o'n berffaith ar gyfer y rhan.

'Nia Caron yw Dilys!' Arwel fy mrawd ddywedodd hynny. 'Mae'n debycach i Mam na Mam ei hun!' Roeddwn i wedi seilio cymeriad egsentrig Dilys, gwraig y gweinidog, ar gymeriad Mam. Ac roedd Nia'n gallu'i phortreadu i'r dim. Mae dawn Nia fel actores yn un ryfeddol. Hebddi hi yn y rhan fyddai'r ffilm ddim wedi llwyddo i'r un graddau. Mae arna i ddyled bersonol fawr i'r ddau actor arbennig hyn. Gyda Trystan, rwy'n grediniol y bydd ei gyfraniad ef i fyd y theatr, ffilm a theledu yng Nghymru yr un mor amhrisiadwy ag un Nia – os nad mwy, felly. Mae ganddo ddyfodol disglair o'i flaen fel, yn wir, sydd gan y bobol ifanc eraill oedd mor allweddol i lwyddiant y ffilm (a'r cyfresi, maes o law): Gareth Wyn Roberts (Huw'r Ddôl), Huw Alun Ffowcs (Cwy), Anwen Hâf Ellis (Helen), Siwan Menai Jones (Linda), Osian Elis Holland (Glymbo Rêch), Lisa a Nathan Patel (Sumera a Rani Pwnjabi), Lowri Hughes (Arabella) a Gwenno Gibbard.

Ffilmiwyd y ffilm gyfan mewn deuddeng niwrnod. Ar ddiwedd pob dydd byddai gwahoddiad i mi fynd i wylio'r *rushes*, hynny ydy, cynnyrch y diwrnod blaenorol. Bob dydd cawn fy hun yn gwrthod y gwahoddiad. Un diwrnod, sut bynnag, roeddwn i wedi newid fy meddwl. Ar fy ffordd i bencadlys Ffilmiau Eryri yn y Felinheli, lle dangosid y *rushes*, oedais i ystyried y rheswm am y newid meddwl. Yr hyn oedd yn wahanol y noson honno i bob noson arall oedd fod Angharad Jones, y Comisiynydd Drama, yn mynd i fod yno. Sylweddolais 'mod i'n mynd yno am reswm arall ar wahân i wylio'r *rushes*! Gwyddwn fod y gwaith yn dda, a gwyddwn, felly, y cawn ganmoliaeth gan Angharad wedi iddi weld y *rushes*. Pan sylweddolais beth oedd fy nghymhellion i dros fynd, cymerais y troad nesaf am Ddinas Dinlle, a threulio gweddill y noswyl braf yn cerdded ym mhrydferthwch y rhan hyfryd honno o Wynedd.

Byddai ambell un yn meddwl fod gweithredu felly'n bod yn ddiangen o galed arna fi fy hun. Efallai wir. Ond mae sobrwydd alcoholig ar ei fwyaf brau pan mae'i ego, yr hunan, yn cael ei fwytho. Dinistrio'r ego yw nod pob alcoholig. Hynny'n unig sy'n diogelu'i sobrwydd hir-dymor o. Roedd delio hefo llwyddiant yn faes tramgwydd newydd i mi.

Pan ddangoswyd y ffilm yng Nghaerdydd, roeddwn i wedi cael cyfle i gynefino hefo'r newid yn fy mywyd. Doedd y cymylau duon ddim wedi llwyr ddiflannu eto; roedd gen i ddyledion o hyd. Ond o leiaf, roedd y bygythiad o golli'r tŷ wedi'i symud. Roeddwn i'n ffodus mewn ffordd arall, hefyd. Os byddwn i'n dechrau colli cysylltiad â realaeth, ac anghofio beth oeddwn i, byddai Meira neu un o'r gennod yn f'atgoffa'n fuan iawn. Erbyn hynny, roedd gen i rwydwaith gefnogol gref, hefyd, a digon o bobol i droi atynt am gymorth parod. Ac wrth gwrs, roedd wastad enghreifftiau dychrynllyd i'm hatgoffa o'r hyn sy'n digwydd i bobol sy'n meddwl fod yr atebion i gyd ganddyn nhw. Bûm mewn sawl cynhebrwng yn claddu rhai felly wedi iddynt yfed eto.

Bu'r ymateb i ddangosiadau o'r ffilm yng nghanolfan Chapter, Caerdydd, ac yn Theatr Gwynedd yn y gogledd, yn ffafriol dros ben. Methais fynd i'r noson agoriadol ym Mangor; aeth Meira yn fy lle. Roedd gen i waith arall ar y gweill 'run pryd – dwi'n licio meddwl amdano fel enghraifft arall o Dduw yn gofalu amdanaf! Cafwyd ymateb cadarnhaol i'r darllediad cyntaf ar S4C noswyl Nadolig 1998, hefyd. Mae'n debyg bod y ffigyrau gwylio'n dda, a'u bod yn profi fod yna gyfartaledd uchel o'r teulu cyfan wedi'i gwylio. Dyna ydy apêl fawr *Porc Peis* wedi bod ar hyd y blynyddoedd i S4C – ei bod yn apelio ar draws ystod eang o oedran.

Gwobrwywyd y ffilm yn yr Ŵyl Ffilm Ryngwladol yn Würzburg, yr Almaen. Treuliodd Meira a fi benwythnos hir yno, a chawsom amser wrth ein bodd yng nghwmni Martin Zoppic, un o'r trefnwyr. Cyn cyhoeddi enillydd prif wobr yr ŵyl, sut bynnag, digwyddodd rhywbeth rhyfedd iawn. Mae'n debyg bod seiciatrydd reit enwog o'r Eidal yn ystyried ei hun yn dipyn o gyfarwyddwr ffilm, ac roedd wedi cystadlu yn yr ŵyl gyda ffilm ddiflas o'i eiddo, am gwpwl ar daith bywyd. Ei dric, er mwyn sicrhau y byddai'n ennill, oedd llenwi'r sinema gyda'i gleifion seiciatryddol, a'u cael i bleidleisio o blaid ei ffilm ef. Sylweddolodd y trefnwyr beth oedd yn digwydd, a gwaharddwyd y seiciatrydd o'r gystadleuaeth. Y foment honno, cododd tua dau gant o'r cleifion yma gan brotestio'n llafar iawn, a gadael y sinema, gyda'i gilydd. Dyfarnwyd *Porc Pei* yn ffilm orau'r ŵyl yng nghanol y miri yma. Un o brofiadau gorau fy mywyd oedd cael ffonio Arwel, wedyn, i ddweud wrtho ein bod wedi ennill y brif wobr. Yn ein menter gynta gyda'n gilydd roedden ni wedi taro'r jacpot.

Enwebwyd fi am wobr BAFTA fel yr awdur gorau – ddwy waith, mewn gwirionedd. Dwi heb ennill eto – ond byddai'n braf cael gwneud ryw ddydd, pe bai ond er mwyn cael talu'r clod haeddiannol i Awdur y cwbl oll. Cefais fy ethol yn aelod o'r Academi Gymreig, hefyd – arwydd fod y sefydliad yn dechrau maddau i mi. Mae'n rhyfeddod y mendio sy'n digwydd pan mae'r alcoholig yn rhoi'r gorau i yfed!

Roedd cynhyrchiad Mici Plwm o *Gwin Coch a Fodca* yn barod i deithio neuaddau Cymru. Daeth Arwel a Margaret, Merêd a Phyllis, rhai o staff Rhoserchan a ffrindiau i'r noson agoriadol yng nghanolfan Glannau Gwy yn Llanfair ym Muallt. Bu'r ymateb yn ffafriol, ar y cyfan – er i ambell feirniad ei chyhuddo o beidio bod yn ddrama yng ngwir ystyr y gair. Efallai wir. Ond yr hyn oedd yn bwysig i mi oedd fy mod i wedi llwyddo i godi peth o gwr y llen ar afiechyd alcoholiaeth – cwr yr ydw i, gobeithio, wedi medru'i godi ymhellach gyda'r llyfr yma. Oherwydd ffynnu mewn anwybodaeth mae'r salwch.

Gwnes addasiad radio o'r ddrama ar gais y cynhyrchydd, Aled Jones, i Radio Cymru, wedyn. Darlledwyd honno ar nos Sul yr unfed ar ddeg o Hydref 1998. Daeth mwy fyth i adnabod y salwch yn well.

Wrth i mi dderbyn cadarnhad ar ddechrau 1999 gan benaethiaid S4C o'u bwriad i gomisiynu cyfres ddrama newydd wedi'i seilio ar gymeriadau'r ffilm *Porc Pei* a bod Arwel a fi'n mynd i fod yn cydweithio am beth amser i'r dyfodol, daeth y newydd i mi gael fy newis i fod yn un o noddwyr y ganolfan driniaeth yn Rhoserchan. Anrhydedd yn wir! Ac nid cyd-ddigwyddiad mohono. Digwyddodd i'm hatgoffa i fod y cynnwrf newydd a'r llwyddiant yn fy mywyd i wedi digwydd oherwydd, ac nid ar waetha'r ffaith 'mod i'n alcoholig, a 'mod i wedi gofyn am help. Llanwyd fi â gwerthfawrogiad newydd o'r hyn oedd wedi'i roi i mi mor rhad, a deallais arwyddocâd y sylweddoliad yn glir: er y llwyddiant proffesiynol yn fy mywyd i, fy mhrif bwrpas o hynny 'mlaen fyddai cario'r neges a helpu eraill i gyrraedd sobrwydd.

EPILOG
(1999–)

Yn fy ngwellhad mae gen i lwybr cul iawn i'w droedio erbyn hyn. Ond mae gen i ganllawiau pendant i'm helpu. Yn debyg iawn i sut mae'r gynghanedd mewn barddoniaeth gaeth yn hwyluso'r mynegiant, felly hefyd mae'r canllawiau hyn yn hwyluso 'nhaith innau i wynfyd. Canllawiau ydyn nhw sydd wedi'u hadeiladu ar dair ffaith berthnasol: fy mod i'n alcoholig, ac na fedra i reoli fy mywyd fy hunan; na fedr unrhyw bŵer meidrol fy rhyddhau o'm halcoholiaeth, ond bod Duw yn gallu; a'i fod O am wneud hynny dim ond i mi adael iddo.

Mae Duw'n rhoi arwyddion clir i mi ynglŷn â sut i ymddwyn. Mae gwneud y pethau anghywir yn rhoi'r canlyniadau anghywir i mi – a phoen emosiynol dirdynnol. (Os dweda i gelwydd heddiw, cha i ddim tawelwch meddwl; byddaf mewn gwewyr meddyliol annioddefol am ddyddiau.) Drwy wneud y pethau iawn, sut bynnag, rwy'n cael y canlyniadau iawn: tawelwch meddwl, hunan-barch, parch a chariad fy nheulu a'm ffrindiau, a llwyddo'n broffesiynol – sy'n cyfrannu at fy hunan-werth. Rwy am gydnabod cyfraniad amhrisiadwy 'nheulu a'm ffrindiau, yn bersonol ac yn broffesiynol, i'r broses hon.

Wrth sgwennu'r llyfr hwn, sylweddolais fod Geraint Stanley Jones yn ymddangos fwy nag unwaith ynddo. Edrychais ar y rhesymau am hynny, a sylweddoli 'mod i'n dal dig o hyd tuag ato. Cefais y gwrhydri o rywle i drefnu cyfarfod ag o, a thros baned yn ei swyddfa yn y Bae, fe dreulon ni awr a hanner yn siarad am bethau. Eglurodd mai rhesymau polisi ac nid unrhyw resymau personol (fel y tybiwn i) oedd wrth wraidd ei benderfyniadau i ddileu rhai o'm rhaglenni dros y blynyddoedd. Cawsom gyfle i drafod nifer o bethau, a chywiro nifer o gamsyniadau. Erbyn diwedd ein sgwrs, ro'n i wedi gwneud iawn iddo am ddal dig tuag ato cyhyd. Ro'n i hefyd, drwy fod yn onest, wedi llwyddo i wneud ffrind newydd.

Digwyddod rhywbeth tebyg gyda Huw Jones, Prif Weithredwr S4C. Pan benodwyd Huw i'r swydd honno, ro'n i wedi dod i'w barchu'n fawr. Bu'n garedig tuag ata i ar sawl achlysur ar lefel bersonol, ac ro'n i'n meddwl fod popeth yn iawn rhyngom. Sut bynnag, yn ystod cinio gwobrwyo BAFTA, daeth Huw draw i'm llongyfarch oherwydd fod Carolyn Buchanan, y ferch sy'n cynllunio'r gwisgoedd ar *Porc Peis Bach*, wedi derbyn gwobr am ei gwaith. Yn sydyn, wrth i Huw siarad hefo mi, teimlais yn union fel y teimlwn pan o'n i'n yfed: yn methu meddwl am ddim byd i'w ddweud wrtho; yn llawn ofnau, ac yn teimlo'n llai na fi'n hun. Dyma be dwi'n ei olygu wrth ddweud fod y salwch yn gydymaith da i mi. Mae'n dweud wrtha i'n glir pan mae rhywbeth o'i le, a phan mae angen gweithredu i wella pethau yn fy mywyd. Erbyn sylweddoli, ro'n i'n dal i ddal dig yn erbyn Huw am iddo'n rhwystro i rhag ymuno â'r consortiwm a sefydlodd Barcud, yr holl flynyddoedd hynny'n ôl, ac am gymryd drosodd fy swydd (fel y tybiwn i) yn cyflwyno'r rhaglen radio *Enfys*. Gwyddwn na chawn dawelwch meddwl nes i mi wynebu'r broblem a gwneud rhywbeth yn ei chylch. Ar y dydd Mercher canlynol, cerddais i mewn i swyddfa Huw Jones ac, er fod fy nghalon i'n curo'n wyllt gan ofn, llwyddais i egluro iddo beth oedd y rheswm dros fy ymweliad, a gwnes iawn iddo yntau, wedi'r holl flynyddoedd, gan buro ychydig mwy ar ffrwd fy mywyd.

Roeddwn i wedi cael cyfweliad ar gyfer bod yn aelod o Gyngor Celfyddydau Cymru. Aeth y cyfweliad yn dda, ac ro'n i'n reit obeithiol y byddai 'ymarferwr' yn cael ei benodi i'r Cyngor am unwaith. Chefais i mo'r swydd, sut bynnag, ond derbyniais lythyr oddi wrth gadeirydd y panel penodi yn ymddiheuro 'mod i heb gael fy newis, ac yn egluro mai rheswm daearyddol oedd yn gyfrifol: bod rhaid iddynt roi'r flaenoriaeth i ymgeisydd o ran llai poblog o Gymru. Pan ddigwydd peth fel hyn, fy ymateb parod i bob amser yw dweud bod rhywbeth gwell ar ei ffordd i mi. Y rhywbeth gwell y tro yma oedd y newyddion fod Cyngor Celfyddydau Cymru am benodi bwrdd o ymddiriedolwyr i sefydlu Theatr Genedlaethol i Gymru yn yr iaith Gymraeg.

Roedd y penderfyniad hwn fel ateb i weddi i lawer ohonom. Gyda'r hinsawdd yn berffaith, byddai'n ofynnol i bobol roi siomedigaethau'r gorffennol a'u hagweddau negyddol tuag at Gyngor Celfyddydau Cymru o'r neilltu, a gweithredu'n gadarnhaol i wireddu'r freuddwyd. Am y tro cyntaf yn hanes y theatr Gymraeg, byddai arian sylweddol, bron i filiwn o bunnau'n flynyddol, ar gael i osod y theatr newydd ar seiliau cadarn. Yn bwysicach, roedd yna ewyllys da anghyffredin oddi wrth yr ymarferwyr, y sefydliadau a'r Cynulliad i'r fenter. Erbyn hyn, mae deuddeg ohonom, o dan gadeiryddiaeth Lyn Jones (fy nghyd-weithiwr o'r gorffennol), yn blasu'r wefr o gael sefydlu Theatr Genedlaethol newydd sbon i Gymru. Gyda phenodiad yr eneiniedig Cefin Roberts i swydd y Cyfarwyddwr Artistig (a gallem fod wedi penodi unrhyw un o'r tri oedd ar y rhestr fer, ond mai Cefin oedd â'r weledigaeth gliriaf), mae'r broses gyffrous hon eisoes wedi mynd ffordd bell i gael ei gwireddu. Mae'n braf cael chwarae fy rhan yn llawn yn natblygiad pethau.

Yn ystod y blynyddoedd diwethaf rydw i wedi colli Bryn, fy noddwr i, a Graham Laker – dau a helpodd fi'n fawr iawn yn eu gwahanol ffyrdd. Cefais y fraint o dalu teyrnged i'r ddau yn ystod eu hangladdau. Ond fy mraint fwyaf i gyda Bryn, oedd ei wylio'n wynebu'i ofn olaf, ei ofn o farwolaeth. Rhyfeddais at y broses o wellhad. Mae'n mynd ymlaen reit hyd at yr eiliad olaf. Cyn i Bryn farw roedd ei enaid yn llonydd. Y llonyddwch perffaith hwnnw sydd ond yn dod i ran dyn pan mae wedi dod i adnabod ei hun yn gyflawn, a'i holl ofnau wedi'u concro. Mae'r eiliadau olaf yn gallu bod mor bwysig yn y broses o dyfiant ysbrydol. Wiw i ni ymyrryd â hi.

Gyda Graham, fy mraint oedd cael cymryd rhan mewn cynifer o'r dramâu a gyfarwyddodd. Ymhell cyn i mi sobri bu Graham yn gefn i mi. Gŵr bonheddig oedd Graham Laker, un o'r bobol hynny sy'n cyfoethogi'ch bywyd chi, ac yn gwneud ichi deimlo'n well o fod wedi'i adnabod o, a bod yn ei gwmni. Mae Duw wedi bod yn dda hefo mi, fel yna. Mae o wedi rhoi unigolion arbennig iawn yn fy mywyd, yn actorion ac yn dechnegwyr rhy niferus i'w henwi yma. Yr unig eithriadau rydw i am eu gwneud yw enwi rhai o'r bobol sy'n ymwneud â *Porc Peis Bach*. Angharad Jones, i ddechrau – fy nghomisiynydd, a'r un a'm helpodd i gynnal safonau. Un arall yw Hugh Thomas, cyfarwyddwr glew sy'n gyfrifol am ddelwedd y cyfresi a'u ffresni. Ac yna Chris Lawrence, golygydd o athrylith. Mae'u cael nhw'n gweithio ar fy nghreadigaethau i wedi bod yn un o'r bendithion hynny sy'n gwneud dyn yn ostyngedig. Ac wrth gwrs, mae'r diweddar Ian Eryri Jones, cynhyrchydd y cyfresi hyd at y llynedd, pan fu farw'n frawychus o ifanc. Mae fy nyled yn fawr iawn iddo am ei ymroddiad a'i arbenigrwydd hyd at y diwedd un. Melys y coffa amdano.

Mae 'mrawd a'm chwaer yn agosach ata i heddiw nag y buon nhw erioed. Mae Meira a minnau'n treulio tipyn o amser yng nghhwmni Rowenna a Rheinallt, ei gŵr, ac Arwel a Margaret, ei wraig. Rwy'n cael cydweithio gydag Arwel hefyd, sy'n fonws. Ar ei ddychweliad o'r ysbyty'n ddiweddar, wedi iddo gael dau ben-glin newydd, ac ar achlysur ei ben-blwydd, cyfansoddais englyn iddo. Wedi i mi ei adrodd i Angharad Jones yn ddiweddar, ychwanegais 'mod i'n parchu Arwel yn fawr iawn. 'Rwyt ti'n 'i garu o ti'n feddwl, Wynford!' meddai.

'Yndw,' meddwn innau, 'dwi'n 'i garu o.'

> Y brawd ar benliniau brau – a safodd,
> A sefyll ar achau
> Ei dad; ac roeddent eu dau,
> Yn ddau oedd imi'n dduwiau.

Mae'n siŵr y byddai Gerallt Lloyd Owen yn gallu gweld digon o frychau yn yr englyn, ond fel gyda phopeth arall yn fy mywyd i heddiw, datblygiad sy'n bwysig, nid perffeithrwydd.

Ac mae'n rhyfedd fel mae'n rhaid i bob alcoholig sy'n gwella ailymweld â rhai digwyddiadau o ddyddiau'i yfed. Wn i ddim pam fod hyn yn digwydd. O bosib, er mwyn rhoi cyfle i'r alcoholig gywiro'i ymddygiad yr ail dro, a gwneud pethau'n iawn. Dyna pam nad oes gen i unrhyw amheuaeth y caf gyfle i gyfarwyddo eto yn y man. Dyna'r unig ran o'm gorffennol sydd heb ei hadfer i mi eto, ers i mi roi'r gorau i yfed. Ond fe ddaw. Yn union fel y mae S4C am i mi ymweld â Syr Wynff a Plwmsan eto – a recordio rhaglen arbennig o'u hanturiaethau, gyda'n harwyr, bellach, mewn cartref hen bobol.

Mae gen i sawl prosiect newydd arall i edrych ymlaen atyn nhw, hefyd – cyfres gomedi newydd a sioe lwyfan, o bosib. Rwy'n falch o gael y cyfle i chwarae fy rhan yn llawn fel blaenor ym Methlehem, Gwaelod-y-garth, o'r diwedd – eglwys Gareth, fy mab-yng-nghyfraith. Yr wyf yn falchach o gael adnabod y Gair erbyn hyn, yn ogystal â gwybod ychydig o'r geiriau! Ac mae'r gorau eto i ddod. Tydw i ond megis dechrau crafu'r wyneb eto. Mae yna gyfoeth i'w gloddio yn y pwll sobrwydd yma. Cyfoeth sydd tu hwnt i'm holl freuddwydion – yn union fel yr addawodd Bryn i mi.

Erbyn hyn r'yn ni fel teulu wedi cael deuddeg Nadolig di-alcohol, hapus gyda'n gilydd. Rwy'n teimlo balchder arbennig yn fy nghalon wrth feddwl am Meira, Bethan a Rwth, ac am Begw ac Efa fy wyresau bach. Mae Rwth yn feddyg, a diwrnod ei graddio gydag anrhydedd oedd un o'n diwrnodau hapusaf ni fel teulu. Mae Bethan yn actores o'r radd flaenaf, a diwrnod ei phriodas hefo Gareth oedd un arall o uchafbwyntiau'r teulu. A be fedra i ddweud am Meira? Dim ond dweud na fyddwn i yma heddiw, hebddi. Ym mhriodas Bethan a Gareth disgrifiodd Arwel hi fel 'y ddynes sydd wedi cadw'r teulu 'ma hefo'i gilydd. Heb gyfraniad tawel Meira fydden ni ddim yma heddiw'n dathlu'r achlysur hapus hwn,' meddai. 'Meira ydy asgwrn cefn y teulu bach yma. Arwres y cyfan.' Amen dduda innau. A Begw ac Efa? Dwi eisiau bod yr esiampl orau i'r ddwy wyres fach. Dwi jest eisiau iddynt fod yn falch o'u taid, a medru siarad amdano gyda pharch.

Pa fath o fywyd rydw i'n fyw heddiw, felly? Wel, rwy'n berson bodlon ar fy myd ac yn ymddiried fy mywyd yn llwyr i

Dduw. Rwy'n dechrau pob diwrnod newydd gyda gweddi – heb anghofio am y ddraig, wrth gwrs. Fel dywedais i, mae honno yna o hyd, yn cysgu'n dawel. Ond weithiau, os bydda i'n newynog, yn flin, yn teimlo'n unig neu wedi gorflino, bydd yn troi drosodd i'm hatgoffa o'i bodolaeth. Bydd y ddraig yn gwmni i mi tra bydda i. Dyna pam, er 'mod i wedi'n arbed o alcoholiaeth am heddiw, fedra i ddim nofio'n rhy bell oddi wrth y cwch achub. Byddaf angen presenoldeb hwnnw a'i griw hwyliog yn gydymaith cyson i mi drwy stormydd bywyd, nes i ni gwblhau'n taith i'r ochor draw. Does dim gwella o alcoholiaeth – dim ond arbediad dyddiol, sy'n hollol ddibynnol ar gyflwr ysbrydol dyn.

Mae hwnnw cystal, erbyn hyn, nes 'mod i wedi penderfynu mynd i'r weinidogaeth fel fy nhad o 'mlaen i, os Duw a'i myn. Yn sicr, does neb sy'n fwy annheilwng na'r pechadur penna hwn! Ond wedi penderfynu mynd i'r weinidogaeth ydw i. Tydw i ddim wedi gweithredu arno eto. A hyd nes i mi wneud hynny, rydw i fel yr alcoholig hwnnw sy'n mynd i sobri yfory. Yn y cyfamser mi wna i barhau i sgrifennu, actio a chyfarwyddo gora y medra i.

'O Dad, diolch iti am fy nghadw'n sych ac yn lân ddoe. Plîs helpa i 'nghadw i'n sych ac yn lân heddiw. Am y pedair awr ar hugain nesaf, rwy'n gweddïo am gael gwybod Dy ewyllys Di i mi yn unig, a'r nerth i'w gwireddu. Plîs rhyddha fy meddwl oddi wrth ewyllys yr hunan, ac oddi wrth hunan-fudd, anonestrwydd, a chymhellion anghywir. Anfon i mi y meddwl cywir, gair neu weithred. Dangos i mi beth ddylai fy ngham nesaf fod. Mewn amser o amheuaeth, plîs anfon dy ysbrydoliaeth a'th arweiniad.

Rwy'n gofyn hyn fel y gelli Di fy helpu i weithio drwy fy holl broblemau, er gogoniant a pharch i Ti. Amen.'

Diolch. Dyna'r cyfan am y tro.